Chère lectrice,

Ce mois-ci, les héroïnes de la collection Blanche vont vous prouver que les premières histoires d'amour sont les plus fortes et les plus précieuses…

Assistez aux retrouvailles de Jolie et Reece dans *L'irrésistible Dr Keightly* (Blanche n° 1196) : parti dix ans plus tôt pour étudier la médecine, Reece est de retour au sein du cirque familial où Jolie, elle s'en rend compte aujourd'hui, l'a toujours attendu…

Puis, dans *Seconde chance au West Central Hospital* (Blanche n° 1197), partagez l'émotion de Lana qui, prête à se battre pour la survie du service dont elle s'occupe à l'hôpital, doit négocier avec… son ex-fiancé, qui est plus séduisant que jamais !

Bonne lecture, et rendez-vous le mois prochain !

La responsable de collection

D0865626

Amoureuse d'un médecin grec

*

L'irrésistible Dr Keightly

ANNE FRASER

Amoureuse
d'un médecin grec

COLLECTION *Blanche*

éditions HARLEQUIN

Collection : Blanche

*Cet ouvrage a été publié en langue anglaise
sous le titre :*
FALLING FOR DR DIMITRIOU

Traduction française de
F. JEAN

HARLEQUIN®
est une marque déposée par le Groupe Harlequin

Blanche® est une marque déposée par Harlequin S.A.

ÉDITIONS HARLEQUIN
83-85, boulevard Vincent-Auriol, 75646 PARIS CEDEX 13.
Service Lectrices — Tél. : 01 45 82 47 47
www.harlequin.fr

ISBN 978-2-2803-1048-2 — ISSN 0223-5056

Prologue

Juste avant l'aube, quand la lune semble briller davantage avant que le ciel ne s'illumine… Ce fut à ce moment précis qu'Alexander la vit pour la première fois. Il se dirigeait vers l'anse où il amarrait son bateau quand son attention se trouva attirée par une femme sortant des vagues, telle Aphrodite.

Elle marqua une pause pour tordre sa longue chevelure, et les premières lueurs du soleil la nimbèrent de leur lumière, renforçant l'aspect mystique de la scène. Alexander retint son souffle. Il avait entendu parler d'elle — dans un village, il n'était pas étonnant que l'arrivée d'une étrangère suscite des commentaires —, et on n'avait pas exagéré en disant qu'elle était belle.

L'anse dans laquelle elle avait nagé se trouvait au-dessous d'Alexander, en contrebas du parapet qui bordait la place du village. Si elle levait les yeux, elle l'apercevrait. Mais elle n'en fit rien en s'avançant sur le sable, des gouttes d'eau s'accrochant à sa peau dorée. Si le village n'avait pas bourdonné de commérages sur la femme qui séjournait dans la villa au-dessus de la plage, il aurait pu la prendre pour une créature marine. S'il avait été un rêveur — ce qu'il n'était pas.

1.

Katherine posa son stylo sur la table et se renversa un instant dans son fauteuil pour se détendre. Puis saisissant son verre, elle en but une grande gorgée et grimaça. L'eau était tiède. Les glaçons avaient déjà fondu sous l'implacable soleil grec de midi.

Comme il l'avait fait de nombreuses fois au cours de la matinée, son regard se tourna vers la baie au-dessous de sa villa. L'homme était revenu. Tous les soirs depuis quelques jours, il descendait dans l'anse vers 17 heures et travaillait sur son bateau jusqu'au coucher du soleil. Il manifestait une intense concentration, décapant et ponçant, avec de nombreux arrêts pour se reculer afin d'évaluer l'avancement du travail. Mais aujourd'hui — un samedi — il était arrivé tôt le matin.

Il portait un jean roulé au-dessus des chevilles, et un T-shirt blanc qui mettait en valeur sa peau bronzée, ses épaules larges et ses biceps saillants. A cette distance, elle ne voyait pas la couleur de ses yeux, mais il avait les cheveux bruns, et bouclés sur le front et la nuque. Malgré sa tenue, il faisait penser à un guerrier grec.

Qui était-il ? Katherine se dit que si son amie Sally avait été là, elle aurait eu sa fiche d'identité complète, incluant son signe astrologique ! Malheureusement, Katherine savait qu'elle n'était pas aussi éblouissante que Sally autour de qui les hommes tournaient comme des abeilles autour d'un pot de miel, et qui avait toujours une liaison en cours. Maintenant mariée, Sally s'était fixé la mission de lui trouver quelqu'un. Jusque-là, ses efforts étaient restés vains. Katherine avait eu quelques relations — en fait, deux, en plus de Ben —, mais depuis longtemps elle avait abandonné l'idée de trouver l'homme de sa vie.

De toute façon, les hommes beaux comme celui-là avaient toujours dans leur vie une jolie femme…

L'inconnu de la plage dut sentir son regard car il leva les yeux et la regarda. Elle se hâta de reculer un peu son fauteuil dans l'ombre, mais de toute façon, avec les lunettes sombres qu'elle portait, il ne pouvait pas savoir qu'elle l'observait.

D'ailleurs, il ne l'intéressait pas du tout ! Le contempler la distrayait simplement — d'une manière très plaisante — pendant qu'elle travaillait sur sa thèse. La Grèce tout entière était une fête pour les sens, avec des plages de sable blanc, des montagnes gris-vert, et une mer à l'eau transparente qui changeait de couleur selon l'heure du jour. A présent, elle comprenait pourquoi sa mère lui avait parlé de son pays de naissance aussi souvent et avec autant de nostalgie.

Son cœur se serra. Cela faisait-il déjà quatre semaines que sa mère était morte ? Il lui semblait que c'était hier. Le mois avait passé dans la brume du chagrin. Elle s'était immergée dans le travail avec l'espoir de ne pas trop penser jusqu'à ce que Tim, son patron, la mette en congé d'office : elle n'avait pas pris de vacances depuis des années. Elle avait protesté, mais il s'était montré inflexible. Six semaines, avait-il décrété.

Ensuite, une collègue de travail avait dit à Katherine que les parents grecs d'une de ses amies allaient se rendre en Amérique pour la naissance de leur premier petit-fils et qu'ils auraient besoin d'un gardiennage pendant leur absence pour prendre soin de leur chat adoré et arroser le jardin. Katherine avait pris cela comme un cadeau du hasard ; elle avait délaissé sa thèse pendant la maladie de sa mère, et malgré ce que préconisait Tim — un repos complet — ce serait le moment idéal pour terminer son travail.

Par la même occasion, elle tiendrait la promesse faite à sa mère.

La maison blanchie à la chaux, bâtie en limite du village, et blottie à flanc de montagne, possédait une cuisine ouverte et un séjour. Des marches taillées dans le roc serpentaient jusqu'à une terrasse exposée au sud. La chambre principale se trouvait au rez-de-chaussée. Sa porte menait à une autre petite terrasse qui, elle, donnait un accès direct à la plage. Le jardin était rempli de grenadiers, de figuiers, et de vieux oliviers qui procuraient une ombre bienvenue. Des masses grimpantes de bougainvilliers rouges, de jasmin et de chèvrefeuille s'accrochaient au mur et embaumaient l'air.

Le chat, Hercule, ne posait aucun problème. La plupart du temps, il paressait au soleil sur la terrasse, et Katherine s'assurait simplement qu'il ne manque ni d'eau ni de nourriture. Ils s'étaient pris d'affection l'un pour l'autre, et Hercule avait pris l'habitude de dormir sur son lit. Elle savait bien qu'elle ne devrait pas l'y encourager, mais il y avait quelque chose de réconfortant dans son ronronnement et dans la chaleur de ce petit corps blotti contre elle.

Cette idée ramena une fois de plus son regard sur l'homme qui travaillait sur son bateau.

Il avait repris son travail de décapage. Il devait avoir chaud, là, en bas, où il n'y avait aucune ombre. Ne devrait-elle pas lui proposer quelque chose à boire ? Ce serait un geste poli de bon voisinage. Mais elle n'était pas là pour faire connaissance avec les voisins — elle était là pour voir un peu le pays de sa mère et, tout en contentant son patron, pour finir sa thèse. Mais après quatre jours de vacances, elle n'avait pas vu grand-chose de la Grèce, à part une courte visite dans le village où sa mère avait passé son enfance. Tant pis. Si elle gardait ce rythme, sa thèse serait prête d'ici un mois, ce qui lui laisserait ensuite du temps pour le farniente et le tourisme.

Mais comment se concentrer avec cette chaleur ? Elle allait faire une pause, et cela ne lui prendrait qu'une minute pour porter une boisson à l'inconnu. De toute façon, il venait probablement du village, alors il ne devait pas très bien parler anglais, ce qui rendait hautement improbable toute longue conversation.

Elle s'apprêtait à gagner la cuisine quand une petite fille de cinq ou six ans apparut au pied de la falaise. Vêtue d'un short en jean à franges et d'un T-shirt rouge vif, elle courut en direction de l'homme, ce qui fit danser ses longs cheveux blonds réunis en queue-de-cheval. Un petit cocker, les oreilles au vent, la suivait en courant, avec des jappements excités.

— Baba ! s'écria-t-elle, visiblement ravie, agitant les bras.

Baba… Papa. Katherine éprouva un pincement au cœur désagréable et inattendu. Ainsi, l'homme était marié…

Il interrompit son travail et un sourire fit ressortir la blancheur de ses dents dans son visage bronzé.

— Crystal !

Il ouvrit grands les bras, et la petite fille s'y précipita avant de se lancer dans une conversation en grec.

Alors qu'il reposait la fillette à terre, une jeune femme mince et blonde aux cheveux courts se dirigea vers eux en courant à grandes foulées souples. Sûrement son épouse. Elle portait un panier en osier qu'elle posa sur le sable avant d'adresser à l'homme quelques mots qui le firent sourire.

L'enfant se mit à sautiller en rond, le cocker bondissant à sa suite, et un rire enfantin s'éleva dans l'air calme.

Cette petite famille, le plaisir qu'elle avait à être réunie, le tableau qu'elle formait, tout avait l'air si parfait qu'une boule se forma dans la gorge de Katherine. Voilà ce qu'elle ne connaîtrait probablement jamais…

Pourtant, elle ne détestait pas la vie intéressante et prenante qu'elle menait. La santé publique n'était pas considérée comme la spécialité la plus sexy, mais en termes de vies sauvées — la plupart des autres médecins s'accordait à le dire —, c'étaient les médecins de santé publique et la médecine préventive qui avaient permis de véritables avancées, notamment en agissant sur les grandes épidémies.

Quand Katherine leva de nouveau les yeux de son travail, un moment plus tard, la femme était partie, mais les restes d'un pique-nique parsemaient la couverture. L'homme était assis, le dos appuyé contre un rocher, et la petite fille, blottie contre lui, semblait captivée : il lui lisait une histoire.

Décidément, elle n'arriverait jamais à se concentrer si elle restait là ! Rassemblant ses papiers, elle rentra dans la maison. Elle allait travailler encore une heure puis déjeuner. Peut-être, ensuite, explorerait-elle le village. A part sa courte visite — décevante — du village de sa mère, elle avait été trop occupée par sa thèse pour faire plus qu'une baignade ou un peu de marche le long de la plage avant le petit déjeuner et avant d'aller se coucher. Par ailleurs, elle avait besoin de faire des courses.

Elle s'était rendue une fois à l'épicerie du village pour acheter des tomates et du lait, et elle avait subi la curiosité ouverte de l'épicière et des clients. Elle avait regretté alors de ne pas avoir appris le grec correctement quand elle aurait pu le faire. Sa mère parlait grec depuis toujours, mais comme elle n'avait jamais employé cette langue à la maison, Katherine ne connaissait que quelques mots.

Avant de venir en Grèce, elle avait appris suffisamment de vocabulaire pour demander ce dont elle avait besoin. A l'épicerie, elle avait fait ses emplettes en combinant des gestes et quelques phrases — sa manière de prononcer provoquant l'hilarité.

Elle consulta rapidement ses dossiers puis les poussa de côté avec un soupir résigné. La chaleureuse scène de famille dont elle avait été le témoin l'avait troublée, ravivant en elle les sentiments de solitude et de remords qui l'accompagnaient depuis longtemps. Impossible de se concentrer maintenant. Elle ferait aussi bien d'aller tout de suite au village après avoir fait un brin de toilette.

Dans la chambre, elle hésita puis elle alla ouvrir le tiroir de la table de chevet et en sortit l'album photo qui ne la quittait jamais. Elle le feuilleta jusqu'à ce qu'elle trouve deux photos de Poppy quand elle avait six ans — à peu près le même âge que la petite fille de la plage.

Si sa mémoire était bonne, cette photo-là avait été prise à Brighton. Poppy était à genoux dans le sable, un seau et une pelle près d'elle, et l'air très concentré elle sculptait ce qui ressemblait à un château. Les cheveux rassemblés en deux couettes, elle portait un maillot de bain une pièce de couleur vive. Un autre cliché, pris le même jour, représentait Poppy dans les bras de Liz, avec des traces de crème glacée sur le visage, la tête renversée en arrière comme si elle avait été photographiée en train de rire. On voyait le trou au milieu de sa dentition à l'endroit où des dents de lait étaient tombées. Elle semblait au comble du bonheur. Aussi heureuse que la fillette de la plage.

Katherine referma l'album, incapable de le regarder un instant de plus. Il était inutile de revenir sur ce qui aurait pu exister, elle le savait depuis longtemps… Le travail. C'était le travail qui l'empêchait de ressasser le passé. La visite du village pouvait attendre.

Concentrée sur son livre, dans le séjour, Katherine sursauta quand résonna derrière elle une petite voix.

— *Yassou…*

Elle fit vivement pivoter son fauteuil. La petite fille de la plage ! Elle ne l'avait pas entendue gravir les marches de pierre.

— Oh ! bonjour !

Que faisait-elle là, et seule, qui plus est ?

— Tu m'as fait peur, ajouta Katherine toujours en anglais.

L'enfant pouffa.

— Ah bon ? Je t'ai vue hier quand j'étais avec baba. Tu étais là.

Elle pointa l'index en direction de la terrasse avant de poursuivre :

— Tu n'as pas d'amis alors je suis venue te voir.

Malgré un fort accent grec, son anglais était presque parfait.

Katherine émit un rire qui sonnait un peu faux.

— Certains adultes aiment bien être seuls. Et puis, tu vois, j'ai beaucoup de travail.

— Mais je pourrais quand même venir te voir des fois. Tu veux bien ?

Que répondre à cela ?

— Oui, bien sûr. Mais tu ne vas pas me trouver très intéressante. Je n'ai pas l'habitude de jouer avec des enfants.

— Mais… tu étais une petite fille, toi, avant d'être vieille.

Cette fois, Katherine rit de bon cœur.

— Je suis vieille, c'est vrai. Et ce n'est pas drôle. Dis-moi, qu'est-ce que tu fais là ? Tes parents doivent s'inquiéter.

L'enfant ouvrit de grands yeux, étonnée.

— Pourquoi ?

— Eh bien, parce que tu es encore petite et, en général, les parents aiment bien savoir où sont leurs enfants et ce qu'ils font.

Quelle ironie dans ce qu'elle était en train de dire, pensa Katherine…

— Mais ils savent où je suis ! Je suis dans le village ! Bonjour, Hercule.

Alors que la fillette se mettait à genoux pour caresser le chat, un véritable charivari se déclencha soudain quand le cocker, qui avait suivi l'enfant, fit irruption dans la pièce et se précipita vers le chat. Avec un miaulement de colère, Hercule sauta sur le bureau de Katherine faisant tomber papiers, stylos et crayons. Katherine agrippa alors le chat qui se débattait pendant que le chien sautait contre ses jambes avec des jappements surexcités.

— *Kato !* Galen ! *Kato !*

Sévère, une voix masculine avait résonné dans le chaos. C'était le père de la petite fille, l'homme du bateau. Mon Dieu, combien de personnes et d'animaux encore allaient s'inviter dans son séjour ? pensa Katherine.

Le cocker rejoignit docilement l'homme et se coucha à ses pieds, battant de la queue et haletant. Après avoir adressé sèchement en grec quelques mots à la fillette, l'inconnu se retourna vers Katherine.

— Je vous prie d'excuser l'intrusion de ma fille. Elle sait qu'elle ne doit pas s'éloigner sans me prévenir. Je n'avais pas remarqué qu'elle était partie, et puis j'ai vu que ses empreintes dans le sable se dirigeaient par ici.

Il parlait un anglais parfait, teinté d'un accent très léger et plaisant.

— Si vous le voulez bien, nous allons vous aider à ramasser vos papiers, ajouta-t-il.

Vu de près, il était superbe, avec des yeux couleur sépia sous des sourcils bruns et des cils épais, un nez droit, des lèvres sensuelles et des pommettes bien dessinées. La femme blonde avait bien de la chance…

Katherine déposa sur le sol Hercule qui sortit aussitôt après un dernier regard hostile en direction du cocker.

— Je vous remercie, ce ne sera pas nécessaire…

Mais l'homme rassemblait déjà quelques feuilles éparpillées.

— C'est la moindre des choses.

— Je préfère que vous laissiez tout — cela risque de mélanger encore plus les pages.

Elle avait posé une main sur son bras musclé pour l'arrêter, mais l'ôta aussitôt en ressentant un picotement.

Il se redressa en l'observant. Il était si près qu'elle respirait son parfum, et l'énergie presque palpable qui émanait de lui mit en alerte chaque cellule nerveuse de son corps. Comment pouvait-elle réagir ainsi face à un homme marié ? Que lui arrivait-il ?

— Les accidents, ça arrive. Laissez tout en l'état, ça ira, merci, dit-elle.

— Oui, papa ! Les accidents, ça arrive ! renchérit la petite fille en anglais.

La réponse de l'inconnu, douce cette fois, et en grec, fit de nouveau baisser la tête à l'enfant, mais quand il se retourna vers Katherine, un sourire jouait aux commissures de ses lèvres.

— Je vous prie encore d'excuser ma fille. Malheureusement, Crystal a pris l'habitude d'entrer chez tous les gens du village, alors elle ne comprend pas bien que certaines personnes préfèrent procéder par invitations.

L'air penaud de la petite fille amusa Katherine.

— Ce n'est pas grave. J'avais bien besoin d'une pause.

Alors voilà, j'en prends une — un peu plus tôt que prévu, mais ça ne fait rien.

— Dans ce cas, nous allons vous laisser tranquille…, répondit l'homme.

Son regard se posa brièvement sur les doigts sans alliance de Katherine.

— Mademoiselle… ?

— Burns. Katherine Burns.

— Katherine. Et moi, je m'appelle Alexander Dimitriou. Je vous ai vue en train de nous regarder depuis votre terrasse.

— Pardon ! Ce n'était pas le cas ! Je travaillais sur mon ordinateur portable, et vous vous trouviez dans mon champ de vision.

Quel arrogant ! Il était persuadé qu'elle l'observait — même si c'était bien ce qu'elle avait fait…

En le voyant sourire, elle s'aperçut qu'elle venait d'avouer qu'elle l'avait remarqué. Et maintenant, il la regardait d'une manière dérangeante. Ce n'était pas bien de la part d'un homme marié de regarder de cette façon une autre femme.

— Peut-être accepteriez-vous de venir déjeuner chez nous un jour. Nous aimerions nous faire pardonner notre intrusion.

— Merci, répondit-elle sèchement tout en raccompagnant le père et l'enfant sur la terrasse. J'ai dit à Crystal qu'elle pourrait revenir me voir un jour. Mais vous voudrez bien lui rappeler de vous prévenir avant de s'éloigner.

Puis elle les regarda traverser la plage pour rejoindre la place du village. Crystal bavardait en imprimant un balancement au bras de son père. Même à cette distance, des échos de son rire parvenaient à Katherine.

Avec un soupir, elle pivota sur ses talons et rentra dans la maison.

* *
*

Une fois Crystal couchée, ce soir-là, Alexander ne put s'empêcher de repenser à Katherine Burns, comme les quelques jours précédents — depuis le matin où il l'avait vue sortir de l'eau.

Quand elle était assise sur sa terrasse, il ne pouvait s'empêcher de jeter des coups d'œil dans sa direction.

Elle l'observait. Plus d'une fois, en levant les yeux, il l'avait surprise en train de regarder dans sa direction.

Son arrivée avait provoqué un émoi dans le village. Les habitants, sa grand-mère et sa cousine Helen incluses, continuaient d'être fascinés par cette femme qui avait atterri là, mais ne se mêlait pas à eux : elle ne quittait sa résidence que rarement, pour prendre un rapide bain de mer ou acheter quelques provisions à l'épicerie du village. Ils s'étaient perdus en conjectures à son sujet, mais à leur grande déception, elle ne s'arrêtait jamais pour prendre un café ou un verre de vin sur la place, ou pour goûter la cuisine maison de Maria, à l'unique auberge du village, ce qui leur aurait permis de lui poser des questions. Helen, en particulier, aurait adoré en savoir plus sur son compte, car elle le harcelait pour qu'il recommence à sortir.

Katherine était indéniablement superbe, mais il n'était pas intéressé par les relations durables, et son instinct lui disait que Mlle Burns n'avait aucun goût pour les aventures.

Pourtant, quelque chose en elle l'attirait. Peut-être, pensat-il, parce qu'il reconnaissait en elle la tristesse qui l'habitait lui-même.

Raison de plus pour garder ses distances.

2.

Le lendemain matin, Katherine décida de travailler à l'intérieur, à l'abri des regards, mais au bout de deux heures elle se retrouva sur la terrasse, attirée comme par un aimant.

En bas sur la plage, Alexander, torse nu, avait repris son travail sur son bateau. Pour ne plus voir sa peau bronzée luisante de sueur, Katherine ferma les yeux et écouta le bruit des vagues qui léchaient le rivage. La brise apportait le doux parfum des orangers d'un verger tout proche. Ce séjour en Grèce lui mettait du baume à l'âme…

Un juron ramena son attention sur la plage.

Alexander avait laissé tomber son grattoir à peinture. Il examina sa main un instant, l'air contrarié, puis regarda autour de lui comme s'il cherchait quelque chose pour faire office de pansement. Ne trouvant que son T-shirt, il se pencha pour le ramasser, et l'enroula autour de sa main.

Elle ne pouvait pas le laisser ainsi — surtout quand, prévoyante comme toujours, elle avait apporté une petite trousse d'urgence —, et il était très improbable qu'on trouve un médecin, un dimanche, dans un si petit village !

Quand elle arriva près de lui, le sang avait traversé le pansement improvisé mais, imperturbable, Alexander avait repris son travail, gardant sa main gauche blessée en l'air, avec l'espoir illusoire d'arrêter ainsi le saignement.

— *Kaliméra !* lança Katherine.

Quand il leva les yeux, elle agita la trousse qu'elle portait.

— Je peux vous aider ?

Il sourit, et le cœur de Katherine palpita brièvement.

— Ça va aller, mais merci quand même.

— Au moins, laissez-moi jeter un coup d'œil ! A voir tout ce sang, c'est une méchante coupure.

Son sourire s'élargit.

— Si vous insistez, dit-il, tendant la main.

Elle s'avança et entreprit de dérouler le bandage improvisé. Quand ses doigts rencontrèrent sa paume durcie par le travail, elle ressentit le même frisson électrique que la veille. C'était bien sa chance : la première fois qu'elle rencontrait un homme qui lui plaisait instantanément, il fallait qu'il soit marié — et père par-dessus le marché !

— C'est profond. Il faudrait faire des points. Est-ce qu'il y a un cabinet médical ouvert aujourd'hui ?

— Pour la plupart, ils ne sont ouverts que pour les urgences le dimanche — et je ne suis pas sûr que ceci soit une urgence.

— Moi, je pense que si, dit Katherine, consciente qu'elle adoptait un ton guindé de maîtresse d'école. Je suis médecin, alors je sais de quoi je parle.

Il ouvrit des yeux ronds, étonné.

— Vraiment ? Les gens du village vous croient écrivain. Généraliste, je présume ?

— Non. Epidémiologiste. Je travaille dans la recherche. Dans la santé publique.

— Mais vous n'êtes pas en vacances ? Vous sembliez bien absorbée dans vos papiers hier.

— Ma thèse de doctorat.

— Un cerveau…, conclut Alexander, souriant de nouveau. Alors vous ne pourriez pas suturer ma main ?

— Non, malheureusement. Je n'ai pas ce qu'il faut. De toute façon, vous aurez sûrement besoin d'une injection antitétanique sauf si vous en avez reçu une récemment. Est-ce le cas ?

— Non, répondit-il, imperceptiblement moqueur.

— Alors, il faut trouver une consultation d'urgence. En attendant, je vais nettoyer la coupure et mettre un pansement. Y a-t-il quelqu'un qui pourrait vous emmener ?

— Pas la peine. Ce n'est pas loin, je peux y aller à pied. Et, de toute façon, cette égratignure ne va pas me tuer.

— Peut-être pas, mais elle pourrait vous rendre très malade. Je vous conseille vraiment de vérifier si le médecin souhaite vous voir. Je l'appellerai si vous voulez. En tant que médecin, je le convaincrai peut-être de vous recevoir.

Cette fois, Alexander s'esclaffa.

— En fait, vous aurez du mal parce que le médecin, c'est moi.

— Vous êtes… médecin ?

Katherine se sentit complètement idiote avec sa petite trousse d'urgence en plastique. S'il était généraliste, il était sûrement plus qualifié qu'elle pour évaluer la blessure. Maintenant, elle comprenait la raison de son air amusé.

— Vous auriez pu me le dire avant !

Alexander haussa les épaules.

— J'aurais fini par vous le dire.

De nouveau, il afficha son sourire éblouissant.

— Je pense que j'appréciais l'attention personnelle — c'est agréable d'être celui qu'on soigne, pour une fois.

— C'est tout de suite que vous auriez dû le dire… De toute façon, vous ne pouvez pas vous suturer la main vous-même, ajouta-t-elle.

En fait, en cet instant précis, cela ne lui aurait pas déplu de lui laisser tenter l'expérience !

— Je pourrais essayer, mais vous avez raison, ce serait plus facile et mieux fait si c'était vous qui vous en occupiez. Le cabinet médical que j'ai ici n'est guère plus qu'un bureau que j'utilise quand les vieux villageois ont besoin de voir un médecin et qu'ils ne sont pas en état de se rendre à mon cabinet en ville. Mais l'équipement est suffisant et vous pourriez me recoudre ça.

— Dans ce cas, je vous suis.

***

Son « bureau » était une ancienne maison de pêcheur sur la place du village. Le petit hall ne donnait que sur deux pièces, et il ouvrit la porte de gauche. Katherine aperçut une table d'examen, un chariot en acier inoxydable, un évier, et tout ce qu'on pouvait s'attendre à trouver dans un petit dispensaire rural. Le seul élément surprenant était un fauteuil profond recouvert d'un jeté de canapé.

Alexander, qui avait suivi son regard, esquissa une grimace.

— Je sais que ça ne va pas très bien ici, mais mes vieux parents aiment bien leur confort quand ils viennent me rendre visite ici.

D'un point de vue sanitaire, ce n'était pas vraiment l'idéal, mais Katherine garda son avis pour elle. Ce n'était pas à elle de lui dire comment gérer son cabinet médical.

Il ouvrit un placard et posa sur le bureau un anesthésique local, une seringue, et un kit de suture puis il s'assit au bord de la table d'examen.

Le regard de Katherine s'attarda un instant de trop sur son large torse. Quel physique de gladiateur…

S'apercevant qu'il la regardait, un petit sourire jouant sur ses lèvres, elle sentit qu'elle s'empourprait et lui tourna le dos pour se diriger vers l'évier, regrettant d'avoir proposé ses soins.

Elle se lava les mains puis enfila des gants à usage unique, toujours consciente du regard taquin posé sur elle pendant qu'elle préparait la seringue d'anesthésique. Evitant de regarder son torse dénudé, elle prit doucement la main blessée, et, après avoir désinfecté la plaie, elle injecta le produit dans la blessure sans noter la moindre réaction à la piqûre.

— Nous allons attendre un peu que ça fasse effet, dit-elle.

— Alors dites-moi, qu'est-ce qui vous a amenée ici ? Ce n'est pas un coin touristique.

— On m'a gentiment proposé de séjourner dans la villa des Dukas, par l'intermédiaire d'une collègue qui est une amie de leur fille — en échange de la garde d'Hercule et de l'arrosage du jardin. Ma mère était grecque, et j'ai toujours voulu voir son pays natal.

— D'où était-elle ?

— D'Itylo. Je ne pouvais pas en être plus près.

— C'est votre premier voyage dans le Péloponnèse alors ?

— Mon premier voyage en Grèce.

— Votre mère n'est pas venue avec vous ?

— Elle est morte il y a peu de temps.

Katherine n'avait pu empêcher sa voix de trembler. Avant de poursuivre, elle ravala la boule qui s'était formée dans sa gorge.

— Elle a toujours rêvé que nous découvrions la Grèce ensemble, mais sa santé l'a empêchée de voyager. Une sclérose en plaques…

— Comme c'est triste, répondit Alexander.

La phrase, toute simple, vibrait de sincérité. Pourquoi fallait-il qu'en plus d'être superbe, il soit gentil aussi ?

Du bout des doigts, Katherine palpa doucement sa paume.

— Est-ce que vous sentez quelque chose ?

— Non. Plus rien. Vous pouvez y aller.

Ouvrant le kit de suture, elle prit une aiguille.

— J'espère que vous allez visiter un peu la région avant de partir. Olympie, Delphes ? Athènes et l'Acropole bien sûr. Mycènes peut-être ?

— J'ai tout ça sur ma liste. Mais je veux terminer ma thèse d'abord.

Il fronça légèrement les sourcils.

— Alors pas un seul moment de détente ? Ce n'est pas bon, ça. Tout le monde a besoin de temps libre pour se détendre.

— Je le fais. Souvent.

— Mmm…, fit Alexander, incrédule — ou désapprobateur. Le travail peut être un moyen de ne pas affronter l'insupportable. Ce n'est pas bien si ça dure trop longtemps. Il faut que vous preniez le temps de pleurer.

Katherine se raidit. Qui était-il pour lui dire ce qui était bon pour elle et ce dont elle avait besoin ? A chacun ses choix de vie !

— Il faut que je m'excuse pour hier, continua-t-il. Vous étiez en plein travail, alors j'espère que nous ne vous avons pas trop retardée. Depuis votre arrivée, ma fille mourait d'envie de faire votre connaissance. Malheureusement, sa curiosité a fini par l'emporter, j'en ai bien peur.

Katherine posa un point puis le noua.

— Votre fille est charmante et très jolie.

— Oui. Elle tient de sa mère.

— Je suppose que cette belle femme que j'ai aperçue hier sur la plage, est votre épouse, dit-elle en posant un autre point.

Entendant Alexander inspirer difficilement, elle s'arrêta net.

— Excusez-moi. Je vous ai fait mal ? Pas assez d'anesthésique, peut-être.

Il secoua la tête.

— Je n'ai rien senti. La femme que vous avez vue, c'est Helen, ma cousine. Ma femme est morte.

Un instant, Katherine demeura abasourdie.

— C'est terrible pour vous. Et votre fille… Perdre sa mère si jeune…

— Oui. Ça a été terrible, en effet.

Ainsi, il savait ce que c'était de perdre quelqu'un, lui aussi. Katherine baissa la tête et ne la leva plus avant d'avoir fait le dernier point. Quand sa femme était-elle morte ? Crystal devait avoir cinq, six ans ? Donc, le décès avait dû se produire dans cet intervalle-là, et à en juger par la tristesse du regard d'Alexander, la douleur était encore vive.

Elle posa un petit pansement carré sur la plaie refermée et termina par un bandage, satisfaite d'avoir effectué un travail aussi net qu'à l'époque où elle le faisait souvent.

— Et pour le tétanos ? Je pense que vous avez ce qu'il faut en stock ici.

— Il vaudrait mieux que vous vous occupiez aussi de ça. Ma dernière injection remonte à plus de cinq ans.

Alexander se dirigea vers un petit réfrigérateur, en inspecta l'intérieur, et se retourna.

— Zut ! Je n'en ai plus. Tant pis, j'en prendrai quand je retournerai à mon autre cabinet médical demain.

— Ce sera peut-être trop tard — vous le savez sûrement.

Comme vous êtes mon patient, apparemment, j'insiste pour que vous receviez l'injection aujourd'hui.

— Ça demanderait un aller-retour à Pyrgos — à presque une heure d'ici. Malheureusement, Helen a emprunté ma voiture pour emmener Crystal chez une amie, et elle ne rentrera pas avant ce soir. Pas le choix, il faut remettre à demain.

Katherine marqua une brève hésitation.

— Je vous emmène.

— Rien ne vous fera renoncer, est-ce que je me trompe ? Elle eut un sourire.

— Non. C'est bien vu. Vous voulez peut-être enfiler une chemise propre. Si vous y alliez pendant que moi, j'irai chercher les clés de ma voiture ?

Apparemment, elle allait avoir du mal à honorer sa proposition.

Une crevaison… Mais, par chance, la voiture avait bien une roue de secours. Katherine positionna la clé pour desserrer les écrous — en vain. Ils étaient rouillés, probablement…

— Un problème ?

Se retournant, elle trouva Alexander derrière elle. Il avait pris une douche et portait à présent un pantalon en coton de couleur claire et une chemise à manches courtes.

— Une roue crevée. Je suis en train de réparer. Dès que je pourrai, je changerai cette guimbarde contre quelque chose de mieux.

La voiture que l'agence de location lui avait attribuée était plus cabossée qu'une voiture de rallye après un tonneau. Mais d'après l'employé, c'était le seul véhicule disponible.

Visiblement amusé, Alexander contourna le capot pour rejoindre Katherine.

— Ils vous ont refilé ça ?

— Oui… J'étais fatiguée.

Alexander allait se dire qu'on avait profité d'elle — ce qui était vrai —, mais c'était déplaisant qu'il le pense.

— Quelle agence vous a loué ce tas de ferraille ?

Elle le lui dit.

— Ils ont un bureau à Katakolo, ce qui n'est pas loin de l'endroit où nous allons.

— Est-ce que ce sera ouvert, un dimanche ?

— C'est de là que partent tous les bateaux pour les visites d'une journée à Olympie, donc un lieu touristique, et tout sera ouvert. Une fois que j'aurai reçu cette injection qui vous tient à cœur, je m'occuperai de vous obtenir quelque chose de mieux.

— Je peux régler ça toute seule, répliqua-t-elle.

Est-ce que tous les Grecs croyaient les femmes complètement incapables ?

Il leva les mains en signe d'apaisement.

— Ecoutez… Vous m'aidez et, en plus, ce n'est pas loin de notre destination.

Un sentiment de honte envahit Katherine. Il n'avait rien fait pour mériter une réponse aussi sèche ; ce n'était pas sa faute si, avec lui, elle se sentait comme une collégienne devant son premier béguin.

— Excusez-moi. C'est la chaleur, dit-elle, à court d'inspiration. En attendant, il faut quand même que je change cette roue.

Elle prit une pierre et tapa sur la clé. En vain. Rien ne bougea.

Alors qu'Alexander se plaçait près d'elle, elle remarqua que les muscles de ses cuisses tendaient l'étoffe de son jean.

— Laissez-moi faire.

— Je peux me débrouiller. Enfin, je pourrais si ce n'était pas bloqué.

Il lui prit la clé.

— Ça demande un peu de force, c'est tout.

— Vous ne devriez pas, avec votre main suturée.

Il ignora l'avertissement, et il lui fallut peu de temps

pour ôter les écrous puis remplacer la roue crevée par la roue de secours.

— Merci, dit Katherine. Je vais prendre le relais.

Il se recula et la regarda actionner le cric.

— Je vais juste resserrer les écrous une deuxième fois, dit-il. Ensuite, nous pourrons partir. Voulez-vous que je conduise ?

— Non, merci.

Malgré les vitres baissées, il faisait très chaud dans l'habitacle car, comme il fallait s'y attendre, la climatisation ne fonctionnait pas. Les mains crispées sur le volant, Katherine essayait de ne pas faire d'embardée quand une voiture la dépassait, se rabattant parfois juste à temps pour éviter la collision avec une autre voiture arrivant en face. Peut-être aurait-elle dû accepter la proposition d'Alexander et lui laisser le volant. Mais s'il conduisait de la même manière que ses compatriotes, ce trajet serait encore pire sur le siège du passager, aussi préférait-elle se trouver aux commandes.

Quand elle se gara sur une place de parking devant le dispensaire de Pyrgos, elle était nerveusement épuisée. Les mains et le front moites, elle commençait à comprendre pourquoi sa voiture louée était sérieusement endommagée.

L'air soulagé, Alexander défit sa ceinture de sécurité.

— Ça ne prendra pas longtemps, mais si vous voulez, allez vous promener un peu en attendant.

— Je pourrais venir avec vous, répondit Katherine.

Elle était curieuse de savoir comment fonctionnaient les services médicaux en Grèce.

Pendant qu'Alexander saluait la secrétaire, elle s'assit dans la petite salle d'attente à côté d'une femme d'un certain âge qui avait le genou bandé. Alexander se tourna vers cette dernière et lui adressa en grec quelques mots qui la firent rire.

— Mme Kalfas attend que son mari vienne la chercher,

alors je peux entrer dans le bureau, expliqua-t-il à l'intention de Katherine.

Quelques instants après qu'Alexander eut disparu, un homme de vingt à vingt-cinq ans entra d'une démarche mal assurée et, après avoir adressé quelques mots à la secrétaire, s'affala dans un des fauteuils libres. Il était beau avec ses cheveux noirs bouclés, ses lèvres pleines et sa peau mate, mais son jean et sa chemise à carreaux étaient tachés et froissés. Il avait les joues rouges, et ses yeux, quand il parvenait à les ouvrir, brillaient de fièvre. Peut-être aurait-elle dû aller marcher un peu, pensa Katherine. Les hôpitaux et les salles d'attente des cabinets de généralistes étaient démoralisants pour les bien-portants.

Mme Kalfas tenta de lier conversation avec le jeune homme, mais celui-ci ne prêtait guère d'attention à ce qu'elle lui disait. Des signaux d'alarme se déclenchèrent alors dans la tête de Katherine tandis qu'elle l'observait discrètement. Les yeux du malade étaient-ils fermés parce que la lumière le gênait ? Autre détail alarmant : la manière dont il gardait une main sur la nuque. Il semblait vraiment mal en point !

A cet instant, le patient émit un gémissement puis s'effondra sur le carrelage. Aussitôt, Katherine le rejoignit et lui saisit le poignet pour chercher un pouls qu'elle trouva faible et rapide. Du regard, elle chercha la secrétaire, mais celle-ci s'était absentée, et Mme Kalfas ouvrait de grands yeux, horrifiée.

— J'ai besoin d'aide ! Alexander ! appela Katherine.

La porte derrière laquelle il avait disparu se rouvrit brusquement sur lui, et il se précipita vers elle. Un petit homme replet et chauve l'avait suivi, un stéthoscope autour du cou.

— Que s'est-il passé ? demanda Alexander.

— Ce jeune homme est entré il y a quelques minutes. J'allais suggérer qu'on le reçoive immédiatement quand il est tombé. Il se frottait la nuque comme si elle était raide ou douloureuse. Cela évoque une méningite.

Alexander et son collègue échangèrent en grec quelques phrases rapides, et le second médecin sortit en hâte.

Mme Kalfas émit un gémissement, et la secrétaire réapparut pour la réconforter, mais Alexander lui adressa quelques mots et elle retourna derrière son bureau où elle décrocha son téléphone.

Alexander s'adressa à Katherine.

— Il y a plusieurs pistes possibles, mais par précaution Carlos — le Dr Stavrou — va poser une perf pour que nous puissions administrer des antibiotiques. Et Diane va appeler une ambulance.

Revenu pendant qu'Alexander injectait au patient des antibiotiques par intraveineuse, Carlos ouvrit un kit et tendit un cathéter Venflon à Alexander. Celui-ci l'inséra dans une veine, puis, prenant le flacon de solution que lui tendait l'autre médecin, il relia une extrémité du tube à l'aiguille. Ensuite, il passa le flacon à Katherine qui le tint en hauteur pour que le liquide puisse s'écouler sans problème.

Pendant qu'elle plaçait un masque à oxygène sur le visage du jeune homme, elle vit que la secrétaire avait repris sa place près de Mme Kalfas, et que les deux femmes observaient la scène avec attention. Alexander se retourna et parla rapidement à la secrétaire, puis il traduisit sa réponse.

— Diane dit que l'ambulance ne va pas tarder à arriver. Elle est d'accord pour ramener Mme Kalfas chez elle sans attendre l'arrivée de M. Kalfas. Je pense que ce sera mieux, étant donné qu'elle a eu très peur.

Katherine fut impressionnée par l'attention qu'il portait à la vieille dame, même au cœur d'une urgence. Leur patient n'avait pas repris conscience, mais à part surveiller sa respiration, ils ne pouvaient plus faire grand-chose en attendant l'arrivée de l'ambulance.

— Avez-vous un défibrillateur sous la main ? demanda Katherine.

— Naturellement.

Elle se demanda ce qui avait provoqué la syncope. Outre la méningite, plusieurs possibilités étaient envisageables, mais sans tests complémentaires il était impossible de se prononcer.

Diane venait de partir avec la vieille dame quand l'ambulance arriva. Les ambulanciers parlèrent avec Alexander avant d'emmener rapidement le malade.

— Est-ce que l'un de nous deux ne devrait pas l'accompagner ? demanda Katherine.

— Non. Carlos veut y aller. C'est son patient.

Les portes arrière claquèrent et l'ambulance s'éloigna, toutes sirènes hurlantes.

— Ça va ? demanda Alexander.

— Parfaitement. Pourriez-vous suggérer qu'on teste le patient pour la méningite ?

— Vous allez un peu vite, non ? Carlos m'a dit que Stéfan — le patient — était sujet aux malaises. En ce moment, il y a quelques virus qui circulent. De plus, je ne vois aucun signe d'éruption cutanée.

— Vous pouvez me faire confiance. Les maladies contagieuses sont ma spécialité, et ce jeune homme présente tous les signes — hypersensibilité à la lumière, fièvre, nuque douloureuse. Et l'éruption peut apparaître à tout moment.

— Mmm... Ecoutez, on peut toujours effectuer une ponction lombaire. J'appellerai l'hôpital pour m'assurer qu'on fait tous les examens. Au moins, il a été placé sous antibiotiques. En attendant, nous allons devoir attendre ici le retour de Carlos, malheureusement. Ça ne vous dérange pas trop ?

Katherine afficha un grand sourire.

— Non. Vous pourrez me faire visiter les lieux.

Le cabinet médical était bien aménagé. En plus de quatre bureaux pour les consultations, un pour chaque médecin, un pour les infirmières et un pour leur kinésithérapeute, il y avait une salle de radiographie et une salle de soins d'une propreté scrupuleuse. Tout était moderne.

— Vous êtes aussi bien équipés qu'un petit hôpital, fit remarquer Katherine, impressionnée.

— Nous ne savons jamais ce que nous allons voir, alors nous aimons bien être prêts au pire. Comme vous pouvez l'imaginer, nous avons un bon nombre d'accidents de la route sur notre réseau et, parfois, les gens viennent tout de suite ici parce que c'est plus près que l'hôpital.

Ce n'était pas exactement le cabinet médical familial qu'elle avait imaginé, pensa Katherine.

— Nous nous contentons de les stabiliser et de les transférer, mais ça peut sauver des vies, poursuivit Alexander.

— Vous êtes bien formé en termes de réanimation, alors ?

— Oui. Tous. Le fait d'avoir été chirurgien m'aide aussi.

Alexander décrocha le téléphone.

— Vous voulez bien m'excuser ? J'appelle l'hôpital pour leur suggérer de rechercher une éventuelle méningite, comme vous l'avez conseillé, et Carlos m'a dit tout à l'heure qu'un de mes patients avait été admis là-bas hier soir. J'aimerais savoir comment il va.

— Je vous en prie, répondit Katherine.

Pendant qu'Alexander téléphonait, elle l'étudia discrètement. Plus elle apprenait de choses sur lui, plus il l'intriguait. Ainsi, il avait été chirurgien. Dans ce cas, qu'est-ce qui l'avait amené dans ce qui, malgré l'équipement onéreux et moderne, était quand même essentiellement un cabinet médical simple et familial ? Etait-il revenu là à cause de sa femme ? Et comment était-elle morte ? Dans un accident de la route ?

Pendant la conversation téléphonique, l'expression d'Alexander s'était assombrie. Ayant raccroché, il demeura un moment pensif, comme s'il avait oublié la présence de Katherine.

— Un problème ? demanda-t-elle.

— Le patient dont Carlos me parlait a été transféré dans un hôpital d'Athènes. C'est le médecin du premier hôpital qui l'a envoyé là-bas, mais aujourd'hui ce médecin, parti pêcher, est injoignable, et personne d'autre ne peut me renseigner.

Il se renversa dans son fauteuil.

— Je lui parlerai demain pour savoir ce qui, selon lui, nécessitait un transfert. Mais j'ai parlé de Stéfan au médecin de garde aujourd'hui. Elle a promis de faire une ponction lombaire.

— Parfait…

— Alors quel est le sujet de votre thèse ?

— Comme je vous l'ai dit, les maladies contagieuses, en Afrique principalement.

— A quel stade en êtes-vous dans votre cursus ?

— Consultant, depuis quatre ans. J'envisage de poser ma candidature pour un poste de professeur. D'où la thèse.

Alexander émit un petit sifflement.

— Consultant, déjà ! A votre âge ?

— J'ai quand même trente-quatre ans.

Ils parlèrent pendant un moment encore du travail de Katherine et de différentes maladies infectieuses qu'Alexander avait rencontrées en Grèce.

Soudain, des pas résonnèrent, et Carlos entra. Alexander fit rapidement les présentations.

— Comment va notre patient ? ajouta-t-il.

— Sa pression sanguine était remontée quand je l'ai confié à l'équipe des urgences. Ils me donneront de ses nouvelles dès qu'ils auront effectué tous les tests.

— Tu me tiendras au courant à ce moment-là ?

— Bien sûr.

Alexander repoussa son siège et se leva.

— Allons-y, Katherine. Nous allons changer votre voiture.

L'agence de location de voitures n'aurait pas d'autre voiture disponible avant la fin de l'après-midi.

Katherine se retourna vers Alexander.

— Vous voulez rentrer, j'imagine. Est-ce qu'il n'y a pas d'autre compagnie de location dans le secteur ?

— Vous aurez probablement le même problème ailleurs. Les bateaux de croisière arrivent le matin, et beaucoup de passagers — ceux qui ne veulent pas aller visiter Olympie en bus — louent une voiture pour la journée. En général, ils les ramènent vers 16 heures.

— Zut ! Trois heures à attendre…

— Nous pourrions déjeuner. Ou, si vous n'avez pas faim, nous pourrions aller à Olympie. Ça fait une éternité que je n'y ai plus mis les pieds, et c'est à moins d'une demi-heure d'ici. Quand nous reviendrons, Costa aura sûrement une voiture pour vous.

Alexander eut un sourire pour ajouter :

— Vous êtes en Grèce maintenant ! Vous trouverez la vie beaucoup plus facile si vous acceptez l'idée qu'ici le temps se vit autrement.

Katherine dissimula sa contrariété. Elle aurait dû retourner à son travail au risque de prendre du retard par rapport à son planning.

Quelle idée ! Avait-elle perdu la tête ? Il avait raison. Et de toute façon, rien ne pressait. C'était dimanche, et un homme superbe, intéressant et *libre*, souhaitait passer du temps avec elle !

— Voir Olympie ? J'adorerais, répondit-elle.

C'était vrai. Ce site faisait partie des endroits qu'elle voulait absolument voir.

— Bien. Dans ce cas, c'est réglé, alors.

Alexander ouvrit la portière côté passager pour Katherine qui fixa sur lui un regard étonné.

— Je pense que ce sera moins stressant — et plus sûr — si c'est moi qui conduis ce vieux tacot, dit-il. Je connais mieux les routes.

Après d'un temps d'hésitation, elle eut un sourire d'acquiescement.

— Je vous en prie. Le volant est à vous.

Elle ne mit pas longtemps à regretter sa décision : Alexander conduisait exactement comme les autres conducteurs grecs, et elle se sentit soulagée quand ils arrivèrent indemnes à Olympie.

Alexander trouva une place dans le parking bondé.

— Le site comporte deux parties : les ruines antiques, et

le musée. Je suggère que nous commencions par le musée qui est climatisé.

Il posa un regard approbateur sur elle et esquissa un sourire. Elle portait un pantalon bleu marine et un chemisier en coton blanc avec un col Claudine net et professionnel, mais terriblement chaud.

— Il fera plus frais quand nous aurons terminé. Si ma mémoire est bonne, il y a très peu d'ombre dans les ruines.

Au musée, Katherine flâna parmi les objets exposés, essayant de se concentrer, mais incapable de le faire : elle était perturbée par la ressemblance entre les statues dénudées et l'homme qui l'accompagnait.

La visite du musée terminée, ils se dirigèrent vers les ruines. Il faisait encore chaud, et presque aussitôt elle sentit la sueur perler entre ses seins. Alexander, lui, ne semblait pas du tout perturbé.

Quand ils arrivèrent devant les temples de Zeus et d'Héra, Katherine commença à se détendre. Loin des statues, elle parvenait à se concentrer sur ce que lui disait Alexander, très féru d'histoire grecque, et bientôt elle fut captivée par ce qu'il lui racontait sur la vie pendant l'ère ottomane.

Quand ils eurent fini d'admirer le bouleutérion où se trouvait autrefois la statue de Zeus, il la conduisit à la piste où les athlètes s'affrontaient.

— Savez-vous qu'ils couraient nus ?

Aussitôt, Katherine imagina Alexander nu et elle sentit qu'elle rougissait. Elle espéra qu'il attribuerait cela à la chaleur, mais une lueur amusée dans son regard brun lui prouva qu'il avait remarqué son trouble.

Bon sang… Depuis deux jours, elle pensait davantage au sexe qu'elle ne l'avait fait depuis des mois. Mais toutes ces statues dénudées y incitaient. A la réflexion, elle n'aurait peut-être pas dû choisir de venir ici. Finalement, un restaurant aurait été une option plus sûre.

Quand ils retournèrent à l'agence de location de voitures, il n'y avait toujours aucune voiture disponible.

— Ce n'est pas possible ! murmura Katherine. Il est presque 18 heures.

Il lui tardait de se rafraîchir, de préférence avec une douche — glacée !

— Il promet qu'il en aura une vers 19 heures, répliqua Alexander, l'air amusé. Sinon, il vous donnera sa voiture personnelle. Je vous avais prévenue sur l'heure grecque.

— Mais… est-ce que vous n'êtes pas pressé de rentrer, vous ? demanda-t-elle, consternée. Je veux dire, vous avez sacrifié une bonne partie de votre journée pour m'aider. Vous devez avoir autre chose à faire ! Et moi, je dois retourner à ma thèse.

— Non. Je ne suis pas pressé. Comme je vous l'ai dit, ma cousine et Crystal ne doivent arriver que plus tard. Par ailleurs, vous pouvez sûrement vous accorder quelques heures supplémentaires. Croyez-moi, parfois, le travail doit passer au second plan. Nous pourrions dîner…

Pour lui, qui semblait détendu, c'était facile, pensa Katherine. Mais pour elle, la perspective d'autres heures à passer avec lui, toute rougissante et muette, était trop embarrassante. Pourtant, elle ne pouvait pas l'obliger à prendre un taxi pour faire tout ce chemin de retour, même si l'idée était tentante.

Et si elle prenait elle-même un taxi pour rentrer ?

Ridicule. C'était sûrement un coup de chaleur qui expliquait ces pensées bizarres…

Katherine s'aperçut qu'Alexander la regardait avec curiosité. Qu'est-ce qu'il venait de dire, déjà ?

Elle s'éclaircit la voix.

— Dîner ? C'est d'accord. Connaissez-vous un endroit ?

— Oui. En bas sur la plage. C'est dans cette région de la Grèce qu'on trouve les meilleurs fruits de mer. Vous aimez, j'espère ?

— J'adore.

— Tant mieux. Laissons la voiture ici. Ce n'est pas loin.

Ils longèrent à pied la rue principale. Sans les hordes de touristes et les stands remplis de souvenirs, de cartes

et de guides, la ville dégageait une impression toute différente — typiquement grecque.

Le restaurant, qui se trouvait au fond d'une impasse
tranquille, ne payait pas de mine, et Katherine trouva l'intérieur banal avec ses chemins de table blancs et ses bougies
éteintes fichées dans des bouteilles de vin vides. Mais quand
le maître d'hôtel les conduisit à une table sur la terrasse, la
vue époustouflante lui coupa le souffle : une plage blanche,
et une mer bleue qui scintillait comme si un dieu antique
avait parsemé sa surface de diamants.

Alexander tira une chaise pour elle à l'ombre d'un arbre,
et elle fut heureuse de s'y installer.

Il choisit le homard, fraîchement pêché du matin, et
elle prit la même chose. Et comme il voulait conduire, ils
commandèrent un jus de fruits pour lui et un verre de vin
pour elle.

Ils parlèrent agréablement de la Grèce et de ses problèmes
économiques, et Alexander suggéra plusieurs autres endroits
qu'elle aimerait peut-être visiter. Ensuite, ils évoquèrent leurs
études de médecine.

— Qu'est-ce qui vous a décidé à opter pour une école
anglaise ? demanda Katherine.

— C'est là que j'ai grandi. Ma mère était du Kent.

Cela expliquait son excellent anglais.

— Donc, vous avez un père grec et une mère anglaise.
Moi, c'est le contraire. Comment est-ce que vos parents se
sont connus ?

— Ma mère a rencontré mon père alors qu'elle travaillait
dans une taverne — elle voyageait en Grèce sac au dos. C'était
censé être une année sabbatique, mais finalement elle n'est
jamais allée à l'université car ils se sont mariés peu après
leur rencontre. Ils se sont installés dans un appartement à
Athènes, et deux ans plus tard je suis né, puis mon frère.
Mais l'Angleterre a toujours manqué à ma mère. Mon père
enseignait l'archéologie, alors il a posé sa candidature pour
un poste au British Museum, et nous sommes partis. J'avais
cinq ans. Mais il avait toujours le mal du pays, alors nous

revenions ici aussi souvent que possible, pour voir notre grande famille. Je me suis toujours senti chez moi en Grèce. Papa avait à peine plus de quarante ans quand il est mort. Mon grand-père est mort peu après et, en tant que fils aîné, j'ai hérité de la villa dans laquelle je vis maintenant, et du terrain qui l'entoure. Naturellement, ma grand-mère vit toujours dans la maison familiale.

Katherine aurait aimé lui poser des questions sur sa femme, mais c'était une limite à ne pas franchir.

Elle se recula légèrement pendant que le serveur posait leurs verres devant eux.

— Où est votre mère maintenant ? demanda-t-elle.

— Toujours en Angleterre. Elle n'est jamais revenue après la mort de mon père, et je ne crois pas qu'elle ait la force de revenir un jour. Elle vit près de chez mon frère dans le Somerset.

Alexander but une gorgée de jus de fruits.

— Assez parlé de moi. Et vous ? Est-ce que quelqu'un vous attend au Royaume-Uni ?

— Non. Personne.

— Ah bon ? Divorcée alors ? Pas d'enfants, je suppose, sinon ils seraient avec vous.

Katherine hésita brièvement avant de répondre.

— Pas divorcée, jamais mariée… Et pas d'enfants.

— Des frères et sœurs ? Et votre père ?

— Mon père est mort quand j'avais quinze ans. Et je n'ai ni frère ni sœur.

— Fille unique, donc. Cela doit avoir rendu la mort de votre mère encore plus pénible à affronter, dit doucement Alexander.

La sympathie dans sa voix fit naître une boule dans la gorge de Katherine, mais elle ne voulait pas qu'il ait de la peine pour elle.

— Comme je l'ai dit à Crystal, j'aime être seule. Si j'éprouve le besoin de voir du monde, j'ai beaucoup d'amis au Royaume-Uni.

— Personne n'a pu venir avec vous ? Nous autres, Grecs,

nous avons du mal à imaginer la vie tout seul. Comme vous avez dû le remarquer, nous aimons vivre entourés de parents.

— Beaucoup de gens m'ont proposé de venir. Mais ce voyage, j'avais besoin de le faire seule. Tout de même, je regrette de ne pas avoir pu venir avec ma mère avant qu'elle meure. Elle espérait toujours revenir en Grèce, avec mon père et moi, pour me montrer son pays, mais malheureusement ça n'a pas pu se faire.

— A cause de sa maladie ?

— Oui. C'est la raison principale.

— Et… que faites-vous quand vous ne travaillez pas ?

— En fait, je travaille tout le temps. C'est mon passe-temps favori.

Alexander haussa un sourcil, l'air perplexe. Pourtant, c'était vrai : elle adorait son travail et s'y consacrait complètement.

Leur commande arriva.

Katherine tendit la main vers le bol de quartiers de citron en même temps qu'Alexander, et le bref contact de leurs doigts fit naître un frisson qui la traversa tout entière. Elle retira trop vite la main et se sentit rougir.

Alexander souleva le plat de homard.

— A vous l'honneur.

— Merci, dit-elle, se servant.

— Alors, pourquoi la santé publique ? demanda-t-il avec un intérêt qui semblait sincère.

— Je pensais que je voulais me consacrer à la médecine générale, mais j'ai passé six mois en épidémiologie et j'ai adoré. Diagnostiquer des maladies, c'était parfois comme reconstituer un puzzle très difficile. Il fallait déchiffrer les indices, et cela passait par une enquête serrée sur le patient — par exemple, il fallait savoir où lui et sa famille s'étaient rendus récemment. Parfois, c'était évident s'ils rentraient juste d'Afrique. Dans ce cas, on pouvait penser à la malaria, ou à la typhoïde, ou à une possible maladie de Lyme. Quand on avait poussé l'enquête au maximum, on devait décider quels examens et tests il fallait effectuer, en éliminant les maladies une par une, jusqu'à ce que la seule hypothèse restante soit très probablement la bonne.

Katherine reposa sa fourchette.

— Bien sûr, l'issue n'était pas toujours favorable, poursuivit-elle. Parfois, quand on trouvait, c'était trop tard pour le patient. De toute façon, à quoi bon diagnostiquer la malaria si on ne pouvait pas empêcher les gens de contracter la maladie ? Je me suis donc vraiment intéressée à la prévention, et c'est à ce moment-là que je suis entrée dans la santé publique.

Elle s'interrompit brusquement.

— Excusez-moi, je ne voulais pas monopoliser la parole. Mais quand je commence à parler travail…

— Je suis médecin ! J'aime bien parler boutique.

— Pourquoi avez-vous décidé d'exercer en Grèce ?

Une lueur indéfinissable passa dans le regard d'Alexander.

— Je voulais passer plus de temps avec ma sœur. Mais nous parlions de vous. Comment vos parents se sont-ils rencontrés ?

— Ma mère a rencontré mon père quand il se trouvait dans l'armée. Il était basé à Chypre, et elle rendait visite à des amis là-bas. Quand ils sont tombés amoureux l'un de l'autre, il a quitté l'armée, et ils sont rentrés en Ecosse. Mon père a essayé plusieurs métiers, à la recherche d'un qu'il aimerait, ou au moins dans lequel il serait compétent. Enfin, il a abandonné sa quête du travail idéal et il s'est mis à travailler pour une entreprise de construction. Nous n'étions pas pauvres, mais ce n'était pas la richesse. Nous habitions dans une petite maison en limite d'un quartier dans lequel il y avait beaucoup de criminalité. Quand j'ai eu huit ans, mon père est tombé malade. Une affection pulmonaire… Il allait très mal quand ma mère l'a enfin convaincu de consulter notre médecin… C'est à ce moment-là que j'ai décidé de devenir médecin.

— Et ensuite ?

— Nous nous rendions en famille à ses rendez-vous chez le médecin. Nous faisions tout en famille, dit-elle tristement. Le généraliste n'a pas trouvé ce que c'était, alors il a envoyé mon père à l'hôpital. J'étais fascinée. Tout m'intriguait : les manières des médecins et des infirmières, les odeurs, les bruits, tout ce qui habituellement déplaît aux gens, moi, je le trouvais passionnant. Evidemment, j'étais trop jeune pour saisir la raison de notre présence — le fait que mon père avait une maladie grave. Son médecin était une femme très gentille. Je me souviens bien d'elle. Quand elle a vu à quel point cela m'intéressait, elle m'a laissé ausculter mon père avec son stéthoscope. Je me rappelle avoir écouté les battements de son cœur, émerveillée que cette chose, ce muscle, pas plus gros qu'un poing, le garde en vie, lui, comme moi, comme tout le monde. A l'école, j'obtenais facilement de bonnes notes et, à douze ans, quand j'ai dit à mes parents que je voulais devenir médecin, ils étaient ravis. Mais comme le lycée de notre quartier était un établissement difficile, ils ont économisé jusqu'au moindre sou pour m'envoyer dans un lycée privé. Quand il avait quitté son travail, mon père avait reçu une indemnité, car on avait détecté un emphysème dû à la poussière des chantiers, mais je savais qu'il avait envisagé d'utiliser cet argent pour obtenir un prêt afin d'acheter un petit restaurant. Papa serait le gérant, et maman la cuisinière. Je ne voulais pas qu'ils dépensent leurs économies d'une vie pour moi. Mon professeur avait dit que les écoles accordaient des bourses aux enfants ayant du potentiel mais pas d'argent. Il y avait beaucoup de compétition pour y entrer. Mais je savais que je pouvais réussir — et je l'ai fait.

— Vous êtes une battante, on dirait.

Soudain, Katherine fut horrifiée. D'ordinaire, elle n'était pas aussi loquace, surtout quand il s'agissait d'elle-même ! Et voilà qu'elle monopolisait la parole, et qu'elle se présentait comme un parangon de vertu, alors que rien n'était plus loin de la réalité ! C'était peut-être dû au vin. Ou à l'attention extrême qu'Alexander lui portait. Cette idée lui fit battre le cœur plus vite. Mais peut-être se comportait-il ainsi avec tout le monde. Cela devait faire de lui un excellent médecin de famille.

— Depuis combien de temps êtes-vous en Grèce ? demanda-t-elle.

— Un peu plus de deux ans.

Il fit tourner le jus de fruits dans son verre, et les glaçons tintèrent contre les parois.

— A peine plus de deux ans. Je suis arrivé peu après la mort de ma femme. Je travaillais au St. George à Londres. Je me formais en tant que chirurgien avant de passer à la médecine générale. Mais Sophia n'était pas vraiment une citadine, alors nous avons acheté une maison dans la proche banlieue. J'effectuais les trajets et quand j'étais de garde, je dormais à l'hôpital… Avec le recul, c'était une erreur, conclut Alexander, le visage sombre.

— Pourquoi êtes-vous passé à la médecine générale ?

Il se rembrunit encore davantage.

— J'ai abandonné la chirurgie quand j'ai décidé de revenir en Grèce.

Ce n'était pas vraiment une réponse, et Katherine eut le sentiment très net qu'il ne lui disait pas tout — loin de là.

— Est-ce que votre femme était grecque ?

— Oui.

— Est-ce qu'elle travaillait, au Royaume-Uni ?

— Elle était musicienne. Elle avait toujours rêvé de travailler dans un orchestre. Quand nous nous sommes installés en Angleterre, elle a enseigné le piano.

— Elle doit manquer terriblement à Crystal.

— A nous deux. Crystal ressemble tellement à sa mère que tous les jours, je crois la voir devant moi.

Il se tut et détourna les yeux pendant quelques secondes.

— Et vous ? demanda-t-il enfin. Vous ne voulez pas d'enfants ?

Katherine baissa les yeux et joua avec son couteau, essayant de trouver les mots justes.

— Le sort… en a décidé autrement.

Son cœur battait presque douloureusement. Il fallait revenir sur un terrain neutre, pensa-t-elle.

— J'ai adoré la visite à Olympie. Vous êtes incollable sur l'histoire et l'archéologie grecques !

Alexander la regarda d'un air pensif. Avait-il noté qu'elle avait délibérément changé de sujet ?

— Mon père était archéologue, et ma femme partageait sa passion. Avec cela, pensez-vous vraiment que j'aurais pu ne pas aimer l'archéologie ? Je me demande s'il y a un seul site grec que je n'aie pas visité. A toutes les vacances, quand nous revenions, c'était ce que nous faisions. Ma femme devait penser qu'elle avait pour mission de m'éduquer !

Son visage s'assombrit, et Katherine sut qu'il pensait de nouveau à Sophia. Il l'avait beaucoup aimée, c'était évident.

Que ressentait-on d'être aimée ainsi ?

Elle ne le saurait probablement jamais.

Katherine se renversa dans le siège en cuir de sa nouvelle voiture de location, heureuse de ne pas avoir à conduire sur ces routes sombres et sinueuses pour rentrer à la villa. Alexander mit la radio, et les notes apaisantes d'un concerto de Brahms meublèrent le silence qui régnait dans l'habitacle. Les lumières du tableau de bord et les feux des rares voitures qu'ils croisaient révélaient un homme plongé dans ses pensées, les sourcils froncés et le regard triste.

Il monta le son.

— Vous aimez ? demanda Katherine. C'est un de mes morceaux préférés.

Il jeta un bref coup d'œil dans sa direction.

— Vraiment ? Ma femme le jouait tout le temps. Ça fait longtemps que je ne l'ai plus écouté…

C'était comme si son épouse était là — une présence invisible dans la voiture.

Katherine ferma les yeux. Pour ne plus penser à Alexander, elle se demanda comment allait Stéfan. Si c'était la méningite, peut-être était-il en train de lutter contre la mort en cet instant précis. Elle espéra qu'il s'agissait d'une simple infection qui serait rapidement jugulée par des antibiotiques.

— Bonne nuit…
— Bonne nuit.

Quand la porte de la villa des Dukas se referma sur Katherine, Alexander fourra pensivement ses mains dans ses poches.

Pendant toute la journée, il avait senti monter en lui le désir pour cette femme intelligente et belle, stricte et réservée. Mais en entendant la mélodie que Sophia avait jouée si souvent, il s'était rappelé que Katherine partirait elle aussi.

Même si elle restait, il n'avait rien à lui donner.

Son instinct ne l'avait pas trompé. Ce ne serait pas bien de se lier à cette femme qui souffrait.

3.

— Yia-Yia a dit qu'il faut que tu viennes à notre maison.

Katherine sursauta. Crystal était revenue ! Elle était entrée sans bruit, et se tenait là, dans le séjour, pleine d'aplomb, comme si elle était chez elle — mais en fait, elle n'avait fait que répondre à une espèce d'invitation permanente.

— Pardon ?

— Yia-Yia dit que tu as soigné la main de baba, alors elle veut que tu viennes dîner. Elle dit que c'est pas bien d'être seule tout le temps.

— Yia-Yia ? Ta grand-mère ?

Crystal secoua la tête.

— La grand-mère de mon papa.

— Est-ce qu'il sait que tu es là ?

La petite fille eut un haussement d'épaules.

— Oui, bien sûr. Il travaille *encore* sur son bateau. Il veut que tu viennes à la maison.

Katherine se demanda si elle devait la croire. Elle ne voulait pas s'imposer dans la famille d'Alexander — surtout s'il était là. Il était venu le lendemain de la visite à Olympie pour lui dire qu'elle avait vu juste. Stéfan souffrait effectivement d'une méningite, et il se trouvait en soins intensifs. Alexander espérait que, grâce au diagnostic relativement précoce, le jeune homme s'en sortirait.

Durant la semaine qui s'était écoulée sans qu'ils se revoient, Katherine s'était surprise à penser souvent à Alexander, et elle se savait en danger de tomber amoureuse. Ce serait un béguin à sens unique, c'était clair, et de plus il allait sentir tôt ou tard l'effet qu'il exerçait sur elle. La fin de leur soirée ensemble avait indiqué, mieux que des mots, qu'il n'avait aucune envie d'avoir une relation avec elle. S'il était à l'origine de l'invitation, c'était par pure politesse — une invitation d'un médecin à une collègue de travail.

Dans ce cas, il vaudrait mieux ne pas encourager Crystal à venir trop souvent.

Affichant un sourire contraint, Katherine reprit son stylo.

— Je suis très occupée, en ce moment… Tu remercieras bien Yia-Yia de sa gentille invitation, mais je ne pourrai pas venir. Tu le lui diras, s'il te plaît ?

Au lieu d'acquiescer, la fillette s'approcha du bureau.

— Qu'est-ce que tu fais ?

— C'est un travail que j'aimerais finir avant de retourner dans mon pays.

— Un genre de devoir ?

— Exactement.

Ignorant de son mieux la fillette à côté d'elle, Katherine prit quelques notes supplémentaires. Mais, clairement, Crystal n'avait pas l'intention de partir tout de suite.

Réprimant un soupir, Katherine reposa son stylo.

— Est-ce que tu veux un jus d'orange ?

— Oui, s'il te plaît.

Quand elle se leva pour aller chercher la boisson, Hercule et Crystal la suivirent jusqu'à la petite cuisine.

— J'ai dit à baba que, Yia-Yia et moi, on pense que tu dois en avoir assez d'être toute seule, et il a été d'accord, alors c'est bien que je te tienne compagnie des fois.

Katherine, qui s'était baissée pour donner un peu de nourriture à Hercule, sentit qu'elle s'empourprait. C'était déjà assez humiliant qu'Alexander ait dit cela, mais qu'il ait parlé d'elle avec sa fille de six ans et sa grand-mère, c'en était trop. Qu'est-ce que c'était, cette invitation ? Un moyen de se donner bonne conscience vis-à-vis d'une jeune femme seule en lui tenant compagnie pendant au moins une soirée ?

En tout cas, voilà qui soulignait l'importance de garder

ses distances ; elle refusait absolument d'être l'objet de leur sympathie.

— Tu peux dire à ton père, comme je le lui ai déjà dit, que je suis parfaitement heureuse d'être seule, dit-elle, tendant à Crystal le verre de jus de fruits.

— Je pourrais te vernir les ongles si tu veux, reprit la petite fille en levant devant elle un petit sac à main en plastique. Pour mon anniversaire, Helen, ma cousine, m'a offert trois couleurs différentes, mais papa, il dit que je suis trop jeune pour mettre du vernis à ongles.

Elle afficha une moue désapprobatrice.

— Helen me les a donnés, et je ne peux pas en mettre… Si tu me laisses te faire les ongles, tu seras encore plus belle.

Elle semblait sincère, pensa Katherine, amusée.

— O.K., dit-elle, vaincue.

Un sourire ravi illumina le visage de la fillette.

— Je peux ? C'est vrai ?

— Oui, mais seulement les ongles de mes doigts de pieds. Les mains, jamais. Un médecin doit garder des ongles nus.

— D'accord. Alors, tu t'assois sur le canapé et tu poses tes pieds là, ordonna Crystal, tirant une des chaises de la cuisine.

Katherine se demanda si elle n'avait pas eu tort d'accepter, mais suivant les instructions de la fillette, elle ôta ses sandales et posa les pieds sur le siège recouvert de vinyle.

— Comme ça ? demanda-t-elle.

La fillette acquiesça d'un hochement de tête. Elle défit le bouton-pression de son petit sac et en sortit les trois flacons de vernis qu'elle disposa avec soin sur la table.

— Quelle couleur tu voudrais ?

Katherine regarda ses orteils et faillit s'esclaffer. Il y avait sûrement plus de vernis sur la peau et la chaise que sur ses ongles.

— Mmm… C'est beaucoup mieux comme ça, dit-elle.

Crystal la tira par la main.

— Viens, on va montrer à baba.

— Je ne crois pas que ton père…

Mais Crystal l'obligea à se mettre debout.

— Helen n'a pas voulu que je lui mette du vernis, mais quand elle verra tes pieds, elle voudra.

— Crystal ! J'ai dit « dix minutes » !

C'était la voix d'Alexander et elle venait de la plage, en contrebas de la terrasse.

— Encore un peu, baba.

— Non. Tout de suite !

Katherine alla jusqu'à la terrasse et se pencha par-dessus le muret.

En bas, Alexander était en train d'essuyer avec un chiffon ses mains tachées de graisse. Son T-shirt trempé de sueur moulait son torse, et il avait les cheveux en désordre. Malgré tout, il ressemblait à un dieu grec.

Il afficha un sourire éblouissant.

— Salut, Katherine. Excusez-moi de ne pas monter, mais j'ai les pieds pleins de sable, les mains sales, donc il faut que je pique une tête avant d'être présentable. Vous venez dîner, j'espère ?

Dans sa hâte de grimper sur la barre inférieure de la rambarde, Crystal bouscula Katherine.

— Elle dit qu'elle ne veut pas dîner, baba, mais est-ce qu'elle peut venir juste pour parler ? Elle est beaucoup plus belle maintenant. Il faut que tu voies !

Katherine allait protester quand le regard d'Alexander croisa le sien.

— Ce que je vois d'elle est déjà très bien.

Pour Katherine, pendant un long instant, le reste du monde sembla s'effacer.

— Vous ne pouvez vraiment pas vous libérer ? reprit Alexander, brisant le charme.

— J'ai du travail et, de toute façon, je ne veux pas vous déranger, vous et votre famille.

— Je suppose que vous faites une pause pour manger.

Ma grand-mère va être déçue si vous ne venez pas. Elle a déjà commencé à préparer ses spécialités.

La famille d'Alexander semblait décidée à l'adopter ! Katherine chercha désespérément une excuse acceptable.

— Oui ! Des lahanodolmades et des patates farcies, ajouta Crystal. C'est trop bon ! Et aussi des baklavas au dessert ! Quoi d'autre, baba ?

— Tu veux bien laisser parler les grandes personnes ? Katherine, vous dînez, et vous partez.

Apparemment, elle n'avait guère le choix, pensa Katherine. De toute façon, le menu indiqué par Crystal lui avait mis l'eau à la bouche. Cela faisait longtemps qu'elle n'avait plus goûté des plats grecs faits maison comme ceux que confectionnait sa mère.

— Bon, oui, alors. Avec plaisir.

Heureuse, Crystal brandit un poing victorieux.

— Yes ! Je l'emmène à la maison, baba.

— On dit : « J'emmène le Dr Burns à la maison », Crystal.

— Appelez-moi Katherine, c'est mieux.

Alexander sourit.

— Apparemment, ma fille vous trouve irrésistible.

Le cœur de Katherine palpita. Elle aurait adoré que *lui*, il la trouve irrésistible.

Le tyran miniature l'empêcha de remettre ses sandales, décrétant que cela abîmerait le vernis à ongles.

La maison d'Alexander se trouvait un peu à l'écart de la place du village, en haut d'un sentier pavé étroit et escarpé. Edifiée sur un terrain luxuriant, elle était deux fois plus grande que celle de Katherine. Alexander devait avoir une vue merveilleuse depuis les vastes terrasses de cette demeure en haut de la falaise.

Après la vive lumière et l'éclat aveuglant de la plage blanche, l'intérieur paraissait plongé dans la pénombre. La maison était fraîche, probablement parce que les volets étaient fermés pendant la journée, mais en cet instant précis ils étaient grands ouverts, ce qui permettait à la brise de traverser toutes les pièces. Malgré Crystal qui l'entraînait,

Katherine entrevit des meubles de bois sombre sculpté, des tapis colorés sur un carrelage ciré en terre cuite, et des montages de photos de famille, anciennes ou récentes, sur des murs blancs en plâtre.

Dans la cuisine, flottaient des parfums d'ail, d'herbes aromatiques et de viande en train de griller.

Une femme replète aux cheveux blancs était penchée sur les marmites fumantes posées sur un énorme poêle traditionnel. Elle leva la tête et adressa à Katherine un sourire chaleureux et quelques mots très rapides.

— Yia-Yia vous dit bonjour et elle est contente de vous voir ici, dans notre maison, traduisit Crystal. S'il vous plaît asseyez-vous à la table.

Sans laisser à Katherine le temps de répondre, elle se retourna vers son arrière-grand-mère et lui parla en grec, l'index pointé en direction des orteils de Katherine. La vieille dame les regarda et se lança dans une tirade, félicitant visiblement la petite fille pour ses efforts, et le visage de Crystal exprimait une intense fierté.

A peine Katherine s'était-elle assise qu'on posait devant elle une assiette avec un spanakopita. Ensuite, la vieille dame se retourna vers ses marmites, marmonnant d'un air satisfait.

— Tu es contente d'être venue, hein ? dit Crystal. Regarde comme mamie est contente aussi.

— Comment s'appelle-t-elle ? demanda Katherine.

— Yia-Yia, voyons !

Alors qu'elle venait de goûter une bouchée de la petite tourte à la feta et aux épinards, Katherine porta sa main à ses lèvres.

— C'est chaud. *Thermo.* Chaud. Mais délicieux… Non, Crystal. Je veux dire : comment est-ce que moi, je dois l'appeler ?

— Yia-Yia, c'est tout. Elle sait comment tu t'appelles. Baba le lui a dit. Je vais le chercher ! lança Crystal, courant vers la porte.

Du geste, Yia-Yia invita Katherine à la rejoindre et lui montra les disques de pâte qu'elle avait disposées sur une plaque à four. Elle porta les doigts à ses lèvres et fit entendre un bruit de baiser. Clairement, elle montrait ce qu'elle préparait pour dîner, et indiquait que ce serait délicieux. En réponse, Katherine ne put que sourire et acquiescer de la tête.

Elle se sentit presque soulagée quand Crystal revint, précédant Alexander. Il avait les cheveux humides et il s'était changé. A présent, il portait un T-shirt chocolat et un jean en coton.

— Montre tes orteils à baba, ordonna Crystal.

A contrecœur, Katherine obéit et, le regard pétillant d'amusement, Alexander scruta ses pieds.

— Très beau, dit-il.

Puis, baissant le ton, il murmura de façon que sa fille n'entende pas :

— Est-ce que vous avez encore des orteils au bout de vos pieds, ou est-ce que je dois sortir un kit de suture ?

Katherine parvint *in extremis* à transformer son rire en toux, mais comme Alexander riait de bon cœur, elle en fit autant. A quand remontait la dernière fois où elle avait ri autant ? Yia-Yia et Crystal les regardaient, à la fois étonnées et amusées.

— Vous voudrez bien m'excuser, mais je dois m'absenter pour aller voir un voisin qui se plaint d'avoir la poitrine oppressée, dit Alexander quand il eut repris son sérieux. S'il arrêtait de fumer, cela suffirait, mais sa femme est contente que je surveille ça. Je reviens dans un petit moment.

— Je peux venir, baba ? demanda Crystal.

— Bien sûr. Tu sais que j'aime toujours avoir ma petite assistante avec moi. A condition que tu restes à l'écart et aussi discrète qu'une petite souris.

La fillette sortit et Alexander se tourna vers Katherine.

— Ma fille, aussi discrète qu'une petite souris ? Qui peut croire une chose pareille ? murmura-t-il en souriant.

Une fois de plus, Katherine se retrouva seule avec Yia-Yia. Un silence embarrassé régna puis la vieille dame indiqua par gestes qu'elle voulait de l'aide pour terminer le repas.

— Je regrette, mais je ne sais pas faire la cuisine, dit Katherine.

En vain. Elle se retrouva avec un saladier d'agneau émincé et un bouquet d'herbes aromatiques dans les mains.

Finalement, ce fut un des moments les plus calmes et les plus relaxants que Katherine ait connus depuis bien longtemps.

Elle était bien différente — mais peut-être encore plus belle — de la première fois où il l'avait vue, pensa Alexander, détaillant discrètement Katherine. Ses cheveux blonds étaient parés par le soleil de reflets d'or blanc, et des petites mèches échappées de sa tresse frisaient contre ses joues. L'une d'elles, très fine, s'était accrochée au coin de ses lèvres, et il serra les poings dans les poches de son jean pour se retenir de la lui ôter. Le tablier prêté par sa grand-mère et la tache de farine sur son joli nez ajoutaient à son charme. Mais ces pieds ! On aurait dit que quelqu'un lui avait fracassé les orteils avec un marteau !

L'idée de l'inviter venait de Yia-Yia et Crystal. Il avait tenté de les en dissuader, mais sa grand-mère avait protesté. Ne pas l'inviter, après que Katherine l'eut aidé ! Ce n'était pas ainsi qu'on se comportait en Grèce ! Il n'avait donc pas eu d'autre choix que d'accepter et, au fond de lui, il était content qu'elle soit là.

Quelque chose en Katherine Burns l'attirait, et malgré tout ce qu'il s'était dit, il n'avait pas cessé de penser à elle. Ses yeux bleus avaient la couleur de la mer aux endroits où elle est profonde — et encore plus quand la tristesse la submergeait. Etait-ce seulement la mort de sa mère qui faisait naître cette lueur dans son regard ? Elle l'intriguait.

Quand Helen avait appris qu'ils avaient fait connaissance et passé la journée ensemble, elle n'avait pu dissimuler sa curiosité.

— Peut-être qu'elle t'aime bien, Alex. Peut-être qu'elle

a perdu son amoureux et qu'elle est ici pour réparer son cœur brisé !

Helen aimait tisser des histoires, habituellement romantiques, sur les gens.

— Oui, c'est sûrement ça. Une histoire d'amour qui a mal tourné, j'en suis sûre. Vous pourriez réparer ensemble vos cœurs brisés…

Alexander n'avait pu s'empêcher de pouffer.

— Tu sais bien que ça ne me tente pas de me remarier.

— Ça fait deux ans ! Un homme comme toi ne peut pas rester seul. Grand-mère ne sera pas toujours là. Moi, j'ai ma vie à Athènes, et j'ai beau vous aimer tous les deux, je ne peux pas continuer à venir ici tous les week-ends, en laissant Nico tout seul. Quand nous serons mariés, je ne pourrai plus venir aussi souvent, et Crystal a besoin d'une mère — de quelqu'un qui peut être là pour elle en permanence.

— Crystal m'a, moi, répliqua Alexander. Personne ne pourra jamais prendre la place de Sophia.

Helen fut instantanément penaude.

— Non, bien sûr.

Mais très vite, son sourire habituel revint.

— De toute façon, qui parle de mariage ? ajouta-t-elle.

— Elle cuisine bien, pour une Anglaise, intervint Yia-Yia, toujours en grec. Mais elle est trop maigre. Elle devrait manger plus.

— Je la trouve bien, moi, répondit Alexander en souriant.

— Au moins, elle s'habille comme une femme grecque bien élevée. Pas de short juste au ras des fesses comme ta cousine !

Sous son tablier, Katherine portait un pantalon léger en coton et une chemise blanche boutonnée presque jusqu'au cou. Pas étonnant que sa grand-mère approuve, pensa Alexander.

Katherine avait l'air perplexe, et soudain il s'aperçut qu'ils l'avaient exclue en parlant en grec.

— Ma grand-mère dit que vous êtes une bonne cuisinière.

— La séance a été amusante et instructive, répliqua-t-elle avec un sourire désabusé.

— Mais pourquoi est-ce qu'elle a l'air aussi triste ? demanda sa grand-mère.

— Sa mère est morte il y a peu de temps.

Attendrie, sa grand-mère prit Katherine dans ses bras et lui tapota le dos.

— Pauvre petite, dit-elle.

Par-dessus l'épaule de la vieille dame, Katherine adressa à Alexander un regard médusé, et il faillit s'esclaffer.

— J'ai dit à ma grand-mère que votre maman était morte récemment. Elle vous adresse ses condoléances, expliqua-t-il, reprenant son sérieux.

— Dites-lui que je la remercie, mais que je vais bien maintenant.

— Et son mari ? reprit Yia-Yia. Où est-il ? Est-ce qu'elle l'a laissé en Angleterre ? Une femme ne doit pas laisser son mari comme ça. Où est son alliance ?

— Elle n'est pas mariée, grand-mère.

— Ah bon ? Et pourquoi ? Elle est vieille pour ne pas être mariée ! C'est une de ces femmes qui pensent qu'elles n'ont pas besoin d'un mari ? Ou bien elle est divorcée ? ajouta-t-elle, ses lèvres prenant un pli désapprobateur.

— Je pense qu'elle n'a jamais été mariée, Yia-Yia.

La vieille dame parut soulagée.

— Bon. Elle va peut-être tomber amoureuse de toi alors. Ça te plairait ? Tu l'aimes bien, non ?

Katherine regardait Alexander, attendant qu'il traduise.

— Grand-mère… dit qu'elle est heureuse de vous avoir ici dans sa cuisine. Elle espère que vous reviendrez souvent.

— Dites-lui que je suis contente d'être là.

Au grand soulagement d'Alexander, le service du dîner empêcha sa grand-mère d'émettre d'autres commentaires. Crystal insista pour s'asseoir à côté de Katherine. Même si sa fille était sociable, Alexander ne l'avait jamais vue s'attacher aussi vite.

— Alors vous ne travaillez pas le week-end ? demanda Katherine.

Ils avaient emporté leur café sur la terrasse. Katherine

avait proposé d'aider à ranger la cuisine, mais Yia-Yia avait refusé catégoriquement.

— Carlos — mon partenaire, que vous avez vu brièvement — et moi, nous assurons des gardes à tour de rôle et nous avons un collègue médecin qui assure le reste : il a pris sa retraite anticipée de façon à passer plus de temps sur son voilier, mais il aime garder un contact avec le travail.

— A-t-on des nouvelles de Stéfan ?

— Il se trouve toujours en soins intensifs.

— Mais il va s'en sortir ?

— Je n'en sais rien. Il est sous ventilation. Il souffre d'un type rare de méningite bactérienne. On continue les tests.

Il se leva.

— Je regrette, mais il va falloir que vous m'excusiez. C'est l'heure du coucher de Crystal, et elle aime que je lui lise une histoire.

— Bien sûr. De toute façon, il faut que j'aille travailler. S'il vous plaît, souhaitez une bonne nuit à Crystal de ma part et remerciez votre grand-mère pour moi. J'ai passé une soirée très agréable.

— Vous reviendrez ? demanda Alexander.

Elle était d'une compagnie plaisante, et il trouvait reposant d'être avec elle… Mais à quoi bon se raconter des histoires ? Il *aimait* tout simplement sa présence. Depuis quelques jours, il avait du mal à se concentrer sur son travail car ses pensées l'entraînaient sans cesse vers elle.

Mais ce n'était qu'une diversion — très agréable. Ce ne serait jamais rien de plus.

4.

Le lendemain matin, le soleil venait de se lever quand Katherine sortit sur la terrasse avec une tasse de café à la main, et elle remarqua qu'Alexander était en pleine activité sur son bateau. Maintenant, quand cela arrivait, elle travaillait à l'intérieur, du moins jusqu'à ce qu'il soit parti. Elle était déjà allée trop loin avec lui. Une relation, du moins une brève liaison avec un beau médecin grec encore en deuil de son épouse, n'était pas dans ses projets.

Pourtant, ne pourrait-elle pas faire une exception ? Ce serait si bon de sentir de nouveau autour d'elle les bras d'un homme — d'avoir une compagnie, quelqu'un avec qui partager promenades et sorties, et qu'elle ne reverrait plus une fois repartie. Ce serait l'idéal…

Elle secoua la tête comme pour chasser ces pensées. Il semblait la trouver attirante, mais cela ne signifiait pas qu'il souhaitait une relation, même sans attaches. Et elle, quel degré d'attachement souhaitait-elle au juste ? Soudain, elle imagina Alexander nu et bronzé entre des draps blancs, en train de couvrir tout son corps de caresses…

Dans le séjour, elle alluma son ordinateur d'un geste décidé. Le travail l'empêcherait de perdre la tête.

Elle travailla toute la journée, bien consciente, pourtant, que son esprit s'égarait sans cesse en direction d'Alexander. Juste avant le dîner, la voix excitée de Crystal résonna à l'extérieur et, incapable de résister, Katherine jeta un coup d'œil en direction de la plage. Alexander s'y trouvait encore, mais cette fois dans la mer, avec sa fille qu'il lançait en l'air et rattrapait juste avant qu'elle touche l'eau.

La fillette poussait des petits cris ravis et s'accrochait au cou de son père. Quelques minutes plus tard, Alexander, Crystal sur les épaules, sortit de l'eau, son short de bain collant à ses hanches et à ses cuisses musclées.

Elle le trouvait follement sexy, mais ce n'était pas tout. Elle aimait aussi sa manière de se comporter avec sa fille. Clairement, celle-ci était le centre de son univers, et c'était bien ainsi car le bonheur d'un enfant devait toujours passer avant tout le reste. Une boule se forma dans la gorge de Katherine. Que penserait-il s'il connaissait son secret ?

Aucun risque. Jamais elle ne le partagerait avec lui.

Dans la cuisine, elle se prépara une salade grecque avec du fromage de chèvre local, des olives, et des tomates bien mûres et charnues achetées à l'épicerie du village. Décidant qu'il faisait bien trop bon pour manger à l'intérieur, elle emporta son assiette sur la terrasse du bas.

Alexander et Crystal avaient disparu. Sans doute étaient-ils rentrés chez eux pour dîner… Quand le soleil plongea derrière la ligne d'horizon, Katherine soupira. A quoi bon se raconter des histoires ? Sans eux, elle se sentait plus seule que jamais.

Alexander quitta la partie de cartes à laquelle il participait et, sa bière à la main, il se dirigea vers le parapet qui bordait la place du village. Poursuivant le fils du voisin, Crystal tournait à bicyclette autour de la fontaine au centre de la place ; elle pédalait aussi vite que le lui permettaient ses petites jambes dans l'espoir de le rattraper.

Alexander sourit à cette vue. En décidant de revenir en Grèce, il avait pris la bonne décision. Crystal s'épanouissait, sa grand-mère était ravie d'avoir la fillette près d'elle, et lui-même était… content. Quand sa fille était heureuse, il l'était aussi — ou, en tout cas, autant qu'il était possible. Parfois, il se demandait si Crystal se souvenait de Sophia.

Elle parlait de temps en temps de sa mère, elle demandait si sa maman était toujours au ciel et affirmait que, depuis là-haut, sa maman la regardait. Parfois, il lui montrait des petites vidéos qu'il avait tournées d'eux pendant les trop rares occasions où il était venu là en vacances avec elles, et sa fille regardait les images avec des yeux brillants d'intérêt.

Que penserait Sophia si elle savait qu'il était revenu en Grèce, abandonnant son poste à Londres ? Serait-elle contente qu'il ait enfin compris — même si c'était trop tard — ce qui était important dans la vie ? Approuverait-elle la manière dont il élevait leur fille ? Elle lui manquait, et il se sentait terriblement coupable.

Il sirotait sa bière fraîche en regardant la mer quand il aperçut Katherine. Elle venait à peine de sortir de l'eau, dans un maillot de bain noir qui mettait en valeur ses longues jambes. Elle se sécha puis enroula le drap de bain autour d'elle avant de s'asseoir, les genoux remontés sous le menton, regardant le même paysage que lui.

Sous ses dehors guindés et sa réserve naturelle, il y avait une solitude, une aura de vulnérabilité qui, pour la première fois depuis la mort de Sophia, donnait envie à Alexander de mieux connaître une autre femme. Mais qu'avait-il à offrir ? Il ne voudrait ni ne pourrait se remarier. Aucune femme ne pourrait jamais égaler Sophia.

Il but une autre gorgée puis tourna le dos à la mer. Pourquoi la possibilité de se remarier lui avait-elle traversé l'esprit ? Sa vie était bien assez compliquée et assez remplie. C'était le clair de lune qui devait exciter son imagination.

5.

Comme elle en avait pris l'habitude, Katherine était assise sur un banc devant la maison d'Alexander avec Yia-Yia, après avoir passé deux heures à préparer des plats dans la cuisine avec la vieille dame.

Elle avait fermé les yeux pour savourer la sensation de la brise sur son visage, mais quand Yia-Yia lui donna un petit coup de coude dans les côtes, elle les rouvrit pour voir Alexander traverser la place dans leur direction.

Son cœur s'emballa et, par crainte de ce qu'on pourrait lire dans son regard, elle détourna les yeux un instant pour reprendre le contrôle de ses émotions. Elle parviendrait à gérer son béguin naissant pour lui à condition qu'il ne soupçonne rien.

— Salut, vous deux.

Il se pencha pour embrasser sa grand-mère sur la joue, et lui dit en grec quelques mots qui la firent rire — trop vite pour que Katherine comprenne.

Alexander lui sourit.

— Je viens de lui demander où elle a la tête, d'être assise comme ça à l'heure du dîner. Elle a répondu que maintenant elle vous a pour l'aider, alors elle estime qu'elle peut s'accorder un peu de temps pour profiter du soleil.

La vieille dame se leva et rentra dans la maison, laissant à Alexander sa place sur le banc. S'installant à côté de Katherine, il offrit son visage au soleil et ferma les yeux.

— Ma grand-mère a raison. Nous devrions tous nous asseoir plus souvent ici, murmura-t-il.

Sa vitalité habituelle semblait l'avoir quitté, et il avait l'air fatigué.

— Tout va bien ? demanda-t-elle.

— Non, pas vraiment. Stéfan — le garçon avec la méningite — est mort hier soir.

— Comme c'est triste ! J'espérais vraiment qu'il s'en sortirait.

Alexander rouvrit les paupières.

— Moi aussi. Nous avons demandé une autopsie, mais ils ne pourront sûrement pas la faire avant une semaine… J'ai parlé avec un de mes collègues médecins de la région, aujourd'hui, et il m'a dit qu'il a eu un autre cas il y a deux jours — un adolescent qui a été admis dans un hôpital d'Athènes.

D'instinct, Katherine se sentit aussitôt en alerte.

— Deux cas en une semaine ? Vous ne trouvez pas ça bizarre ?

— Ce médecin n'est pas sûr qu'il s'agisse d'une méningite. Il m'appellera dès qu'il aura les résultats de la ponction lombaire, et nous serons fixés assez rapidement. Par sécurité, on administre préventivement des antibiotiques à la famille de son patient.

— C'est une bonne chose, murmura Katherine.

Si ce jeune patient avait effectivement la méningite, cela pourrait être le début d'un problème terrifiant.

— Pas d'autres cas à votre connaissance ? demanda-t-elle.

— J'ai appelé quelques-uns des cabinets médicaux de la région, mais personne n'en a signalé. J'ai demandé qu'on m'avertisse s'il y en a qui se déclarent. J'espère que ces deux cas apparaîtront finalement comme des cas isolés et sans rapport l'un avec l'autre — en supposant que David, l'adolescent, ait effectivement une méningite. Comme je vous l'ai dit, cela n'est pas du tout sûr.

Il avait peut-être raison, mais Katherine connaissait le moyen d'en avoir le cœur net.

Elle entendit Yia-Yia appeler Alexander depuis la cuisine, et se leva.

— On vous demande, on dirait.

Il se leva aussi.

— J'ai pensé que vous voudriez savoir, pour Stéfan. Après le dîner, j'irai voir la famille d'une autre patiente que j'ai fait hospitaliser pour une infection pulmonaire. C'est un des privilèges, mais aussi une des responsabilités, d'être généraliste en Grèce. Une personne tombe malade, et le reste de la famille attend de vous un accompagnement. Cela implique du thé et des gâteaux tard le soir, et beaucoup de discussions.

Katherine était déçue qu'il s'en aille, mais l'attention d'Alexander pour ses patients était une des choses qu'elle aimait chez lui. De toute façon, elle voulait effectuer de son côté quelques vérifications.

Elle se hâta de regagner sa maison. Il était plus de 20 heures au Royaume-Uni, mais Tim, qui était divorcé, travaillait très tard dans la soirée.

Elle composa son numéro et, à sa grande satisfaction, il décrocha tout de suite. Après avoir échangé quelques banalités — oui, elle appréciait ce congé ; et oui, elle reprendrait son travail fin septembre comme prévu —, elle répéta ce qu'Alexander lui avait dit.

— J'ai un pressentiment, ajouta-t-elle. Pourrais-tu éventuellement contacter ton homologue à Athènes pour lui demander s'il y a eu d'autres cas signalés ? Je suis sûrement trop prudente, mais ça ne peut pas nuire de s'informer.

— Je doute qu'il y ait encore quelqu'un à cette heure-ci. Demain matin, ça suffira ?

— Impossible d'agir plus tôt, de toute façon. Je l'ai dit, ce n'est probablement rien, mais il vaut mieux prendre toutes les précautions. Merci, Tim.

Le lendemain matin, il la rappela sur son portable juste avant 9 heures.

— Tu avais raison, dit-il sans préambule. J'ai parlé à mon

collègue grec. On a signalé dix cas dans le sud du Péloponnèse, en comptant les deux cas que tu as mentionnés. Un ou deux ne signifieraient rien, mais dix ! Il y a un vrai souci.

Ainsi, son instinct ne l'avait pas trompée, pensa Katherine.

— Quel âge ont les patients ?

— D'adolescent à jeune adulte. Ce sont les plus jeunes qui sont les plus atteints. Un seul — un garçon de dix-sept ans — se trouve en soins intensifs à Athènes dans un état inquiétant.

— Ce garçon, quel est son nom ?

— David Panagaris.

Etait-ce le garçon dont Alexander lui avait parlé ? C'était probable. Le cœur de Katherine battit plus vite. C'était exactement son champ de compétences.

— Pourrais-tu informer le service en question que je suis là et que j'aimerais aider ?

— Sûrement pas, répliqua Tim. Tu es en vacances. Ils doivent avoir quelqu'un sur place à qui faire appel. La Grèce possède un service de santé publique.

— Bien sûr, mais il se trouve que je suis sur place, et qu'il s'agit de mon champ d'expertise : les épidémies de maladies infectieuses. Je suis probablement la personne la plus compétente sur le sujet en ce moment, et nous savons tous les deux que la coopération se pratique beaucoup plus qu'avant. Allons, écoute la voix de la raison !

Il y eut un silence au bout du fil.

— Probablement, dit enfin Tim, comme à regret. Mais est-ce que tu parles assez bien le grec pour être sûre que tu poses les bonnes questions et, plus important, que tu obtiens les bonnes réponses ?

— Il y a le médecin grec dont je t'ai parlé, celui qui m'a alertée sur la possibilité d'une épidémie… S'il accepte de prendre du temps pour m'aider, cela pourrait résoudre le problème de la langue.

Elle n'était pas vraiment sûre de vouloir travailler avec Alexander. C'était déjà assez difficile de l'apercevoir, superbe,

60

presque tous les jours. Mais elle voulait s'occuper de ce problème et, sans son aide, elle ne pourrait pas.

— Il faudra que je le lui demande, bien sûr, mais je pense qu'il sera d'accord.

— Entendu, dit Tim. J'appellerai mon collègue grec.

Katherine émit un soupir de satisfaction.

— Qu'est-ce que tu as comme autres informations ?

— En plus du garçon admis en soins intensifs à Athènes, il y a eu deux morts au cours des dix derniers jours — ton jeune homme et une très jeune femme, une touriste française dont la famille a déjà rapatrié le corps. Pour l'instant, pas de lien évident entre les décès.

S'il y avait une épidémie — apparemment, il y avait peu de doutes sur ce point — et si on ne localisait pas les gens qui avaient été en contact avec les malades pour les soigner, il risquait d'y avoir d'autres décès. De plus, il fallait trouver d'où venait cette maladie pour contacter les gens avant qu'ils ne la développent.

— Pourrais-tu me donner les noms et adresses des patients ainsi que les noms de leurs médecins traitants ou des médecins qui se sont occupés d'eux ?

— Je te les envoie tout de suite par e-mail, répondit Tim.

Dès qu'elle eut raccroché, Katherine appela Alexander à son cabinet médical, et découvrit qu'il n'était pas encore arrivé. Elle enfila en hâte quelques vêtements et, sans prendre son petit déjeuner, elle sortit sous le soleil déjà chaud, avec l'espoir qu'il ne serait pas encore parti pour une visite.

Elle trouva Yia-Yia en train de faire du pain dans la cuisine.

— Bonjour, dit-elle en grec. Il faudrait que je parle à Alexander. Est-ce qu'il est là ?

Fronçant les sourcils, la vieille dame s'essuya les mains avec une serviette et secoua la tête.

— *Ochi*. Au travail.

— Bonjour.

C'était Crystal, en pyjama. L'air encore endormi, elle serrait contre elle un ours en peluche. Elle parla avec sa grand-mère et vint prendre la main de Katherine.

— Yia-Yia m'a dit que baba, il est à son bureau, au village.

La vieille dame leva une théière.

— Elle demande si tu veux du thé, reprit la fillette. Et si tu veux manger quelque chose.

— S'il te plaît, remercie-la et dis-lui que j'aimerais rester, mais il faut vraiment que je voie ton père. C'est urgent.

Crystal répéta sa réponse à son arrière-grand-mère, qui parut dépitée.

Katherine ébouriffa doucement les cheveux de Crystal puis, quittant la maison, elle redescendit la volée de marches et longea la rue jusqu'au local qu'Alexander utilisait comme dispensaire pour les gens du village.

Elle frappa à la porte et entra sans attendre de réponse. Il était assis, mais il avait tourné son fauteuil face à la fenêtre, et le fit pivoter quand elle entra.

— Excusez-moi, dit-il. C'est un moment difficile.

— Je suis au courant…

— De quoi ?

— David Panagaris, c'est bien le patient de votre collègue médecin, c'est ça ?

Alexander acquiesça.

— Je pensais bien que c'était lui. Il se trouve en soins intensifs, donc. C'est terrible…

Sans attendre qu'Alexander le lui suggère, elle prit le siège en face de lui.

— Ses pauvres parents. Peut-être que s'ils l'avaient amené plus tôt… Mais comment avez-vous su que son état s'était détérioré ? Il n'a été admis qu'hier soir.

— Mon patron, que j'avais contacté, m'a rappelée. Je vais tout vous expliquer.

Alexander se redressa et posa ses poings fermés sur le bureau. Des cernes ombraient le dessous de ses yeux, et sous son hâle il avait l'air fatigué et pâle. Peut-être n'avait-il pas dormi de la nuit…

— Comme vous le savez, ma thèse de doctorat porte sur la méningite et autres infections bactériennes, les épidémies, et les moyens de les endiguer. Notre service est l'un des plus grands d'Europe, mais nous collaborons étroitement avec d'autres à travers le monde, et partageons des informations sur toutes sortes de questions de santé publique, en particulier sur les maladies infectieuses. Au cours des dernières années, de plus en plus de pays ont adhéré à cette approche collaborative. C'est intelligent de mettre les ressources en commun plutôt que d'être en compétition les uns avec les autres…

Alexander ayant accueilli ces explications avec un hochement de tête impatient, Katherine lui rapporta la conversation qu'elle avait eue avec son patron, puis elle lui tendit son téléphone.

— Il m'a envoyé la liste de tous leurs noms, dit-elle.

— Huit autres cas ? C'est une épidémie alors ?

— Il semblerait. J'ai proposé de superviser la situation, mais je vais avoir besoin de vous. Je ne maîtrise pas assez le grec pour me débrouiller toute seule.

— Vous voulez que je vous aide ?

— Oui.

— Bien sûr, dit Alexander sans hésiter. Le Dr Kanavakis — mon collègue retraité — pourra sans doute me remplacer. Quand commençons-nous ?

— Tout de suite.

— Laissez-moi juste le temps de l'appeler.

Quand il eut raccroché, Alexander se tourna vers Katherine.

— La question du remplacement est réglée. Que savez-vous d'autre sur les cas ?

— Très peu de choses. J'ai les noms et adresses de tous les patients. Pour la plupart, ils vivent dans le sud de la Grèce. Deux viennent de Nauplie ou des environs immédiats. La jeune Française était en vacances là-bas.

Alexander se renversa dans son fauteuil.

— Zut ! Ça ne me dit rien qui vaille… Beaucoup de bateaux de croisière viennent à Nauplie. On aura du mal à retrouver les personnes qui ont été en contact avec les cas.

Katherine relut les noms sur son téléphone. Pendant qu'Alexander téléphonait, elle les avait enregistrés sous forme de document.

— Que savez-vous d'autre sur David ?

— Ses parents habitent dans un village près de Messène. Il avait été léthargique pendant une partie de la matinée. Ils ont pensé qu'il avait pris froid, mais quand son état s'est détérioré, ils l'ont amené pour consulter mon collègue. Malheureusement, il montrait déjà des signes de septicémie. On lui a administré des antibiotiques par intraveineuse et on l'a hospitalisé immédiatement, mais il était déjà trop tard.

Alexander se leva brusquement et se mit à arpenter la pièce.

— Si nous avons une épidémie sur les bras, aucun enfant ne sera à l'abri.

Il s'arrêta devant Katherine.

— Venez. Allons à l'hôpital. Je vais informer le médecin. Il faut savoir où les malades sont allés et avec qui ils ont été en contact. A moins que nous nous séparions ? Vous allez rendre visite aux parents des autres cas pendant que je vais à l'hôpital ?

— Non. C'est moi l'expert et je connais les questions à poser, mais vous parlez grec et vous êtes un médecin local. On vous parlera plus volontiers et on vous dira des choses qu'on ne me dirait pas. De plus, vous repérerez mieux d'éventuelles informations qui pourraient se révéler importantes. Mais ce que nous devons faire en priorité, c'est nous assurer que les services de santé d'Athènes ont alerté tous les cabinets locaux de médecine générale et toute la population. Les médecins et les patients seront peut-être plus vigilants s'ils savent de quoi il s'agit.

— Je vais leur parler, bien sûr. Qui est votre contact là-bas ?

Alexander appela, et Katherine comprit vite que la conversation ne tournait pas comme il l'espérait. Puis le ton monta, et il raccrocha d'un geste sec.

— Ils ont prévenu les hôpitaux et les cabinets médicaux pour les alerter sur d'éventuels cas de méningite, mais ils refusent de lancer une alerte par voie de radio ou de presse. Ils disent que les gens pourraient paniquer et se précipiter dans les hôpitaux, submergeant les services médicaux qui ne tiendraient pas le choc.

— Je pourrais appeler mon patron pour lui demander de faire pression sur eux, suggéra Katherine. Mais je soupçonne quand même qu'on agirait de la même façon au Royaume-Uni.

De la main, Alexander désigna le téléphone.

— Faites comme chez vous, mais je doute que votre appel serve à quelque chose. Ils ne feront sûrement rien de plus tant qu'il n'y aura pas d'autres malades. Ils affirment que les cas actuels sont peut-être dus au hasard et sans relation entre eux.

— C'est possible, répondit pensivement Katherine. Dans le passé, nous avons trouvé des cas qui évoquaient une épidémie, mais qui se sont révélés sans rapport entre eux. Avant de faire quoi que ce soit, nous devrions parler aux parents de Stéfan. Dès que je saurai comment joindre les parents de la jeune Française, je les appellerai.

Alexander saisit sa trousse médicale.

— Entendu. J'espère que ce n'est pas une épidémie. Les parents de Stéfan sont d'un village près de Sparte. De là, nous pourrons aller à l'hôpital à Athènes.

Il sortit son mobile de sa poche.

— J'appelle Carlos pour le mettre au courant.

Katherine n'avait jamais emprunté une route aussi étroite et sinueuse que celle de Sparte. Elle osait à peine regarder : de son côté de la route, il y avait un ravin, et aucun parapet pour retenir la voiture en cas d'embardée pour éviter les véhicules arrivant en sens inverse.

Elle fit jouer ses doigts crispés.

— Que fait Crystal aujourd'hui ? demanda-t-elle.

— Elle va dormir chez une amie un peu plus loin sur la côte. C'est la mère de cette amie qui va venir la chercher.

Alexander négocia un virage particulièrement serré.

— Vous pourriez ralentir ? balbutia Katherine.

Alexander lui sourit.

— Si je ralentis, cela ne fera qu'encourager les autres

conducteurs à essayer de nous doubler, qu'une voiture arrive en face ou pas.

— Gardez au moins les yeux sur la route, s'il vous plaît.

Malgré sa terreur et son inquiétude, elle ne pouvait s'empêcher d'admirer le paysage. Petits villages accrochés à flanc de montagne, cafés avec des hommes âgés dehors, entrevus en train de fumer la pipe ou de jouer à des jeux de plateau... Comme pour l'inquiéter encore davantage, Alexander ôtait souvent la main du volant pour leur adresser au passage un signe amical.

A n'importe quel autre moment, elle aurait apprécié ce voyage, et elle se promit qu'une fois cette urgence réglée, elle reviendrait avec sa propre voiture pour savourer la balade.

Mais il fallait se concentrer sur le moment présent. Dépliant la carte qu'elle avait apportée, elle traça un cercle au stylo autour de la localisation de chaque victime. Toutes vivaient dans le Péloponnèse, à part la jeune Française venue en vacances, ce qui représentait une vaste zone.

— A votre connaissance, y a-t-il quelque chose qui relie les victimes entre elles ? demanda-t-elle.

— Pas que je sache. Il faudrait que j'étudie la carte.

Peu après, au grand soulagement de Katherine, ils quittèrent la route de montagne pour se diriger vers Sparte, et la voie devint plus large et plus droite.

— Le village se trouve à environ trente kilomètres au nord-ouest de Sparte, dit Alexander. Nous devrions y arriver dans une vingtaine de minutes.

Katherine éprouva un pincement douloureux au creux de l'estomac. Dans un court moment, ils se trouveraient en face de deux parents endeuillés.

La maison, comme beaucoup d'autres dans le village, semblait avoir été construite dans le rocher.

Ils frappèrent à la porte. Une femme en robe bleu marine

à manches longues leur ouvrit, et quand Alexander eut expliqué qui ils étaient, elle les fit entrer.

Les parents de Stéfan étaient assis dans une pièce sombre, entourés par des parents et des amis.

Alexander expliqua de nouveau qui ils étaient, et exposa avec ménagement la raison de leur présence.

— Je sais que c'est un moment très difficile pour vous, mais il faut que nous vous posions quelques questions.

M. Popalopadous acquiesça de la tête. Sa femme, elle, semblait incapable de prononcer le moindre mot.

— Posez vos questions, dit-il. Si nous pouvons empêcher que ça arrive à l'enfant de quelqu'un d'autre...

Katherine s'assit et prit la main de Mme Popalopadous.

— Nous avons besoin de connaître les derniers déplacements de Stéfan — où il a été avant de se sentir mal et avec qui il a été en contact.

— Il était instituteur à l'école du village, mais pendant les vacances, il sortait son bateau ou allait au café avec ses amis. Aucun d'eux n'est malade !

Katherine échangea un regard avec Alexander.

— Devrions-nous mettre le village en quarantaine ? murmura-t-il.

En réponse, elle secoua discrètement la tête.

— Pas encore.

Ce qu'il fallait faire, c'était reconstituer les faits et gestes de Stéfan pendant au moins la semaine précédente afin d'établir qui avait été en contact avec lui. Ensuite, il faudrait joindre ces personnes et s'assurer qu'elles — et toute personne ayant passé plus de quelques heures en leur compagnie — reçoivent des antibiotiques.

Quand Mme Popalopadous se remit à sangloter, Katherine se pencha vers elle.

— Je sais que c'est difficile, mais pensez-vous à des gens autres que ses amis ou ses élèves avec qui il aurait pu être en contact ?

Elle ignora le regard d'avertissement qu'Alexander lui adressa. Elle n'était pas insensible au chagrin de cette mère, mais ce qui importait le plus à présent, c'était que personne d'autre ne meure.

M. Popalopadous répondit à la place de sa femme qu'il enlaça par les épaules.

— Non. Personne d'autre. Excusez-nous, maintenant, mais il va falloir que vous nous laissiez. Nous avons des choses à régler.

Sa dignité impressionna Katherine qui avait envie d'insister. Pourtant, Alexander se leva et la saisit par le coude pour l'inciter à se lever aussi. Il griffonna quelque chose sur un bout de papier qu'il tendit au malheureux père, et lui adressa en grec quelques phrases rapides.

Puis il entraîna Katherine jusqu'à la voiture.

— J'avais encore des questions à leur poser ! protesta-t-elle.

— Pour l'amour de Dieu, ils viennent de perdre leur enfant. Ils nous ont dit tout ce qu'ils savaient.

— Vous ne pouvez pas l'affirmer. Ce sont les choses qu'ils ne considèrent pas comme importantes qui comptent peut-être le plus.

— J'ai donné au père mon numéro de mobile et je lui ai demandé de m'appeler, de jour comme de nuit, s'ils se souviennent de quelque chose. Je leur ai aussi dit de se rendre chez leur médecin pour obtenir des antibiotiques, ainsi que toute personne ayant pu être en contact avec eux.

Alexander prit son téléphone portable et passa un nouvel appel.

— Comme je le pensais, leur médecin a prévu de les voir plus tard dans l'après-midi. Ainsi que vous pouvez l'imaginer, il est très content que nous prenions la situation en main... La source d'infection la plus vraisemblable, c'est le lycée.

— Mais ce n'est pas la seule possibilité !

— Non, mais ne serait-ce pas la meilleure option d'adopter l'hypothèse la plus vraisemblable et d'avancer à partir de là ?

Ce n'était pas mal vu.

— Quelque chose va peut-être apparaître une fois que nous aurons interrogé les autres familles. En attendant, je devrais joindre Tim, mon patron. Je lui dirai de s'assurer encore une fois que toutes les structures médicales du secteur sont en alerte.

— Est-ce que nous ne devrions pas nous en charger nous-mêmes ?

— C'est plus important encore que nous tentions de localiser la source de l'épidémie. Mon patron va assurer la liaison avec l'équipe de la santé publique à Athènes, mais nous devrons probablement nous présenter à un moment ou à un autre.

Ils montèrent dans la voiture, et Alexander tourna la clé de contact.

— O.K. Prochain arrêt : Athènes.

— Combien de temps mettrons-nous pour arriver là-bas ?

— Environ deux heures et demie. Ou moins si vous arrêtez de critiquer ma façon de conduire.

Katherine se mordilla nerveusement la lèvre inférieure.

— Plus vite nous arriverons là-bas, mieux ce sera.

Heureusement, la route d'Athènes était bien meilleure que la précédente. Pendant le trajet, Katherine appela les parents de la jeune Française. Elle parlait mieux le français que le grec, mais cela ne rendit pas la conversation moins pénible pour autant. Le père de Claire parvint à lui expliquer que sa fille effectuait un court séjour en Grèce avec son petit ami quand elle avait ressenti les premiers malaises. Cela avait été très soudain — trop rapide pour que ses parents puissent se rendre à son chevet. Le médecin traitant avait placé les parents et le petit ami sous antibiotiques.

Katherine répéta ce qu'elle avait appris à Alexander puis tous deux demeurèrent silencieux, chacun plongé dans ses pensées.

Katherine revint à la réalité en sentant son estomac gronder et prit conscience qu'elle n'avait rien mangé depuis la veille.

— Je meurs de faim, dit-elle.

— Voulez-vous que nous nous arrêtions dans une taverne ?

— Je préférerais que nous ne passions pas trop de temps devant un déjeuner. Il me tarde de parler avec les parents de David.

— Je connais un endroit près d'ici.

Quand ils s'arrêtèrent, elle acheta du pain, des tomates, du fromage et un jus d'orange frais, pendant qu'Alexander avalait à la suite deux expressos.

A l'aide d'un canif qu'il lui prêta, elle confectionna des sandwichs à la tomate et au fromage, et lui en donna un, qu'il dévora en quelques bouchées.

— Vous en voulez un autre ? proposa-t-elle, médusée.

— Non, ça ira pour l'instant. Voulez-vous que nous repartions ?

Elle enveloppa dans une serviette en papier ce qui restait de son sandwich.

— Pourquoi pas ? Je finirai ça dans la voiture. Combien de temps encore pour arriver à Athènes ? demanda-t-elle alors qu'ils repartaient.

Alexander consulta sa montre.

— Encore une heure… Pendant que vous étiez aux toilettes, j'ai appelé un collègue là-bas. Il a accepté de contacter les médecins de notre liste pour poser aux familles quelques questions préliminaires. Il doit rappeler dès qu'il aura des informations pour nous.

Katherine aurait préféré téléphoner elle-même, mais Alexander avait bien fait : chaque minute pouvait faire la différence — une différence vitale — pour un patient et sa famille.

Enfin, ils arrivèrent à Athènes, et après le calme de la campagne, Katherine se trouva submergée par le bruit des avertisseurs et des innombrables voitures. Elle tenta en vain d'apercevoir l'Acropole qui dominait la ville. Elle figurait sur sa liste de sites à visiter mais, comme ses autres projets, cela attendrait.

Elle fut contente qu'Alexander soit avec elle pour se diriger dans l'hôpital. Beaucoup de panneaux étaient en anglais, mais certains étaient écrits en grec.

Ils gagnèrent le service des soins intensifs, et elle écouta Alexander expliquer au médecin de garde la raison de leur présence. Ensuite, il demanda comment allait le patient.

— Il s'en sortira, répondit le médecin. Mais avec la septicémie, nous devrons peut-être l'amputer de la main. Nous avons une salle d'op en attente.

Le garçon était trop jeune pour subir une intervention aussi sévère ! pensa Katherine. Ses parents devaient être consternés. De fait, dans une complète détresse, ils étaient incapables de leur parler, et le médecin leur suggéra de revenir le lendemain matin, quand l'état de David se serait peut-être stabilisé et que les parents seraient peut-être plus disposés à les voir.

— Ça ne peut pas attendre ! protesta Katherine. Il faut que nous trouvions où il a été et avec qui il a été en contact, et ses parents sont les seules personnes capables de nous le dire.

Une fois encore, Alexander la prit par le bras et l'entraîna à l'écart.

— Pour l'amour du ciel, Katherine, leur enfant est sur le point de subir une intervention. A leur place, seriez-vous en état de parler avec quelqu'un ? Moi, je ne pense pas que je pourrais.

— Je sais que le moment est mal choisi, mais nous avons besoin de ces informations, et le plus rapidement possible.

— Ça peut attendre.

— Non, Alexander. Si vous n'allez pas leur parler, j'irai, moi.

Comme il en avait l'habitude quand il réfléchissait, il se passa une main sur la nuque.

— Ecoutez, pourquoi ne pas essayer de trouver un autre membre de la famille moins affecté ? Il doit y en avoir au moins un dans cet hôpital. A l'heure qu'il est, une bonne partie de la famille doit être arrivée.

— Bonne idée…, répliqua Katherine. Mais si ces

personnes-là ne nous apportent aucune aide concrète, je serai obligée de parler aux parents de David.

Alexander acquiesça et partit à la recherche de cousins de David. En attendant, Katherine ouvrit son ordinateur portable et créa une base de données, puis elle relut ce qu'ils avaient appris jusque-là — et c'était plutôt maigre. Ils ignoraient toujours ce que les différents cas avaient en commun, ou comment ils pouvaient avoir contracté le virus.

Près de deux heures avaient passé quand Alexander réapparut, l'air fatigué.

— Il a fallu opérer David ; il se trouve en salle de réveil. On a dû l'amputer des doigts de sa main gauche. Dieu merci, il est droitier.

— C'est bien triste, mais il a échappé au pire… Avez-vous trouvé une indication qui pourrait nous aider ?

— Pas vraiment. J'ai trouvé sa tante qui habite juste à côté de chez lui. Elle m'a dit qu'à part l'école, une fête et une sortie à la plage, il n'a fréquenté aucun endroit inhabituel.

Alexander tendit à Katherine un morceau de papier.

— Elle m'a donné les noms des autres enfants présents à la fête. Mais aucun d'eux ne figure parmi les autres victimes.

— Ce qui n'exclut pas le risque pour eux. Nous devons nous assurer que toutes les personnes de la liste et leurs médecins soient contactés.

— J'ai appelé Diane pendant que j'attendais que David sorte du bloc. Elle a promis de s'occuper de ça immédiatement.

Katherine fut impressionnée. Elle avait vu juste. Alexander était la personne idéale pour aider en situation de crise.

— Et l'autre généraliste — celui que vous avez essayé de joindre —, est-ce qu'il vous a rappelé ?

— Il a téléphoné il y a quelques minutes. Il a parlé à tous les médecins, qui ont accepté de faire ce que nous leur demandons.

Alexander s'avança pour écarter une mèche qui retombait sur le front de Katherine. Ce geste tendre et inattendu lui serra le cœur.

— Pour le moment, nous avons fait tout ce qui était

possible, dit-il doucement. Rentrons. En route, nous discuterons des mesures suivantes à prendre.

Sur le chemin du retour, Alexander quitta de la route principale.

— Où allons-nous ? demanda Katherine.

— Nous n'avons rien avalé depuis les sandwichs du déjeuner. Mon cerveau ne travaille pas sans carburant. Le vôtre non plus, j'imagine.

Katherine acquiesça : elle venait de se rendre compte qu'elle mourait de faim.

Quelques minutes plus tard, ils s'arrêtaient devant une petite taverne avec des tables installées dehors sur une terrasse couverte. Malgré l'heure tardive et l'endroit un peu isolé, il y avait beaucoup de clients qui mangeaient et buvaient dans la brise fraîche des montagnes.

Alexander conduisit Katherine vers une table à l'écart. La vue jusqu'à la mer était spectaculaire.

Quand la serveuse arriva, Alexander adressa à Katherine un regard interrogateur.

— C'est vous qui commandez, dit-elle. Peu importe ce que je mange, pourvu que ce soit copieux.

Peu après, un serveur posait leurs repas devant eux. Alexander avait commandé de la moussaka, et une salade grecque à partager qu'elle goûta avec un sourire ravi. C'était délicieux.

— Nous devrions nous connecter avec la santé publique à Athènes pour voir si d'autres cas ont été signalés.

Posant sa fourchette, elle sortit son ordinateur et l'alluma.

— Pendant que vous étiez avec les parents de David, j'ai pris quelques notes, dit-elle, déplaçant l'écran de façon qu'Alexander puisse le voir. J'ai fait un tableau. Dans la première colonne, j'ai mis le nom du patient ; la deuxième colonne contient la date à laquelle le cas a été signalé aux services médicaux ; et dans la troisième colonne, il y a la liste des parents, amis, ou autres personnes qui, a notre connaissance, ont pu entrer en contact avec les malades. Ce n'est pas encore complet — il doit manquer des noms. Ensuite, une autre colonne indique pour chaque personne si elle a reçu ou non des antibiotiques prophylactiques. La dernière colonne concerne les endroits où ils sont allés pendant les deux dernières semaines, et inclura clubs de natation, fêtes, etc. En créant une base de données, je peux trier les informations comme je veux, et j'espère que, tôt ou tard, un lien entre les différents cas va apparaître. En attendant, j'en ai envoyé par e-mail une copie à mon homologue à Athènes.

— Vous avez fait tout ça ? dit Alexander, visiblement impressionné. Et en combien de temps ? Deux heures. Moins, même.

Katherine sentit un frisson la parcourir, et cette réaction la troubla. Elle ne se rappelait pas s'être sentie aussi à l'aise en compagnie de quelqu'un, même si son cœur battait trop vite quand elle était avec lui.

— C'est ce qu'on m'a appris à faire. Le fait de rentrer les données moi-même m'aide à les comprendre.

Alexander fronça les sourcils.

— Les malades sont devenus des « données »…

— Pas seulement ! répliqua Katherine, piquée au vif. Je suis médecin mais aussi scientifique. Croyez-moi, c'est la meilleure méthode possible. Le fait d'être trop proche des patients peut empêcher de dégager des grandes lignes.

Vexée, elle posa son verre et repoussa son repas inachevé. Soudain, elle n'avait plus faim.

— Excusez-moi un moment, vous voulez bien ? dit-elle.

Puis, sans attendre de réponse, elle se leva et quitta le restaurant.

*
* *

Katherine se retourna en entendant un bruit de pas. Curieusement, elle ne fut pas étonnée de voir Alexander.

— Vous n'avez pas froid ?

— Non. C'est une soirée très agréable, répondit-elle.

— Puis-je me joindre à vous ?

Quand elle répondit d'un hochement de tête affirmatif, il s'assit près d'elle sur le banc.

— Excusez-moi, dit-il, esquissant un sourire penaud. Ce que j'ai dit était stupide. Je suis parfaitement conscient que sous la façade scientifique bat un cœur tendre.

Il lui prit la main.

— Vous voulez bien me pardonner ?

Le cœur de Katherine s'emballa si fort qu'elle respira avec difficulté.

Elle avait accepté l'idée qu'elle passerait seule tout le reste de sa vie. Bien sûr, il y avait le chagrin dû à la mort de ses parents, et un profond regret de ce qu'aurait pu être sa vie si elle avait fait des choix différents. Mais cela mis à part, sa vie était heureuse. Alors pourquoi avait-elle à présent le sentiment de s'être trompée pendant tout ce temps ?

— Que sont ces lumières sur la mer ? demanda-t-elle pour apaiser la tension qui régnait.

— Des pêcheurs. Beaucoup aiment pêcher de nuit.

— Et vous ? C'est pour cela que vous utilisez votre bateau ? Je ne crois pas vous avoir vu sortir en mer.

Il eut un sourire.

— Je dois finir de le repeindre, mais je sors chaque fois que je le peux. Pas seulement pour pêcher — parfois, c'est pour aller d'île en île. J'aime m'en occuper. Avant, il appartenait à mon père.

Alexander raconta quelques anecdotes de sa vie d'enfant grec apprenti marin.

— J'ai eu de la chance, je trouve, dans tous les domaines, conclut-il. Mais les dieux aiment rétablir l'équilibre entre chance et malchance…

Il parlait de son épouse, pensa Katherine.

— Et vous ? reprit-il. Avez-vous eu une enfance heureuse comme moi ?

— Mes parents m'aimaient, mais je pense que je les ai déçus, répondit Katherine.

— Vous, l'étudiante consciencieuse ? Auriez-vous fait des bêtises quand vous étiez adolescente ? Non, je ne peux pas l'imaginer.

Faire des bêtises, c'était une manière de parler, pensa Katherine. Dérailler complètement, voilà qui était plus proche de la réalité.

— Vous avez fait vos études de médecine, vous êtes en train de terminer votre thèse de doctorat, et vous êtes devenue un des meilleurs spécialistes européens en matière d'épidémiologie. Vous avez toutes les raisons d'être fière !

Alexander ignorait qu'il avait frôlé de si près le point sensible avec ses questions…

Elle se leva.

— J'ai un peu froid. Il est temps de reprendre la route, je pense.

Plus tard dans la nuit, allongée dans son lit et bercée par le bruit doux des vagues sur le rivage, elle repensa à ce qu'Alexander avait dit. Elle avait réussi à rendre ses parents fiers d'elle. Mais ce que sa mère avait souhaité plus que tout au monde, avoir un petit-fils ou une petite-fille, elle ne le lui avait pas donné.

Rejetant le drap, elle sortit sur la terrasse. Alexander lui faisait ressasser des choses qu'elle voulait oublier, comme le manque, les parents — et l'amour.

L'amour. Qu'est-ce que cela ferait d'être aimée de lui ? Soudain, une pensée la frappa : elle n'était pas seulement *attirée* par lui. Elle était en train de tomber *amoureuse* de lui.

Pourquoi avait-il fallu que ce soit *lui* ? Il était encore amoureux de sa femme, c'était évident. Par ailleurs, sa vie était là, en Grèce, et elle rentrerait bientôt au Royaume-Uni pour y reprendre le cours de la sienne. Mais pis encore, s'il découvrait son secret, il la mépriserait. Il ne comprendrait jamais pourquoi elle avait fait cela.

Katherine regagna le séjour et parcourut la playlist de son iPod. Elle le brancha sur les haut-parleurs qu'elle avait apportés, et quand la musique de Brahms emplit la pièce, elle s'assit sur le canapé et ferma les yeux.

Alexander regardait les étoiles depuis la fenêtre de sa chambre. Pourquoi n'arrêtait-il pas de penser à cette femme ? Pourtant, il n'avait aucune intention d'avoir une aventure avec elle. Personne ne prendrait jamais la place de Sophia, Katherine retournerait bientôt au Royaume-Uni, et il ne pouvait pas la suivre ; elle était aussi mariée à son travail que lui — et il y avait cent autres raisons.

Pourtant, il ne pouvait se cacher qu'il se sentait fortement attiré — peut-être parce qu'il retrouvait dans les yeux de Katherine sa propre tristesse, ou qu'il la sentait seule, comme lui… C'était seulement quand elle avait parlé de son travail que sa réserve avait disparu. Ses yeux avaient brillé, et elle s'était animée. Il aimait cette passion pour son métier — cela lui rappelait le médecin qu'il avait lui-même été avant. Quand il pensait à la manière dont les choses avaient tourné…

Il écarta délibérément les souvenirs douloureux de son propre passé.

Tout en Katherine lui plaisait : son physique, sa sensibilité et sa réserve, le sourire qui éclairait parfois son visage et chassait les ombres de son regard, la manière dont elle se comportait avec Crystal — un peu maladroite mais jamais condescendante — et, aussi, sa manière d'être avec Yia-Yia et les villageois : respectueuse, et jamais méprisante.

Quand il comprit, il eut les mêmes impressions que s'il avait sauté de très haut dans une piscine. Le choc puis la joie. Il ne l'*appréciait* pas simplement — il était en train de tomber *amoureux* d'elle.

Les notes plaintives de la Berceuse de Brahms filtrèrent à travers l'air calme de la nuit, et Alexander sortit pour mieux entendre. Ce morceau avait été l'un des préférés de Sophia — elle l'écoutait souvent. Il ferma les yeux et, aussitôt, apparut l'image de Sophia penchée sur le clavier du piano, un sourire aux lèvres, pendant que ses doigts volaient sur les touches. Une boule de tristesse se forma dans la gorge d'Alexander. Sophia. Son amour. Comment pouvait-il imaginer, même une seconde, qu'il pourrait un jour y avoir quelqu'un d'autre ?

6.

Réconfortée par les notes apaisantes de Brahms et sachant que le sommeil la fuirait, Katherine étudia sa base de données, y ajoutant la liste de noms qu'Alexander lui avait donnée.

Quand elle arriva au cas de Stéfan, elle s'y arrêta. Il avait été le premier à tomber malade… Un souvenir tentait de refaire surface.

Voilà, elle l'avait ! Le jour où il avait fait son malaise au cabinet médical, Stéfan portait à la main droite un bandage un peu sale, mais d'aspect professionnel. Quelqu'un lui avait bandé la main, mais pas récemment.

Hercule lui sauta sur les genoux et se mit à ronronner. Elle le caressa d'une main distraite tout en composant le numéro d'Alexander.

Malgré l'heure tardive, celui-ci décrocha immédiatement.

— Le garçon qui est mort — Stéfan Popalopadous —, savez-vous comment il s'est blessé à la main ? Est-ce que le pansement a été fait dans votre cabinet médical ?

Alexander murmura un juron.

— Bonsoir… Non, je ne peux pas vous dire comment il s'est fait ça, sauf si je consulte son dossier qui, bien sûr, se trouve là-bas dans mon bureau. Je crois que je vais y aller.

— Voulez-vous que je vous accompagne ?

— Non, ça ira. Gardez votre téléphone à portée de main. Je vous rappelle dès que j'ai une réponse.

Il était plus d'1 heure du matin quand il la rappela, et elle décrocha aussitôt.

— Qu'avez-vous trouvé ?

— Il s'est blessé sur son bateau, avec un winch. Apparemment, il emmène souvent des gens en promenade le soir après le travail. Il a été soigné à Nauplie — il effectue des trajets entre Nauplie et tous les ports de la côte.

— Dans ce cas, nous partons pour Nauplie. Prenez-moi en passant.

Nauplie était un joli port, avec d'élégantes maisons à balcons qui rappelaient Venise. Alexander raconta à Katherine la riche histoire de cette ancienne capitale de la Grèce. Maintenant, la ville était une étape pour les petits bateaux de croisière en Méditerranée, et pour les yachts. Un détail ennuyeux : si leur patient avait été en contact avec l'un des voyageurs en transit, qui savait où ce dernier se trouvait à présent ? Etait-ce de cette façon que Claire avait contracté la maladie ?

Ils réveillèrent le médecin du dispensaire où la main de Stéfan avait été pansée et découvrirent qu'ils avaient vu juste. Stéfan avait été soigné là deux jours avant de consulter Alexander. Il avait alors de la température, mais pas assez pour s'inquiéter.

A présent, ils avaient leur premier contact : ils allaient peut-être retrouver les autres.

Durant la semaine qui suivit, Katherine et Alexander se rendirent dans tous les villages et villes où des cas de méningite avaient été signalés, ainsi que dans ceux de tous les contacts qu'ils avaient retrouvés. A présent, c'était plus facile de retrouver les gens qui avaient été en contact avec Stéfan, et les contacts de ces personnes-là. David, le garçon en soins intensifs, avait été emmené en promenade le long de la côte avec plusieurs de ses amis — c'était un cadeau d'anniversaire —, et les huit autres victimes, qui pour la plupart allaient mieux, avaient aussi effectué des sorties sur le bateau de Stéfan au cours des jours ayant précédé le malaise du jeune homme. Finalement, les parents de Claire confirmèrent que leur fille avait posté sur sa page Facebook une photo de Stéfan et de son bateau peu avant que le jeune homme ne tombe malade.

Katherine et Alexander installèrent des consultations temporaires et parlèrent aux infirmières locales et au personnel médical, leur indiquant les signes qui devaient les alerter et les informations à donner à leurs patients. Il y avait eu un nouveau cas, mais comme tout le monde était plus vigilant, la patiente concernée avait été hospitalisée dès les premiers symptômes, et elle se rétablissait.

Plus Katherine travaillait avec Alexander, plus elle l'admirait. Il était compétent avec les patients, gentil et compréhensif avec les villageois paniqués, et autoritaire pour convaincre certains récalcitrants de prendre leurs antibiotiques. C'était un travail fatigant, et ils passèrent des heures dans la voiture, à se déplacer de village en village, mais Katherine adorait ces moments : ils parlaient de leur journée, de ce qu'ils devaient faire ensuite, mais aussi de la musique qu'ils aimaient et des endroits où ils rêvaient de se rendre.

Cependant, elle sentait bien qu'Alexander gardait ses distances, comme elle le faisait elle-même. Souvent, elle était sur le point de lui parler de Poppy, mais cela ne semblait jamais être le bon moment ou, pour être honnête, elle avait trop peur de sa réaction. Que penserait-il si elle lui disait tout ? Serait-il choqué, ou comprendrait-il ? Et de toute façon, pourquoi lui raconter ? S'il n'y avait pas de nouveau cas de méningite, elle partirait fin septembre, et jusqu'ici, il n'avait rien dit et rien fait lui laissant penser que, pour lui, elle était plus qu'une amie et collègue médecin.

Elle l'avait bien surpris en train de la regarder, et elle avait aussitôt baissé les yeux, le cœur battant la chamade, trouvant une excuse pour tourner la tête, pour parler à quelqu'un d'autre… Mais à part ces regards, il ne lui avait jamais pris la main ou ne l'avait jamais embrassée pour lui souhaiter une bonne nuit. Elle soupçonnait qu'il était encore amoureux de sa femme décédée, et qu'aucune autre femme ne pourrait jamais l'égaler.

La pensée de rentrer au Royaume-Uni la consternait. Laisser ce pays de soleil… Retourner vers une vie qui semblait terne et grise… Laisser Alexander, sa grand-mère et Crystal — mais surtout Alexander — lui brisait le cœur.

Car — à quoi bon se raconter des histoires ? — elle n'était pas en train de *tomber amoureuse*. Elle *aimait* Alexander, profondément, et l'aimerait jusqu'à son dernier souffle. Mais, lui, il ne l'aimait pas. Personne ne pourrait jamais remplacer sa femme. Sa vie était là avec sa fille et sa famille.

Et s'il devinait ses sentiments ? Ce serait trop humiliant. Mais peut-être avait-il déjà deviné.

Elle lui rendait visite chez lui, et tous les soirs, sur la place, elle dînait ou buvait une bière avec lui. N'était-ce pas pratiquement reconnaître qu'elle ne pouvait pas vivre loin de lui ? Elle s'était pratiquement jetée à son cou. Comment avait-elle pu se montrer si stupide ?

Il n'existait qu'une seule façon de corriger cet impair : elle allait garder ses distances.

Debout sur sa terrasse, un verre d'eau glacée à la main, Alexander pensait à Katherine, comme il le faisait sans cesse depuis quelques jours. Il ne l'avait guère vue depuis qu'ils avaient cessé de se rendre dans les villages concernés, et elle lui manquait. Par ailleurs, elle ne venait plus sur la place le soir. Est-ce qu'elle l'évitait ?

En travaillant avec elle les semaines précédentes, il en était venu à l'admirer de plus en plus. Elle était compétente. Très compétente, même. Sans elle, l'épidémie n'aurait pas été jugulée aussi vite. Sa patience avec les familles touchées, ses manières avec les villageois, sa détermination à parler son mauvais grec avec eux, et la gentillesse et le respect avec lesquels elle traitait jeunes et vieux, tout cela était très grec. Il aimait son air concentré quand elle réfléchissait, son visage quand elle riait, et encore plus la manière dont elle se comportait avec Crystal. Sa fille l'adorait.

Katherine était presque aussi parfaite que Sophia. Mais elle allait bientôt partir. Et l'idée de ne plus la revoir le consternait.

Et soudain, il comprit. Il estimait et admirait Katherine, mais cela allait bien au-delà. Il était fou d'elle.

Alors que faisait-il là, seul, à danser d'un pied sur l'autre, au lieu d'aller la retrouver ?

7.

Assise sur sa terrasse, Katherine admirait les jeux de lumière du soleil couchant sur la mer quand elle entendit frapper doucement à la porte. Connaissant bien maintenant le bruit des pas d'Alexander, elle sut sans se retourner que c'était lui. Et elle n'en fut pas étonnée. Au fond d'elle-même, elle savait qu'avant peu il reviendrait vers elle.

— Crystal vous a cherchée à la taverne ces deux derniers soirs, dit-il doucement. Et moi aussi. Et Yia-Yia dit qu'elle ne vous a plus vue depuis un jour ou deux. Est-ce que vous allez bien ? Vous n'êtes pas malade ? Pas de problème particulier ?

La manière dont il la scrutait fit battre follement le cœur de Katherine.

— Avec tout ce qui s'est passé, j'ai pris du retard avec ma thèse. Je pense la déposer dans les deux jours qui viennent.

Alexander vint s'asseoir près d'elle sur une chaise.

— Quand partez-vous ?

— A la fin du mois. Plus rien ne me retient ici maintenant que l'épidémie a l'air d'être sous contrôle. J'ai reçu un appel d'Athènes tout à l'heure — aucun nouveau cas n'a été signalé au cours des dernières quarante-huit heures. Ils pensent que c'est fini.

— Dieu merci… Si vous ne vous en étiez pas occupée tout de suite comme vous l'avez fait, il y aurait peut-être eu d'autres morts.

— Je n'ai fait que mon travail, un travail que j'adore.

A la lueur de la lune, le visage d'Alexander était indéchiffrable.

— Je ne vous ai jamais emmenée sur mon bateau, je crois ? demanda-t-il doucement.

— Non. Mais vous avez été très occupé. Ça ne doit pas être facile pour vous de travailler en étant un père célibataire.

Quelle remarque complètement stupide, pensa-t-elle.

— J'ai Yia-Yia, et Helen m'aide au besoin. Evidemment, une fois qu'elle sera mariée, dans quelques semaines, nous ne la verrons plus beaucoup, Crystal et moi… J'ai encore le temps de vous emmener sur le bateau. En fait, nous pourrions y aller tout à l'heure. C'est la soirée idéale pour ça.

Le cœur de Katherine, déjà affolé, palpita encore plus fort.

— Ne vous croyez pas obligé de m'emmener, dit-elle sèchement.

Il parut déconcerté.

— Non, évidemment. Pourquoi imaginez-vous une chose pareille ? Vous avez manqué à Crystal, mais à moi aussi. J'aime être avec vous. Je pense que vous vous en êtes rendu compte, non ?

Il se leva et lui prit la main. Bouleversée, elle se leva sans protester. Un instant, elle faillit se blottir contre lui, mue par le besoin de sentir ses bras autour d'elle. Mais au dernier instant, elle résista à cette envie, craignant de se conduire comme une idiote.

Alexander parut surpris, mais il ne lui lâcha pas la main.

— Nous devrions quand même attendre que Crystal dorme, ou sinon elle insistera pour venir aussi, dit-il. Si je dis non, elle est capable de se lancer à notre poursuite toute seule avec un autre bateau !

Katherine ne put s'empêcher de s'esclaffer, même si ce rire trahissait son émotion.

— Plus sérieusement, ça ne me déplairait pas de vous avoir un moment pour moi tout seul, reprit-il. Mais ma fille vous apprécie tellement qu'on a du mal à la décoller de vous.

Katherine sentit son cœur chavirer.

Pourquoi s'inquiétait-elle pour l'avenir ? Et pourquoi ne pas faire l'amour avec lui s'il le lui demandait ? Pourquoi refuser quelques jours de bonheur volé ? Alexander n'avait pas besoin de connaître son secret. Ce qui importait, c'était ici et maintenant, et si elle pouvait être avec lui, même pour un court laps de temps, pourquoi pas ? Une fois partie, elle aurait tout le temps de guérir ses plaies — de regretter ce qui aurait pu être.

Ce raisonnement l'étonna. Comme la Grèce l'avait changée…

— Nous devrions profiter du temps qu'il vous reste, dit-il, comme s'il avait deviné ses pensées. Je pourrais prendre un congé, ce qui nous permettrait d'être ensemble.

— Et Crystal ? Elle voudra passer du temps avec vous.

— Bien sûr. Nous pourrions faire des choses tous les trois… Vous l'aimez bien, je crois… Elle s'est vraiment prise d'affection pour vous.

Katherine demeura perplexe. C'était peut-être à cause de Crystal qu'il aimait être avec elle…

Mais s'il lui demandait de rester, que répondre ? Il y avait une très grande partie de sa vie qu'elle lui cachait. Comment pourrait-elle s'occuper d'un enfant après ce qu'elle avait fait ?

De toute façon, ne méritait-il pas la vérité, qu'elle reste ou pas ?

On lui laissait entrevoir une existence nouvelle. Une chance de se libérer d'une vie stricte, faite d'oubli de soi, de travail acharné et de détermination. Pourrait-elle se pardonner, s'accorder la joie d'aimer et d'être aimée, même si cela ne durait pas ?

— Je vous vois ce soir alors ? demanda Alexander

— A quelle heure voulez-vous que je vous rejoigne ?

Il lui sourit.

— Vers 22 heures ?

— J'y serai.

Quand Katherine arriva sur la plage, Alexander était appuyé contre son bateau, vêtu d'un T-shirt noir et d'un jean sombre, et chaussé de bottes de pêcheur. Il ressemblait un peu à un pirate avec ses joues ombrées d'une barbe naissante.

Quand il l'aperçut, il émit un sifflement approbateur. Toute la soirée, nerveuse, elle avait sorti plusieurs tenues, et avait finalement arrêté son choix sur un short en denim usé et un chemisier brodé, acheté dans le village. Dessous, elle portait un ensemble assorti en dentelle.

Quand, pour la dernière fois, s'était-elle sentie aussi fébrile ? Elle n'en avait aucune idée. Elle avait été prête très longtemps avant l'heure du rendez-vous. Incapable de changer ses vieilles habitudes, elle avait préparé un petit sac avec une veste dans le cas bien hypothétique où il ferait frais sur l'eau et, à la dernière minute, elle avait ajouté des fruits frais, des olives, une bouteille de vin, un tire-bouchon, et deux verres.

— Salut, murmura-t-elle.

Elle avait l'impression d'être une enfant qui fait des bêtises, et cela lui donnait une envie de pouffer.

Il eut un sourire.

— Ce n'est pas la peine de parler doucement, vous savez. Nous ne sommes pas en train de voler un bateau comme des gamins de dix ans.

— Excusez-moi. Je murmurais pour être en accord avec le moment.

Le bateau dansait doucement sur les vagues, et Alexander tenait l'amarre pour le retenir près du rivage.

— Vous montez à bord ? proposa-t-il.

Elle ôta ses sandales et avança dans l'eau d'abord trop fraîche puis délicieuse sur sa peau chaude.

Mais quand elle arriva près du bateau, elle s'arrêta, déconcertée. Comment était-elle censée se hisser à bord ? Soudain, elle sentit deux bras solides lui entourer la taille, et l'instant d'après Alexander la tenait contre lui. Elle sentit la chaleur de son corps et respira son parfum.

Il émit un petit rire.

— C'est une chance que vous ne pesiez rien.

C'était un peu excessif, pensa-t-elle. Juste après, elle fut déposée doucement dans le bateau, puis Alexander, d'un bond, se retrouva près d'elle. Il saisit une gaffe et s'en servit pour éloigner le bateau du rivage. Ensuite, il enroula le cordage avec dextérité et le plaça au fond de l'embarcation.

— Asseyez-vous devant si vous voulez… Non, restez où vous êtes ! ajouta-t-il comme Katherine, en se levant, faisait tanguer le bateau.

Légèrement penaude, elle se rassit, et Alexander se mit à ramer. A la lumière de la lune, elle voyait ses biceps rouler sous sa peau.

— Est-ce que nous allons pêcher ? demanda-t-elle.

— Si vous voulez. Mais avant, je voudrais vous montrer quelque chose.

Laissant traîner sa main dans l'eau, elle savoura l'agréable silence qui régnait, seulement ponctué par le bruit des rames et des vagues contre la coque.

— Attention aux requins !

Elle retira aussitôt sa main, mais comprit qu'il la taquinait en le voyant sourire.

Parcourue d'un petit frisson délicieux, elle sourit aussi. Comme elle aimait cet homme-là !

— Alors, qu'est-ce que vous voulez me montrer ?

— Il va falloir patienter.

Emerveillée, Katherine vit une étoile filante traverser le ciel avant de tomber dans les profondeurs sombres de la mer. Elle avait la sensation de se retrouver transportée dans un autre monde, et une onde de bonheur la traversa.

Sa mère avait dû avoir bien du mal à quitter la Grèce quand elle s'était mariée. L'Angleterre était froide, grise, mais sans doute aurait-elle préféré vivre en enfer avec le père de Katherine plutôt qu'au paradis sans lui.

Soudain, une vague de tristesse faillit la submerger. Au moins, elle était là. Dans le pays qui avait été celui de sa mère, elle se sentait plus proche encore d'elle.

— Ça va ? Vous avez l'air triste.

La voix d'Alexander la ramena au présent, et elle s'efforça de sourire.

— Je pensais à ma mère. J'avais espéré qu'elle pourrait revenir au moins une fois avant de mourir.

Au loin, les minuscules lumières d'autres bateaux dansaient sur l'eau, et plus loin encore, les formes sombres de petites îles ponctuaient la ligne d'horizon.

— Peut-être que vous reviendrez, vous — ou que vous resterez, dit doucement Alexander.

Le pouls de Katherine battit plus vite.

— J'ai mon travail, mais oui, je reviendrai sûrement. Et vous ? Est-ce que vous n'envisagez pas de retourner un jour au Royaume-Uni ?

Le souffle suspendu, elle attendit sa réponse.

— Si, certainement, pour rendre visite à ma mère. Mais je ne pourrais pas vivre en permanence loin de la Grèce. Je ne pourrais pas éloigner Crystal de Yia-Yia, du moins, pas avant qu'elle soit plus grande… Pourquoi regrette-t-on toujours ce qui aurait pu être au lieu d'être content de la vie qu'on mène ?

Katherine se sentit bouleversée. Que voulait-il dire ? Elle eut envie de le lui demander : « Ce qui aurait pu être » ? Etait-ce une allusion à elle, ou à son épouse morte ?

De nouveau, un silence régna, et Katherine commençait à se demander où exactement il l'emmenait quand ils arrivèrent en vue d'une île avec une petite baie.

— C'est l'endroit que vous vouliez me montrer, Alexander ?

— La Grèce a beaucoup de belles îles, mais j'aime bien celle-ci parce que personne n'y vient. L'autre endroit que j'adore est le cap Sounion.

— Où est-ce ?

— Vous ne connaissez pas ? Vous avez sûrement entendu parler du temple de Poséidon. C'est l'endroit où Byron écrivait ses poèmes. Je vous y emmènerai un jour.

L'idée qu'ils passeraient d'autres moments ensemble fit frissonner Katherine de bonheur. Elle avait attendu des années pour trouver quelqu'un comme lui, et il avait fallu qu'elle vienne dans un coin perdu de la Grèce pour le trouver. Avait-il le moindre sentiment pour elle ? S'il pouvait l'aimer comme il avait aimé, et aimait sûrement encore, sa femme… Si seulement elle pouvait lui faire comprendre pourquoi elle avait fait cette chose terrible, ils pourraient peut-être envisager un avenir ensemble.

Mais il ne comprendrait jamais, elle en était sûre.

Il sauta hors du bateau, tenant l'amarre, et tendit les bras. Quand il les referma autour d'elle, elle ferma les yeux afin de savourer chaque seconde. Il la porta sur le rivage puis il la laissa pour tirer le bateau au sec.

— Alors, qu'est-ce que cette île a de particulier ? demanda-t-elle quand il revint. Vous venez de me dire que la Grèce a des centaines de belles îles.

— La légende dit qu'un soldat spartiate a amené ici une très belle princesse troyenne qu'il avait capturée. Il pensait que s'il la gardait ici, en sécurité, rien de mauvais n'arriverait, et qu'ils vivraient ensemble dans la paix le reste de leur vie. Mais après quelque temps, il a sombré dans l'ennui, en manque de l'excitation et du prestige d'être dans l'armée grecque.

— Que s'est-il passé ?

— Alors qu'il était loin, en train de combattre dans une guerre ou une autre, ses ennemis ont trouvé la jeune femme ici. Ils l'ont capturée avec l'intention de faire d'elle une concubine. Devinant ce qu'ils voulaient faire, elle s'est enfuie et s'est jetée dans la mer depuis le haut de la falaise.

— Oh non ! Et son amoureux ?

— Quand il est revenu et qu'il a découvert ce qui s'était passé, le chagrin et la culpabilité l'ont rendu fou, et il s'est noyé pour la rejoindre dans la mort.

— Comme c'est triste ! s'exclama Katherine.

Alexander lui prit la main.

— Qu'aurait-il dû faire, selon vous ? N'a-t-il pas eu tort de l'amener ici où elle était seule et sans protection ? Vous ne pensez pas qu'il n'a eu que ce qu'il méritait ?

— Eh bien… tout d'abord, je ne pense pas qu'elle aurait dû accepter de venir vivre ici avec lui si elle ne le souhaitait pas. Au final, il a eu tort, mais cela ne signifie pas qu'il n'avait pas de bonnes raisons. N'avez-vous pas dit tout à l'heure qu'il ne sert à rien de regretter ce qui aurait pu être ?

Elle savait qu'elle parlait autant de sa propre situation que de ce couple mythique.

— C'est facile de regarder en arrière pour voir ce qu'on a raté, ce qu'on aurait dû faire. Mais en même temps, il faut prendre la meilleure décision possible en fonction des circonstances, poursuivit-elle.

— C'est vraiment ce que vous pensez ? Je ne crois pas que vous ayez grand-chose à regretter.

Cette conversation prenait un tour intime, et l'heure était peut-être venue de lui parler de Poppy, pensa Katherine. Mais la peur la retint. S'il la jugeait ou, pis encore, la rejetait, elle ne le supporterait pas.

Elle afficha un sourire forcé.

— Pourquoi aimez-vous tant cette île, si elle est liée à une histoire aussi terrible ?

Alexander versa du vin dans un verre qu'il lui tendit, et le bref contact du bout de ses doigts la fit frissonner.

— C'est triste, d'une certaine façon, mais selon la légende, les dieux ont pris pitié d'eux et les ont changés en dauphins. J'aime les imaginer ensemble dans la mer — pour l'éternité.

Katherine ressentit un pincement au cœur. Elle avait donc vu juste : il était encore amoureux de sa femme.

S'avançant, Alexander lui prit le visage entre ses mains.

— Je me demande pourquoi aucun homme ne vous a encore capturée. Qu'est-ce qui ne va pas avec les Anglais ?

— C'est peut-être moi qui suis trop difficile.

Le rire d'Alexander dévoila ses dents blanches dans l'obscurité.

— Vous pouvez l'être. Vous êtes si belle, si parfaite.

D'une douce pression des pouces, il l'obligea à lever la tête.

Non, pensa-t-elle avec véhémence. Il ne fallait pas qu'il pense qu'elle était parfaite ! Il ne pourrait qu'être déçu ensuite.

Mais il baissa la tête pour poser les lèvres sur les siennes, et elle ne parvint plus à raisonner. C'était ce qu'elle avait imaginé dès qu'elle l'avait vu pour la première fois, et cela se passait exactement comme elle en avait rêvé. Quand il approfondit son baiser, elle s'accrocha à lui, prise d'un désir vertigineux.

— Vous êtes sûre ? demanda-t-il.

La question faillit la faire pouffer, et elle tira doucement sur sa chemise pour le rapprocher d'elle.

— Sûre ? Vous en avez mis du temps, murmura-t-elle contre ses lèvres.

Longtemps plus tard, ils restèrent enlacés, regardant les étoiles. Jamais elle ne s'était sentie aussi apaisée, jamais on ne lui avait aussi bien fait l'amour. Alexander s'était montré exigeant, doux et délicieusement taquin, et il lui avait donné des caresses qu'elle n'avait jamais connues jusqu'à ce qu'elle le supplie de faire cesser ces délicieuses tortures. Elle rougit en se rappelant comment elle lui avait griffé le dos, et comment elle avait crié son nom pendant que les vagues du plaisir déferlaient en elle.

Cette libertine, cette femme qu'il avait déchaînée, était une révélation pour elle, et elle souhaita ne jamais redevenir comme avant. C'était ainsi que le sexe devait être.

La lune éclairait le corps nu d'Alexander. Il était exactement tel qu'elle l'avait imaginé — plus beau que toutes les statues grecques qu'elle connaissait.

Se relevant sur un coude, il la contempla. Instinctivement, elle prit son chemisier pour cacher sa nudité, mais il lui saisit la main.

— Non, murmura-t-il. Je ne me lasserai jamais de te regarder.

Sous ce regard plein de désir, la nouvelle Katherine sentit son audace renaître, et elle passa les bras autour de son cou pour l'attirer à elle.

Quand l'horizon se teinta de rose et d'abricot, ils regardèrent ensemble le ciel parsemé d'étoiles, serrés l'un contre l'autre.

— Il faut que je te dise quelque chose, dit-il doucement.

Oh ! mon Dieu, pensa Katherine, le moment était venu ! C'était merveilleux, mais…

— Tu te rappelles que, un jour, je t'ai dit que je me spécialisais en chirurgie quand Sophia est morte, et que j'ai ajouté que je travaillais sans arrêt ?

— Je sais à quel point la spécialité peut être exigeante.

— Eh bien, quand Sophia est tombée enceinte de Crystal, j'étais fou de joie. Et elle aussi. Parfois, je voyais sur son visage un air de regret, mais j'attribuais cela au mal du pays. Ça m'arrangeait de croire que la Grèce lui manquait. Rétrospectivement, je pense qu'elle savait que c'était la fin de son rêve — devenir pianiste professionnelle. Moi, j'étais décidé à réussir en chirurgie, mais tu sais comment ça se passe — la compétition est féroce, surtout pour les premières places, et moi, je n'envisageais que le meilleur poste dans l'hôpital le plus prestigieux. J'avais tout planifié. Je postulerais pour une place de consultant, puis pour la Clinique Mayo en Amérique, et là-bas je terminerais ma formation. Sophia m'a toujours soutenu. Elle disait qu'elle pourrait jouer n'importe où. Je savais que ce n'était pas forcément vrai — en tout cas, si elle voulait jouer de manière professionnelle —, mais j'ai choisi de ne pas en tenir compte. A cette époque, j'étais un horrible égoïste, uniquement concentré sur son projet, mais je me disais que je faisais ça pour nous tous, pour moi, pour Sophia et, bien sûr, pour le bébé qui était en route. J'ai choisi d'oublier qu'elle avait déjà mis sa carrière entre parenthèses pour moi. Une carrière de musicien, c'est davantage une compétition qu'une carrière médicale — on a peu de temps pour réussir, et elle avait déjà compromis ses chances en venant au Royaume-Uni avec moi. Mais, comme je l'ai dit, j'avais prévu de me rattraper ensuite avec elle. Une fois atteint mon objectif, je lèverais le pied, je mettrais ma carrière en sourdine, et je lui laisserais les feux de la rampe pendant quelque temps. Nous voulions tous les deux des enfants — trois —, et je me disais que le jour où j'aurais atteint le sommet, les enfants seraient en âge de lui laisser du temps pour elle-même. Sophia resterait à la maison jusqu'à ce que notre plus jeune enfant ait six semaines environ, et ensuite nous engagerions une nounou. Et Sophia était d'accord. Jusqu'à la naissance de Crystal. A ce moment-là, elle ne s'est plus vue mettre son enfant dans une crèche, ni le laisser à la maison. Elle adorait être mère. Si elle trouvait ça ennuyeux, elle ne l'a jamais dit et je ne le lui ai jamais demandé. Elle s'est toujours fait des amis facilement, et la maison était toujours pleine. J'ai cru qu'elle était heureuse. Mais quand j'y ai repensé plus tard, je ne suis pas arrivé à me rappeler la dernière fois où elle avait joué du piano. A cette époque, je me suis dit que c'était bien ainsi — qu'elle n'était pas assez motivée pour réussir comme concertiste. Pourquoi est-ce que tout est si évident après coup ?

— Nous voyons tous les choses différemment avec le recul, murmura Katherine.

— Je n'ai jamais cessé de l'aimer. Elle était ma meilleure amie, ma maîtresse, la mère de ma fille, mais j'ai cessé de la voir vraiment. Elle méritait plus que ce que je lui donnais. Je ne l'aimais peut-être pas assez. Si je l'avais aimée suffisamment, je n'aurais pas fait passer mes désirs avant les siens.

— Elle a eu de la chance d'être aimée à ce point-là. Elle a dû savoir que tu l'adorais… Je suis contente que tu m'aies parlé d'elle, murmura Katherine.

Elle voulait tout savoir de lui, même si c'était douloureux d'entendre qu'il avait tant aimé Sophia.

— Il fallait que je le fasse. Il faut que tu saches que je ne peux pas te promettre plus que ce que nous avons ici ce soir. Tu comptes trop pour moi pour que je te cache la vérité. Et il y a autre chose…

Katherine posa le bout des doigts sur les lèvres d'Alexander pour l'empêcher de poursuivre. Après ce qu'il lui avait confié, comment pourrait-elle lui parler de Poppy ? Et ne rien lui dire, signifiait qu'en effet ils ne pourraient pas avoir plus.

— Ne pensons pas au passé, dit-elle. Seul compte l'instant présent.

Elle prit la tête d'Alexander entre ses mains.

— *Agápi mou*, murmura-t-il. J'ai envie de toi. J'ai besoin de toi.

Elle se blottit contre son large torse, comme si, enfin, elle avait trouvé là sa place — même si ce n'était que pour un moment.

La semaine suivante, ils passèrent toutes leurs journées ensemble jusqu'à la fin du congé d'Alexander. Crystal venait souvent chez Katherine. Quand celle-ci travaillait, la fillette prenait le livre de coloriages qu'elle avait apporté, et le remplissait avec application.

Katherine se rendait de plus en plus souvent chez Yia-Yia, à l'invitation de la vieille dame, et elle apprenait à confectionner des plats locaux. Son grec parlé, en partie oublié, revenait rapidement, et les deux femmes arrivaient à communiquer.

A présent, elle bavardait aussi sur la place avec d'autres villageois. Bientôt, des petits cadeaux apparurent sur son seuil — tomates, courgettes, grappes de raisin, olives et huile d'olive…

Elle pensait souvent à sa mère qui semblait avoir prévu tout cela, sachant que la Grèce tisserait ses fils magiques autour d'elle. C'était donc — Katherine le comprenait à présent — le dernier cadeau de sa mère, et celui-là elle avait l'intention de le savourer. Comme pendant l'épidémie, sa thèse était vraiment négligée, mais Katherine savait qu'elle ne la déposerait pas avant que le travail soit aussi parfait que possible. La Grèce ne l'avait pas rendue paresseuse !

Toutefois, elle accordait moins d'importance à la perfection. Le matin, au lieu de sécher ses cheveux avant de les rassembler en un chignon serré, elle les portait lâchés sur les épaules ou réunis en une queue-de-cheval décontractée. Elle se sentait plus libre sans chemisiers boutonnés jusqu'au cou ni pantalons bien coupés. A présent, elle portait des robes bain de soleil, des petits shorts et des T-shirts à bretelles.

Elle avait même verni de nouveau ses ongles dans le même rouge sang que celui de Crystal !

Comme Alexander avait repris le travail, elle le voyait peu durant la journée, mais souvent le soir ils buvaient de la bière en grignotant des olives et des figues fraîches, et parlaient travail et histoire pendant que Crystal jouait sur la place.

C'était la période la plus heureuse de sa vie. Pour une fois, on ne lui demandait rien, on n'exigeait rien, on n'attendait rien d'elle. Alexander l'emmena au cap Sounion, et souvent passait la journée sur la plage avec Crystal.

Mais c'étaient les nuits que Katherine attendait avec le plus d'impatience. Quand Crystal dormait, Alexander venait la rejoindre, et ils faisaient l'amour, dans le lit ou en bas sur la plage. Il rentrait chez lui tôt pour être présent quand sa fille se réveillait. Et chaque jour, Katherine se sentait un peu plus amoureuse de lui.

Comment arriverait-elle à lui dire au revoir ?

Alexander sifflait sous la douche. Dans un court moment, il allait revoir Katherine. Cela faisait longtemps, pensa-t-il, qu'il ne s'était pas senti aussi bien. En fait, cela remontait à la mort de Sophia.

Et c'était grâce à Katherine. Il sourit en se rappelant la nuit précédente. Comment avait-il pu la croire réservée ? Quand il s'agissait de faire l'amour, elle était tout sauf réservée !

Malheureusement, il allait devoir écourter sa pause déjeuner avec elle car il avait un patient à voir à domicile. Peut-être voudrait-elle l'accompagner. Il ne fallait pas perdre une minute du temps qui leur restait.

Mais pourquoi faudrait-il absolument qu'elle s'en aille ?

Pensif, il sortit de la cabine de douche.

Elle pourrait vivre avec lui en Grèce. Elle trouverait facilement un autre poste. Ou sinon, il en trouverait un en Angleterre... Non. Il ne pouvait pas déraciner Crystal encore une fois. Du moins, pas avant qu'elle ait un peu grandi. Katherine comprendrait.

Mais accepterait-elle de rester ? Oui, car ils se marieraient, bien sûr. Cette idée le sidéra. Se marier ! Il faillit s'esclaffer. Il avait renoncé au mariage, mais c'était avant de rencontrer Katherine. Maintenant, il n'imaginait plus passer le reste de sa vie sans elle.

Elle était amoureuse de lui, il en était sûr. Mais l'était-elle assez pour l'épouser ? Pour laisser sa vie au Royaume-Uni ?

Cela, il n'existait qu'un seul moyen de le savoir.

— Qu'en penses-tu, Sophia ? murmura-t-il. Est-ce que je mérite une autre chance d'être heureux ?

8.

Penchée sur son ordinateur, Katherine essayait — en vain — de se concentrer sur son travail quand on frappa à sa porte. Personne au village ne frappait jamais, et sûrement pas Crystal. Elle attendait Alexander, mais quand il entrait, il s'annonçait toujours en appelant.

Elle sauvegarda rapidement son fichier et alla répondre.

Quand elle vit qui était là, elle crut que son cœur allait cesser de battre.

— Poppy ?

Sa fille passa devant elle et laissa tomber son sac à dos sur le sol.

— Ah bon ? Tu me reconnais ?

En fait, pendant un instant, Katherine ne l'avait pas reconnue. Comme sa fille avait changé depuis la dernière photo ! Disparus, ses longs cheveux dorés. Disparue l'adolescente maladroite mais belle avec son visage juvénile. A sa place, il y avait une jeune femme visiblement en colère avec des cheveux noirs hérissés, des yeux cerclés de khôl et un piercing à la lèvre.

— Bien sûr que je t'ai reconnue, murmura Katherine.

Elle avait rêvé si longtemps de ce moment… Mais dans son imagination, les retrouvailles avaient pris la forme de conversations téléphoniques pour faire connaissance, suivies de déjeuners et de parties de shopping.

Malgré sa déception, un sentiment chaleureux l'envahit.

— Je croyais que tu habitais dans une vraie villa. Cet

endroit est un vrai trou ! Il n'y a même pas de piscine, dit Poppy en se laissant tomber sur le canapé.

— Il y a la mer pour nager, répliqua Katherine, toujours sous le coup de la surprise.

— Bon, je m'en contenterai. Tout plutôt que de rester à la maison avec eux.

— Eux ?

— Liz et Mike. Les gens qui se considèrent comme mes parents.

Un véritable chaos se déclencha dans la tête de Katherine.

— Comment as-tu su que j'étais là ? Est-ce que Liz et Mike savent que tu es avec moi ?

— J'avais ton adresse e-mail, tu sais bien. J'ai envoyé un e-mail à ton travail et j'ai reçu une réponse disant que tu n'étais pas au bureau, alors j'ai appelé et j'ai dit que j'avais besoin de savoir où tu étais. J'ai raconté qu'il s'agissait d'une urgence familiale et, par chance, je suis tombée sur une secrétaire qui ne savait pas que tu n'avais *pas* d'enfants. Papa et maman ? Non, ils ne savent pas où je suis. Ils se moquent bien de savoir où je me trouve !

— Ils doivent être fous d'inquiétude ! Il faut que tu…

— Ils ne s'intéressent qu'à leur nouveau bébé. Charlie ceci, Charlie cela… Bon sang, pourquoi ils m'ont adoptée pour avoir un bébé à eux après ?

Mike et Liz avaient un bébé ? Cela arrivait parfois que des couples qui se croyaient stériles, conçoivent alors qu'ils avaient perdu tout espoir d'avoir un enfant, mais Katherine se dit que Liz aurait pu lui écrire pour le lui annoncer.

En fait, cela faisait longtemps qu'elle n'avait plus de nouvelles de la mère adoptive de Poppy. Le dernier contact remontait à un an, quand Poppy avait eu seize ans et que Liz avait envoyé un e-mail à Katherine pour lui dire que, dorénavant, il reviendrait à l'adolescente de maintenir le contact. Entre-temps, si Katherine choisissait de continuer à écrire — et non à envoyer des e-mails car Liz ne savait pas utiliser une messagerie —, elle transmettrait ses courriers à Poppy, si celle-ci le lui demandait.

Cela n'avait pas été écrit dans le but de faire du mal, et pourtant ces mots avaient blessé Katherine. Dans son cœur, elle avait eu envie de protester, mais elle avait accepté : à seize ans, Poppy était assez grande pour décider seule si elle voulait rester en contact. Katherine avait toujours espéré qu'elle déciderait de le faire, mais pas de cette façon.

— Je ne savais pas qu'ils avaient un autre enfant. Ça a dû être une vraie surprise !

— Ils n'ont pas eu *un autre* enfant, ils ont eu *un* enfant. Moi, je ne suis pas *leur* enfant. Je ne le suis plus. Qu'est-ce que vous avez tous à jeter vos enfants quand ça vous chante ?

— Ils t'ont mise dehors ? demanda Katherine, à la fois interloquée et indignée. Mais c'est…

Poppy baissa la tête.

— Ils ne m'ont pas *vraiment* mise dehors, marmonna-t-elle. Je veux dire, ils n'ont jamais vraiment dit qu'ils voulaient que je parte, mais c'était évident.

— Et ils ne savent pas où tu es ? Ils doivent être dans tous leurs états ! Il faut que tu appelles tes parents…

— Ce ne sont pas mes parents !

— Si, selon la loi. Ils ont dû prévenir la police. Comment as-tu pu partir sans qu'ils le sachent ? Quand es-tu partie ?

— Hier matin. J'ai dit que j'allais passer la nuit chez mon amie Susan.

— Tu… leur as *menti* ?

— Ben, je ne pouvais pas leur dire où j'allais, tu crois pas ?

— Tu aurais pu essayer ! Bien sûr qu'ils t'aiment et qu'ils ont besoin de savoir où tu es, et de savoir que tu es saine et sauve.

— Je veux pas leur parler.

Katherine sortit son téléphone mobile de son sac et le tendit à Poppy.

— Appelle-les. Tout de suite.

— Non.

Un instant, Katherine fut tentée de ne pas appeler Liz et Mike qui pourraient demander à la police de faire revenir Poppy ou, au moins, insister pour que Katherine la mette dans le prochain avion, et ce serait insupportable pour elle de ne pas goûter une ou deux journées volées avec sa fille. Sa fille ! Elle écarta cette idée. Evidemment, elle ne pouvait pas faire ça à Mike et Liz !

— Tu ne peux pas rester ici sans les appeler. Il va falloir que je prévienne la police.

Poppy se leva et prit son sac.

— Si c'est comme ça, je m'en vais. J'aurais dû savoir que toi non plus tu ne me voudrais pas. Quelle idiote je fais ! Tu t'es déjà débarrassée de moi une fois, alors qu'est-ce que tu as à faire de moi maintenant ? Je croyais qu'il te resterait peut-être un peu d'instinct maternel ou, au moins, l'idée que tu me dois quelque chose.

Katherine savait qu'elle se faisait manipuler, mais malgré tout elle ne pouvait pas laisser Poppy s'en aller. Si sa fille sortait de sa vie, elles n'auraient peut-être plus la moindre chance de renouer. Sous ces dehors bougons, elle entrevoyait la solitude et le trouble qui habitaient sa fille. Elle réprima une envie de traverser la pièce pour aller la prendre dans ses bras, mais ce ne serait pas la meilleure manière de gérer la situation. Mieux valait rester calme et raisonnable. Après tout, il devait bien y avoir une motivation à sa visite — même si une part de cette motivation était de faire le plus de mal possible à ses parents adoptifs.

La prudence s'imposait.

— S'il te plaît, Poppy. Je ne veux pas que tu t'en ailles, ce n'est pas du tout ce que j'ai voulu dire. Tu ne peux pas savoir à quel point je suis… ravie que tu sois là.

Bouleversée par l'aveu qu'elle venait de faire, Katherine désigna le canapé de la main.

— Assieds-toi. Laisse-moi téléphoner à tes parents. Je leur demanderai si tu peux rester deux jours. Ça nous permettra de parler, toi et moi…

Le cœur battant très vite, elle attendit pendant que Poppy considérait sa proposition.

Elle pensait que sa fille allait se diriger vers la porte quand elle laissa de nouveau tomber son sac sur le carrelage.

— O.K.

— Super…, murmura Katherine, les genoux flageolants.

— Mais je retournerai pas là-bas. Jamais.

— Nous reparlerons de ça plus tard.

Katherine s'assit pour se relever aussitôt.

— Ecoute, si tu prenais une douche pour te rafraîchir pendant que j'appelle Liz et Mike ? Après, je préparerai quelque chose à manger, d'accord ?

Sous sa longue frange, Poppy la considéra longuement puis elle acquiesça sans enthousiasme.

— Ça ne me ferait pas de mal… J'ai l'impression d'avoir été dans un sauna toute habillée. Et après, ça ne me ferait pas de mal de dormir. Il y a une chambre d'amis ?

— Oui. Je vais te chercher des serviettes pour ta douche et je regarderai si le lit est fait.

— Merci pour les serviettes. Je ne crois pas en avoir apporté. Mais pas la peine de faire le lit s'il n'est pas prêt. Crevée comme je suis, je pourrais dormir dans une niche à chien.

— Poppy ?

A l'autre bout du fil, la voix de Liz trahissait à la fois l'angoisse et le désespoir. Un enfant pleurait quelque part dans la maison. C'était probablement Charlie.

— Non, c'est Katherine.

Cela faisait des années qu'elles n'avaient plus communiqué de vive voix.

— Poppy est là. Elle va bien, ne t'inquiète pas.

— Katherine ? Tu dis qu'elle est chez toi ? Dieu merci !

Liz se mit à pleurer.

— Nous étions morts d'inquiétude. Nous ne savions même pas si elle était encore en vie. Elle a disparu comme ça. Oh ! mon Dieu ! Elle est chez toi ? Et en bonne santé ? C'est bien vrai ?

— Juste un peu fatiguée à cause du voyage, mais rien de grave. Quelques heures de sommeil suffiront pour arranger ça.

Quoi que Poppy en pense, Liz l'aimait, c'était clair.

— Où es-tu ? reprit Liz. Nous allons venir la chercher.

— En Grèce.

— Poppy est en Grèce ?

— Elle m'a trouvée grâce à mon adresse e-mail professionnelle.

D'un coup d'œil, Katherine s'assura que Poppy ne venait pas d'entrer dans la pièce — mais elle entendait l'eau de la douche qui coulait toujours.

— Ah bon ? C'est une fille brillante — presque trop intelligente. Cela lui nuit parfois. C'est pour ça que je voudrais qu'elle entre à l'université, mais elle ne travaille pas… Je ne sais pas si elle obtiendra son *A-Level*. Elle sort jusqu'à des heures impossibles malgré l'interdiction, et elle refuse d'étudier. Elle a terriblement changé !

Katherine eut une moue désabusée.

— Vous avez eu un bébé, je crois. Apparemment, elle n'a pas très bien pris la chose.

— Charlie ? Oh ! je sais bien que j'ai été très prise ! Je m'occupe du bébé qui demande beaucoup d'attention et de soins. Mais ça ne veut pas dire que nous n'aimons pas Poppy. Nous l'adorons. C'est notre fille !

L'affirmation agaça Katherine. Comme si elle avait besoin qu'on le lui rappelle…

— Faut-il que nous venions ? Non, je ne peux pas, avec le bébé. Je n'ai pas de passeport pour lui… Et Mike est au travail… Je…

Liz balbutiait entre deux sanglots.

— Elle peut rester ici aussi longtemps qu'elle voudra.

— Ce serait un soulagement… Elle serait bien avec toi.

Avant de raccrocher, Katherine promit de tenir Mike et Liz informés, et aussi d'essayer de convaincre Poppy de rentrer en Angleterre. Le problème, c'était qu'elle n'avait aucune envie de la voir partir.

Regagnant la cuisine, elle ajouta un peu d'assaisonnement

à la salade… N'était-ce pas trop fort maintenant ? Est-ce que Poppy aimait les figues ? Et le poisson ? Etait-elle végétarienne ? Elle ignorait tout de sa fille. Ce qu'elle aimait, ce qu'elle n'aimait pas… Enfin, peut-être le déjeuner lui permettrait-il de le découvrir.

Le bruit de l'eau s'arrêta enfin tandis que Katherine arpentait nerveusement le petit séjour, se préparant pour le retour de Poppy. Il faudrait entretenir une conversation légère et simple. Poser des questions sans jamais insister. Obtenir sa confiance.

Soudain, la porte d'entrée s'ouvrit et Alexander apparut. Katherine le fixa, stupéfaite : avec l'arrivée de Poppy, elle avait complètement oublié leur projet de déjeuner ensemble.

Il s'avança, la prit dans ses bras, et déposa un baiser léger sur ses lèvres.

— Tu m'as manqué.

Son regard s'arrêta sur la table mise, et il sourit.

— Oh ! nous déjeunons ici, à ce que je vois ? Bonne idée. Il faut que j'aille chez un malade tout à l'heure, mais j'ai une heure ou deux avant de partir…

Katherine se dégagea.

— Alexander, il est arrivé quelque chose… Pourrions-nous sortir une minute ? J'ai quelque chose à te dire.

— Ça a l'air sérieux. Qu'est-ce qui se passe ? On a signalé de nouveaux cas de méningite ?

— Non. Ce n'est pas ça. Mais nous ne pouvons pas parler ici.

— Salut. Vous êtes son ami ?

Katherine pivota sur ses talons et découvrit Poppy seulement vêtue d'une serviette-éponge et appuyée contre le montant de la porte. Quand elle se retourna vers Alexander, il avait l'air encore plus étonné.

— Je m'appelle Alexander Dimitriou. Et vous êtes… ?

— Elle ne vous a rien dit ? Ça ne m'étonne pas.

D'un pas décidé, Poppy se dirigea vers le canapé et s'y laissa tomber.

— Je suis Poppy. Et elle, c'est ma mère. Ou plutôt, la femme qui m'a mise au monde. C'est pas du tout la même chose.

Un silence assourdissant suivit cette déclaration. Malgré son air renfrogné, Poppy semblait très contente d'elle. Alexander, lui, avait l'air perdu, ce qui n'avait rien d'étonnant, et Katherine avait l'impression que ses jambes allaient se dérober sous elle.

— Alexander, est-ce que nous pourrions sortir un instant ? Il faut que je te parle.

Quand ils furent sur la terrasse, Katherine referma la porte derrière eux.

— Donc, tu as une fille ? dit Alexander.

— Oui.

— Tu as une fille, et tu ne m'as jamais parlé d'elle. Pourquoi ?

— J'avais l'intention de le faire.

— Quand ?

C'était une bonne question, mais Katherine n'avait pas de réponse — ou du moins, pas de réponse satisfaisante.

— Je ne savais pas qu'elle allait venir.

— Ça, je l'ai bien vu, répliqua Alexander, croisant les bras.

— J'aurais sûrement dû t'en parler plus tôt.

— Je le pense aussi. Mais où était-elle pendant tout ce temps ? La plupart des femmes mentionnerait le fait qu'elles ont un enfant, et si ma mémoire est bonne, tu m'as dit que tu n'avais pas d'enfants !

— Oh ! pour l'amour du ciel ! Nous n'avons pas… Je veux dire… Nous ne nous sommes rien promis…

Les lèvres d'Alexander prirent un pli amer.

— Quel imbécile je fais. Je pensais qu'il y avait quelque chose entre nous. Que c'était le début de quelque chose.

Vraiment ? pensa Katherine. Il ne l'avait jamais dit. Mais elle était incapable de penser à cela en cet instant précis. Poppy l'attendait. Elle se sentit prise entre le désir de retourner vers son enfant et le besoin de parler avec Alexander.

Pour l'instant, sa fille passait avant tout le reste. Les explications attendraient.

— Est-ce que nous pourrons parler de ça plus tard ? demanda-t-elle. Je descendrai te voir à la plage, si tu veux.

— Inutile. Ce que tu viens de dire était clair : tu ne me dois aucune explication, et je doute que…

Poppy choisit cet instant pour sortir de la maison en Bikini, une serviette-éponge jetée sur l'épaule.

— Je vais me baigner, déclara-t-elle. Où est l'endroit le plus cool ?

— Le plus cool ? répéta Katherine.

— La plage où il y a des garçons. Tu ne crois quand même pas que je vais rester tout le temps avec toi ?

— La petite baie juste au-dessous de la maison est très bien pour nager à condition de ne pas aller trop loin. Pour te baigner, il vaudrait peut-être mieux que tu attendes que je vienne avec toi. Et si tu t'exposes au soleil, mets de l'écran total. Ici, le soleil est plus fort que tu ne le penses.

— J'ai dix-sept ans. Et de toute façon, tu crois que c'est pas un peu tard pour jouer les mères poules ?

— J'ai parlé à ta mère. Elle sait que tu es avec moi. Elle s'est fait beaucoup de souci.

Une petite lueur brilla dans le regard de Poppy, vite effacée par son habituel air maussade.

— C'est bien fait pour eux.

Katherine coula un regard en direction d'Alexander. Il avait l'air perplexe. Pas étonnant.

— Tu as parlé à sa *mère* ? murmura-t-il.

Elle vit qu'il commençait à comprendre.

— Liz veut que tu rentres. Tu leur manques, Poppy.

Sa fille afficha une moue boudeuse.

— Eh ben, je rentrerai pas. J'ai toujours rêvé de vacances en Grèce.

— Il faut que nous en parlions.

— Quand tu voudras.

Poppy bâilla, ce qui mit en évidence un autre piercing, sur sa langue. Horrifiée, Katherine réprima un frisson.

— Il vaut mieux que je m'en aille, dit sèchement Alexander.

Passant devant eux, Poppy descendit vers la plage.

Katherine se retourna vers Alexander.

— Je te verrai plus tard. Ou demain. Je t'expliquerai tout…

— Je te l'ai dit, tu n'as aucune explication à me donner.
Il vaudrait mieux que tu rejoignes ta fille, non ?

— J'ai été obligée de l'abandonner !

— Ah bon ? fit froidement Alexander avant de tourner
les talons.

Si Katherine avait imaginé qu'elle passerait la soirée à
bavarder avec sa fille, elle s'aperçut très vite qu'elle s'était
trompée. Chaque fois qu'elle s'approchait de Poppy, celle-ci
prenait son livre et s'éloignait, et après avoir grignoté quelques
bouchées de son dîner, elle s'excusa et alla se coucher, claquant
la porte derrière elle. Restée seule, les nerfs à vif, Katherine
avait sorti son album photo pour regarder la photo de Poppy
qui avait été prise sur la plage.

Qu'aurait été sa vie si elle n'avait pas confié la garde de
sa fille à quelqu'un d'autre ? Elle aurait été la seule à la tenir
dans ses bras, et à recevoir ces baisers barbouillés de glace.
C'était une chose qu'elle ne saurait jamais, mais à l'époque
elle s'était posé la question, quand son tout petit bébé avait
été, doucement mais fermement, arraché à ses bras ; et à
présent, elle était encore moins capable d'y répondre.

Tôt le lendemain matin, alors que Poppy dormait encore,
Katherine envoya un texto à Alexander, lui demandant de
la rejoindre sur la plage près de sa maison. Elle ne voulait
ni aller chez lui ni qu'il vienne chez elle, afin que personne
ne les entende.

Quoi qu'il dise, elle lui devait une explication.

Il répondit presque aussitôt qu'il serait là dans cinq minutes.
Elle réunit ses cheveux en une queue-de-cheval, appliqua
une touche de rouge à lèvres, et sortit.

Elle s'était assise sur un rocher pour l'attendre, et quand

il apparut, elle éprouva un pincement douloureux en voyant son air sévère.

Il s'arrêta devant elle, les mains enfouies dans les poches de son pantalon en coton.

— Je n'ai pas beaucoup de temps, dit-il.

Elle se leva, car elle détestait se sentir comme une écolière attendant les réprimandes de son professeur.

— Merci d'être venu, dit-elle sèchement.

— Ecoute, je vois bien que tu as beaucoup de choses auxquelles penser en ce moment. Nous nous sommes bien amusés, mais comme tu l'as dit toi-même, nous ne nous sommes rien promis, n'est-ce pas ? Tu as ta vie en Angleterre, et moi, j'ai la mienne ici.

Ainsi, Alexander avait pris sa décision, c'était clair. Elle avait espéré que la nuit lui aurait porté conseil et que, au moins, il serait prêt à écouter ce qu'elle avait à dire.

— Oui, dit-elle doucement. Je vois ça maintenant. Je suis venue ici pour t'expliquer, mais si tu ne le souhaites pas…

Elle n'attendit pas sa réponse et, refoulant ses larmes, elle tourna les talons pour regagner la maison — et Poppy.

Katherine marqua une pause devant le seuil pour reprendre le contrôle de ses émotions puis elle entra.

On aurait dit qu'une tornade avait frappé la pièce. Sur le comptoir, il y avait des tasses, des assiettes et une boîte de céréales. Un drap de bain mouillé avait été jeté en tas sur le carrelage avec plusieurs magazines. Dans la chambre de sa fille, c'était encore pis. Des vêtements avaient été sortis du sac à dos de Poppy qui se trouvait sur le lit et jetés pêle-mêle, et certains étaient tombés sur le sol. Machinalement, Katherine entreprit de les ramasser et de les plier.

Elle appela, mais ne reçut pas de réponse, et ses recherches dans la petite villa et le jardin, ne donnèrent aucun résultat. Poppy avait-elle décidé de partir ? Si oui, où ? Avait-elle décidé de rentrer chez Liz et Mike ? Ou ailleurs ? Mais dans ce cas, elle aurait pris son sac ! Alors où était-elle ? La panique l'envahit. Et si Poppy, ignorant ses mises en garde, était allée nager et avait été entraînée par le courant ?

Elle n'aurait jamais dû la laisser seule : son air renfrogné cachait sans doute une fille très malheureuse. Katherine savait que, de nouveau, alors qu'elle venait juste de la retrouver, elle avait échoué avec elle.

Dehors, Alexander se trouvait toujours là où elle l'avait laissé, apparemment perdu dans ses pensées.

Elle se hâta de le rejoindre.

— Je ne la trouve pas, dit-elle.

— Qui ? Poppy ?

— Elle a emporté ses affaires de bain, mais j'ai regardé, elle n'est pas sur la plage. Je ne la vois nulle part !

Alexander lui tapota l'épaule.

— Ne t'inquiète pas comme ça, elle va revenir.

Qu'en savait-il ? pensa Katherine qui se dirigea en courant vers l'anse voisine, plus large. Sur le ruban de plage, il y avait un autre drap de bain et des lunettes de soleil, mais aucun signe de Poppy.

A part deux bateaux, la mer était déserte, et un petit vent soulevait des vagues assez marquées. Poppy avait-elle nagé trop loin ?

Katherine saisit le bras d'Alexander, qui l'avait suivi.

— Où est-elle ? Il faut la trouver, dit-elle, ôtant ses sandales.

— Mais qu'est-ce que tu fais ?

— Je vais plonger. Il faut que je la trouve.

Alexander la prit par les épaules.

— Calme-toi et réfléchis. Tu la verrais si elle était dans l'eau.

Plaçant ses mains en porte-voix, il héla un pêcheur sur un bateau tout proche, et l'homme lui répondit.

— Il dit qu'il n'a vu personne, et il est là depuis l'aube. Pour être sûr, il va demander aux autres pêcheurs. Viens, allons voir au village. Elle a dû aller chercher un Coca. Peut-être que quelqu'un l'aura vue…

La gorge nouée par l'angoisse, Katherine remonta les

marches derrière lui. Il arrêta une femme qui secoua la tête quand il lui parla. Ils interrogèrent quelques personnes qui n'avaient vu aucune adolescente étrangère. Katherine tremblait d'angoisse quand, enfin, l'épicier du village leur dit que oui, il avait servi une fille brune aux cheveux courts, avec un petit anneau d'or dans la lèvre. Elle était, ajouta-t-il, avec la jolie petite fille d'Alexander.

Chez ce dernier, Yia-Yia se trouvait à sa place habituelle dans la cuisine. Dans le petit séjour, Crystal gloussait, allongée sur le canapé avec les pieds sur les genoux de Poppy qui lui vernissait les ongles.

Katherine émit un soupir de soulagement puis la colère l'envahit.

— Pourquoi n'as-tu pas laissé un message pour dire où tu étais ?

L'adolescente leva un visage surpris mais, immédiatement, elle reprit son air belliqueux.

— Te laisser un message ? Je vois pas pourquoi ! Toi, tu l'as pas fait quand tu es partie, et après tu t'es bien moquée de savoir ce que je devenais.

— Tant que tu loges chez moi, tu es sous ma responsabilité. Bon sang, j'ai cru que tu t'étais noyée ! Tu avais laissé ton drap de bain sur la plage !

Une étrange lueur apparut dans le regard de Poppy, mais Katherine refusa de l'identifier comme du remords.

— Eh bien, comme tu peux le voir, je ne me suis pas noyée. Je suis allée à la plage, je suis remontée à la maison pour boire, et Crystal est arrivée. Elle cherchait de la compagnie.

— Poppy me fait les ongles ! Regarde, baba, elle a fait des dessins dessus.

La fillette tourna le visage vers eux. Un visage maquillé par Poppy, sans doute.

Katherine allait répondre quand Alexander posa une main sur son bras.

— Merci d'avoir passé un moment avec ma fille, Poppy. Au fait, tu ne l'aurais pas vue ? C'est une belle enfant avec un visage tout beau et tout propre qui n'a pas besoin de maquillage.

Crystal lui décocha un regard courroucé.

— Que tu es bête, papa. C'est moi ta fille. Et j'aime bien ma tête maquillée comme ça. C'est Poppy qui l'a fait.

Alexander la souleva.

— Viens, je crois que c'est l'heure de la toilette.

— Mais Poppy veut me faire les ongles des mains aussi. Et après, on veut bien s'habiller pour aller sur la place.

— Poppy, nous partons, dit fermement Katherine.

— Oh ! ça va ! marmonna l'adolescente.

Mais elle se leva.

— A demain, Crystal.

Après avoir aidé Crystal à nettoyer son visage, Alexander regagna la cuisine.

— Ce n'est pas quelqu'un de bien, déclara sa grand-mère. Quelle femme peut abandonner son enfant ? Je suis déçue. Je pensais que j'avais trouvé l'épouse qui te conviendrait.

Apparemment, Poppy n'avait pas perdu de temps pour raconter son histoire à Crystal et à sa grand-mère.

— Il ne faut pas la juger avant de connaître ses raisons, Yia-Yia.

Pourtant, sa grand-mère n'avait fait que dire exactement ce qu'il pensait lui-même. Katherine n'était pas la femme qu'il avait imaginée. Elle avait sûrement eu ses raisons de confier sa fille à l'adoption — même s'il ne voyait pas lesquelles —, mais elle avait menti en disant qu'elle n'avait pas d'enfants, et pour lui c'était impardonnable. Il avait cru la connaître, et il n'en était rien.

Pourtant, quelques jours plus tard, il sentit son cœur s'emballer quand il la vit sortir de l'épicerie du village.

Elle marchait d'un pas pressé, à quelques mètres devant

lui, et il nota avec consternation que les villageois ne lui adressaient plus le moindre salut ni le moindre sourire. Depuis l'arrivée de l'adolescente, le village bruissait de commérages : Poppy avait été abandonnée enfant — où ? personne ne le savait, mais on parlait du seuil d'un hôpital ou d'une rue —, ou bien on l'avait enlevée à Katherine qui était incapable de s'occuper d'elle, et il y avait d'autres versions encore plus délirantes. Selon une autre rumeur, Poppy avait fui des parents adoptifs qui la battaient pour rejoindre une mère qui l'avait abandonnée bébé. Il semblait que les villageois s'étaient forgé une opinion, et avaient délibérément rejeté Katherine. Alexander soupçonnait que la plupart des commérages provenait de Poppy elle-même qui, sans nul doute, profitait de la sympathie des femmes du village.

La veille, il avait vu la mère et la fille, assises sur la terrasse au bas des marches. Les pieds nus, elles portaient toutes les deux des shorts qui laissaient voir leurs longues jambes bronzées. Quand elles s'étaient retournées dans sa direction, deux paires d'yeux bleus identiques dans deux jolis visages s'étaient posées sur lui. Le lien de parenté était évident, et on aurait pu les prendre pour deux sœurs, même avec leurs coiffures radicalement différentes et le piercing de Poppy.

Mais savoir Katherine injustement accusée était une chose, et ranimer leur histoire d'amour avortée en était une autre. Cependant, il était temps de mettre fin aux commérages.

Furieux contre elle — ou contre lui-même, il n'en savait rien —, Alexander héla Katherine et la rattrapa en courant, puis il prit le sac de provisions qu'elle portait.

— Laisse-moi porter ça.

Elle lui adressa un regard méfiant.

— Je peux me débrouiller. Tu n'es pas obligé de me parler étant donné ma mauvaise réputation !

Il perçut sa souffrance, et il en eut le cœur serré. Elle avait été éprouvée par l'attitude des villageois.

— Les gens oublieront.

— Je n'en suis pas si sûre. Mais je refuse d'être jugée,

que ce soit par eux ou par n'importe qui d'autre. Et autre chose aussi : je n'ai pas besoin que tu prennes ma défense.

— Je sais que tu es tout à fait capable de t'en charger toute seule, répondit-il.

Il en fut remercié par un très bref sourire.

— Mais où est donc la fille prodigue ? reprit-il. Je sais qu'elle passe de longs moments chez moi.

— Elle a l'air d'apprécier la compagnie de ta grand-mère qui lui a montré comment fabriquer du savon avec de l'huile d'olive, comment faire sécher des herbes, et comment cuisiner — ce qu'elle me montrait aussi avant que je tombe en disgrâce. Mais comprends bien ce que je veux dire. Je suis sûre qu'elle est d'une patience d'ange avec Poppy, et je suis heureuse que ma fille ait quelqu'un avec qui elle se sente bien.

— Ma grand-mère trouve que Poppy s'occupe très bien de Crystal. Il semblerait qu'elle voie ta fille sous un angle différent de toi.

Katherine eut un sourire triste.

— J'essaie d'apprendre à la connaître. Je ne veux pas la harceler, seulement lui faire comprendre que je serai toute disposée à parler quand elle sera prête pour ça. Il m'a semblé qu'elle commençait à se détendre un peu avec moi, mais non — elle a l'air de m'en vouloir autant que le jour de son arrivée.

Les épaules de Katherine s'affaissèrent, et Alexander réprima l'envie de la prendre dans ses bras.

— Laisse-lui du temps. Elle n'est pas rentrée en Angleterre, alors, apparemment, le fait d'être ici a du sens pour elle.

— Je ne pense pas représenter plus qu'un refuge. Et j'en suis contente ! L'autre jour, je l'ai emmenée à Mycènes. Je me suis dit que cela nous aiderait à créer des liens de faire des choses ensemble. Quelle erreur ! Un vrai désastre. Elle a tenu une demi-heure avant de retourner à la voiture en faisant la tête.

Malgré tout, Alexander éprouva une envie de sourire — mais il n'en fit rien.

— Tu sais, les ruines antiques ne sont pas la tasse de thé de tout le monde. Surtout pas des adolescents. D'après le peu que je connais de Poppy, elle doit préférer la plage… Est-ce que tu lui as demandé ce qu'*elle* voulait faire ?

— Bien sûr ! Je ne suis pas complètement idiote.

— Et qu'est-ce qu'elle a répondu ?

— Quelle question ! « Ne rien faire du tout. Voilà. » Ce sont ses mots.

De nouveau, Alexander dissimula son amusement. Katherine avait imité à la perfection le ton agressif de Poppy.

— Dans ce cas, laisse-la faire ce qu'elle veut. Si cela signifie rester avec ma grand-mère ou prendre des bains de soleil sur la terrasse ou sur la plage, libre à elle. Elle viendra vers toi quand elle sera prête.

— J'ai essayé. Mais chaque fois que je m'approche, elle se lève et s'en va.

— J'ai une idée, dit Alexander sans réfléchir. Pas très loin d'ici, il y a des grottes avec des stalactites et des stalagmites étonnantes, et à proximité une plage très bien — l'eau n'est pas profonde, ce qui est super pour la baignade —, alors pourquoi n'irions-nous pas là-bas tous les quatre, demain ?

— Tu dois avoir autre chose à faire.

— Crystal adorerait passer la journée avec sa nouvelle idole — surtout si ça inclut une visite de grottes en bateau, suivie d'un pique-nique et d'une baignade. C'est l'idée que ma fille se fait d'une journée de rêve, et moi aussi. Veux-tu que je propose ça à Poppy ?

— Je le ferai moi-même, répondit Katherine, reprenant le sac de provisions.

Soudain, elle se haussa sur la pointe des pieds et déposa un baiser sur la joue d'Alexander.

— Merci, dit-elle.

*
* *

Pendant tout le trajet qui menait aux grottes, Crystal alimenta la conversation.

— Je sais nager, tu sais, Poppy, déclara-t-elle avec fierté. Et toi ?

— Bien sûr ! Je nage dans l'équipe de mon école.

Katherine était étonnée, mais ravie. Elles avaient au moins cela en commun.

— Moi aussi, j'ai nagé dans l'équipe de mon école, dit-elle.

— Ah bon…

Katherine échangea un regard avec Alexander. Apparemment, il faudrait du temps pour que Poppy se rapproche d'elle — si toutefois cela arrivait un jour.

Ils se garèrent dans le parking du haut et, laissant dans la voiture leurs sacs et le pique-nique, effectuèrent à pied le reste du chemin, sous un ciel d'un bleu vif parsemé de quelques nuages duveteux. La mer était turquoise, et le rivage d'un blanc éblouissant.

Ils achetèrent leurs tickets pour le trajet en bateau, et on donna aux filles des gilets de sauvetage. Poppy parut sur le point de refuser, mais elle se ravisa. Katherine en fut soulagée : si sa fille avait refusé, Crystal aurait refusé aussi.

Elles allèrent s'installer à l'avant du bateau, et Katherine et Alexander se retrouvèrent serrés l'un contre l'autre sur un banc étroit. Katherine retrouva le parfum du savon qu'il utilisait, et sentit la pression de sa cuisse musclée. Emue, elle ferma les yeux. Elle se souvenait de ses bras autour d'elle, de la manière dont leurs corps s'épousaient, du don qu'il avait pour la faire rire. La présence d'Alexander en cet instant précis signifiait peut-être au moins qu'il était encore son ami…

Même Poppy sembla interloquée par la beauté des grottes. Elle fit toute la visite avec le bras autour des épaules de Crystal, désignant de l'index les différentes formations rocheuses. Katherine, qui s'était informée sur le site la veille après l'invitation d'Alexander, put faire un rapide historique des grottes et expliquer aux filles leur formation. Poppy posa quelques questions, et Alexander adressa un sourire à Katherine. Il avait vu juste : c'était le genre d'endroit qui pouvait produire une forte impression sur une fille de dix-sept ans !

La visite terminée, Alexander retourna à la voiture pour prendre les maillots de bain et le pique-nique, pendant que Katherine et les filles trouvaient un coin d'herbe, juste au-dessus de la plage de galets, pour s'installer. Dès le retour d'Alexander, Poppy et Crystal disparurent dans les cabines de bain afin d'enfiler leurs maillots.

— Tu ne vas pas nager ? demanda Alexander.

— Tout à l'heure, répondit Katherine. Et toi ?

— Avec un peu de chance, Crystal va me laisser souffler un moment ici, allongé sur l'herbe.

A la façon dont il lui sourit, Katherine aurait presque pu croire qu'ils étaient toujours ensemble.

Les filles sortirent des cabines de plage et coururent dans l'eau avec des cris d'excitation.

— Poppy est une bonne petite, dit Alexander.

— Je le crois aussi.

— Qu'est devenu son père ?

Katherine émit un soupir.

— La dernière fois que j'ai eu de ses nouvelles, Ben était marié, il avait trois enfants, et il faisait une belle carrière d'avocat.

— Tu devais être très jeune quand Poppy est née.

— J'avais dix-sept ans.

— Tu n'es pas obligée de me raconter des choses que tu ne veux pas dire. Ça ne me regarde pas.

— Non. J'aimerais bien te raconter. Je n'en ai jamais parlé à personne, mais je te dois la vérité.

— J'avoue quand même que j'aimerais bien comprendre. Ce n'est pas tant le fait que tu aies confié une enfant à l'adoption, que le fait que tu ne m'en aies pas parlé. Bon sang, Katherine, moi, je t'ai tout dit !

— Je sais… C'est juste que… C'est un secret que j'ai gardé si longtemps. J'avais peur de ce que penseraient les gens.

— Nous accordons tous de l'importance à ça — du moins, à l'opinion de ceux que nous aimons et respectons.

— S'ils nous aiment et nous respectent, leurs sentiments ne devraient pas changer…

— Je te promets que je t'écouterai cette fois.

— C'est une longue histoire.

Du regard, Alexander désigna les filles qui s'éclaboussaient en riant.

— Apparemment, elles ne vont pas sortir tout de suite de l'eau !

— J'avais gagné une bourse pour le lycée, tu te rappelles que je te l'ai raconté ?

— Oui.

— J'étais fière et heureuse, mais pas du tout préparée à affronter la réalité. Ça me terrifiait de me trouver là. Pour la plupart, les autres élèves venaient de familles aisées. Moi, j'étais très timide, et je savais que je détonnais avec mon uniforme acheté d'occasion. Comme il fallait peut-être s'y attendre, les autres ne voulaient rien avoir à faire avec moi, et je faisais semblant de m'en moquer. Aux récréations, je prenais un livre et je lisais. Je savais que je devais obtenir d'excellentes notes pour être acceptée à l'école de médecine. J'étais en deuxième année quand j'ai rencontré Ben. Je devais nager pour l'équipe de l'école au gala de natation — le seul sport pour lequel je semblais naturellement douée —, et il était là. Il avait deux ans de plus que moi, il était aussi sûr de lui que j'étais timide, aussi beau que j'étais fade mais, étrangement, il semblait m'apprécier. Au début, nous avons été amis. Il savait déjà qu'il voulait devenir avocat. Nous passions toutes nos pauses ensemble, à la bibliothèque ou juste en nous promenant, à parler histoire et politique — des sujets qui nous passionnaient. Le fait d'être l'amie de Ben a tout changé. Je n'étais plus seule. Je me suis rendu compte qu'il y avait des gens comme moi, qui ne s'intéressaient pas aux vêtements branchés et à la dernière coupe de cheveux à la mode. Quand j'étais en quatrième année et lui en sixième année, tout a changé et nous sommes sortis ensemble. Il est venu chez moi. A ce moment-là, maman et papa avaient acheté un petit restaurant où ils travaillaient sans arrêt, mais ensuite papa est mort subitement. Comme tu peux l'imaginer, ma mère était ravagée de chagrin, et moi aussi. Je me suis raccrochée à Ben, et ce qui devait arriver s'est produit : nous avons fait l'amour. Cela n'avait rien de choquant — au contraire. Ça semblait une étape toute naturelle. Nous avions souvent envisagé l'avenir. Il serait avocat — un avocat célèbre, qui défendrait les pauvres et les opprimés —, et moi, je serais médecin —, un grand médecin, bien sûr, qui sauverait des vies et découvrirait de nouveaux médicaments et traitements. Nous nous marierions et nous aurions des enfants. Mais je suis tombée enceinte. C'était stupide, je le sais bien. Nous avions utilisé une contraception, mais avec l'optimisme et l'inconscience de la jeunesse, nous n'étions pas assez prudents. A cette époque, Ben s'apprêtait à partir pour se lancer dans ses études de droit, et moi, je venais de passer mon *A-Level*. Je m'attendais, logiquement, à d'excellentes notes, et je pensais trouver une place dans une école de médecine. Le choc de ma grossesse a été terrible. Nous avons envisagé le mariage, mais ce n'était guère possible. Sans mon père, le restaurant marchait mal. Maman avait du mal à s'en sortir et, en plus, on lui avait récemment diagnostiqué une sclérose en plaques. Les parents de Ben n'étaient guère mieux lotis. Pour garder le bébé, cela s'annonçait mal.

— Et Ben ? Il n'a pas eu son mot à dire ?

— Pour lui, la meilleure solution, c'était l'avortement. Il ne voyait pas comment il pourrait subvenir à mes besoins et à ceux du bébé — il rêvait toujours de devenir avocat. Un soir, il m'a dit que si je gardais le bébé, il sortirait de nos vies. Nous avons rompu. Avec ma grossesse, quelque chose avait changé entre nous, comme si avant nous avions juste joué à être un couple. Mais nous étions si jeunes… En tout cas, je ne peux rien reprocher à Ben. Je ne voulais pas l'épouser, et je n'étais pas prête à devenir mère. Mais en même temps, je ne supportais pas l'idée d'avorter… Je l'ai envisagé, j'ai même pris rendez-vous à l'hôpital, mais le moment venu je n'ai pas pu aller jusqu'au bout. Alors, j'ai décidé de mettre ma mère au courant. Ça a été la conversation la plus pénible de ma vie. Tous les rêves qu'elle avait faits avec mon père, leurs rêves d'une meilleure vie pour moi, partaient en fumée. Elle a éclaté en sanglots et, ensuite, elle a dit qu'elle s'occuperait du bébé. Cela impliquait que je retarde d'un an mon départ à l'université. Tant pis. Nous nous débrouillerions, comme nous l'avions toujours fait. Mais elle était malade… Certains jours, il fallait que je l'aide à s'habiller, et je connaissais déjà le pronostic d'une sclérose. Elle ne pourrait pas m'aider à m'occuper d'un bébé, car elle aurait elle-même un besoin croissant de soins. J'étais dans une situation problématique. Et si seule…

Katherine inspira de façon saccadée, avant de poursuivre :

— Je lui ai dit que j'avais décidé de mettre le bébé au monde, et ensuite d'effectuer une procédure d'abandon. Je m'étais renseignée. On pouvait prévoir une adoption ouverte. Je choisirais parmi les parents déjà présélectionnés par l'agence d'adoption, et mon enfant saurait toujours qu'il aurait été adopté. Je n'aurais jamais le droit de le voir, mais je pourrais lui écrire par l'intermédiaire des parents adoptifs, et en retour ils me tiendraient au courant. Ma mère a tenté de m'en dissuader. Pour elle, l'abandon était inenvisageable, et elle pensait que je changerais d'avis. Mais elle se trompait. J'ai refusé d'imaginer l'embryon comme un bébé, et je me suis penchée sur les dossiers très complets, fournis par l'agence, des couples désespérés candidats à l'adoption. J'ai donc fini par me convaincre que c'était la meilleure solution. Le bébé aurait une famille pour lui donner l'amour et l'attention que j'étais incapable d'offrir. Finalement, j'ai choisi une famille. Ces personnes n'étaient pas très fortunées, mais elles semblaient gentilles et tendres ; et en manque d'enfants, le couple aurait des tonnes d'amour à donner. Ce que j'ai fait te paraît sûrement inimaginable, mais j'ai vraiment cru que je choisissais la meilleure option pour mon bébé. Liz et Mike étaient d'accord pour l'adoption ouverte. Toutefois, ma mère avait raison, et j'ai commencé à m'attacher à l'enfant qui grandissait en moi. J'ai même commencé à me persuader qu'avec l'aide de ma mère je me débrouillerais… Mais sa maladie s'est subitement aggravée, l'obligeant à se déplacer en fauteuil roulant. Elle ne pouvait plus se débrouiller toute seule. J'ai pensé que le stress de ma grossesse avait déclenché cela. C'était ma faute… Alors, à la fin, je suis revenue à ma première décision. Le jour de mon accouchement a été le pire de ma vie. On m'a laissée quelques heures seule avec ma fille pour lui dire au revoir. J'avais cette petite chose dans mes bras, et j'ai éprouvé un tel amour que j'en étais bouleversée. Mais comment revenir sur ma décision ? Je n'avais que dix-sept ans. Si je la gardais, ce serait mauvais pour tout le monde. Alors je les ai laissés me la prendre.

Ce fut seulement quand Alexander lui effleura la joue avec le pouce, que Katherine s'aperçut qu'elle pleurait. Il attendit en silence qu'elle puisse reprendre son récit.

— J'écrivais souvent à Liz, et elle me répondait : nouvelles de Poppy et photos. Cela me donnait encore plus de regrets. Bien sûr, à ce moment-là, il était trop tard pour la reprendre. Mike et Liz étaient ses parents ; ils l'aimaient, et elle les aimait. J'ai terminé mon année à l'école et j'ai passé tous mes examens de médecine. J'ai travaillé dur. Je sortais peu, je fréquentais peu clubs et d'associations. Ma mère ne reparlait jamais de… ça. Nous agissions comme si ce n'était jamais arrivé. Mais parfois, elle me regardait avec une telle tristesse que ça me déchirait. L'adoption est devenue effective au bout de six mois. J'aurais pu changer d'avis pendant ce délai et, crois-moi, j'ai failli le faire à plusieurs reprises. Mais quand je pensais au couple qui avait Poppy, et à leur bonheur, je me disais que j'avais fait ce qu'il fallait. Maintenant, je sais que maman a toujours espéré que je changerais d'avis. Mais c'était trop tard, alors il fallait que je m'accroche à l'idée que j'avais fait le bon choix… Nous n'en avons jamais reparlé. Poppy était une petite fille heureuse. Elle a grandi en sachant qu'elle était une enfant adoptée — cela faisait partie de nos accords —, et je pense qu'elle a accepté la situation. Très souvent, j'ai regretté de ne pas être là quand elle était malade, ou pour l'entendre rire, ou juste pour la voir. Mais j'avais renoncé à tous mes droits.

Je me contentais d'être quand même dans sa vie — même si ce n'était que par bribes.

— Et cela, est-ce que tu le lui as dit ?

— J'ai essayé. Mais chaque fois que j'aborde le sujet, elle se lève et s'en va.

— Pourtant, elle est venue te retrouver.

— Je ne suis pas sûre que ce soit pour de bonnes raisons. Quand elle a eu seize ans, Liz a dit qu'elle ne lui remettrait plus mes lettres sauf si Poppy le lui demandait. Elle a dit aussi qu'elle ne me donnerait plus de nouvelles. Selon elle, à seize ans, Poppy avait le droit de décider quelle place j'avais dans sa vie — si toutefois j'en avais une. Après cela, je n'ai plus eu de nouvelles. Apparemment, Poppy avait pris sa décision, et je ne pouvais pas le lui reprocher. J'espérais qu'elle chercherait peut-être à renouer quand elle serait plus grande. Mais maintenant… je ne m'y attendais pas !

— Qu'est-ce qui l'a incitée à venir te retrouver ?

— Je pense que c'est le nouveau bébé. Liz et Mike pensaient qu'ils ne pouvaient pas avoir d'enfants. Le bébé a huit mois maintenant, et Poppy doit se sentir un peu mise à l'écart. A l'école, ses examens s'annoncent très mal. Si elle continue comme ça, elle ne sera pas prise à l'université.

— Et ça, c'est important pour toi et Liz ?

— Oui. Bien sûr. Tu ne souhaiterais pas la même chose pour Crystal ?

— Je veux qu'elle soit heureuse. J'ai appris à mes dépens que réussir au travail, ce n'est pas la même chose que d'avoir du succès dans la vie. Rien n'est plus important que d'être avec sa famille, et rien ne compte plus que le bonheur de cette famille, du moins pour moi.

Katherine se sentit profondément déçue. Elle avait espéré qu'il comprendrait, mais elle s'était trompée, apparemment.

Elle se pencha et défit ses sandales.

— Voilà. Tu sais tout. Je vais rejoindre les filles dans l'eau.

*
* *

Quel idiot il faisait, pensa Alexander... Elle avait raison. Qui était-il pour la juger ? Il voulait qu'elle soit parfaite, ce qui était un peu fort, étant donné qu'il était lui-même tout sauf parfait. Il l'aimait encore, mais il avait besoin de temps pour s'habituer à cette nouvelle version de la Katherine qu'il avait cru connaître.

— Baba ! appela Crystal. Viens dans l'eau !

Il roula le bas de son jean, ôta son T-shirt, et alla les rejoindre.

Durant les quelques jours qui suivirent, Katherine ne le vit guère, même si Crystal et Poppy continuaient de se rendre visite.

Un jour, Katherine alla chercher Poppy chez lui pour dîner, et elle la trouva les mains plongées dans la farine.

— Je veux juste finir ces baklavas, dit-elle.

La grand-mère d'Alexander regarda un instant Katherine puis elle adressa quelques mots en grec à Crystal. Pendant un instant désagréable, Katherine se demanda si on allait lui demander de ne plus revenir mais, à sa grande surprise, Crystal lui transmit l'invitation de sa grand-mère à venir s'asseoir avec elle sur le banc, à côté de la porte d'entrée.

Etonnée, Katherine fit ce qu'on lui demandait.

Elles s'assirent sur le banc, et Yia-Yia lui prit la main. Chaque fois qu'un villageois passait, la vieille dame lui souriait et le saluait. Beaucoup s'arrêtaient, lui adressaient quelques mots, et adressaient à Katherine un « Bonsoir. Comment allez-vous ? »

Ainsi, quoi qu'elle pense de sa décision de proposer son enfant à l'adoption, Yia-Yia montrait aux autres villageois qu'elle la soutenait ! Katherine sentit des larmes lui monter aux yeux. C'était inattendu et touchant. Alexander avait-il joué un rôle dans ce geste-là ?

Justement, l'objet de ses pensées traversait la place pour les rejoindre. Aussitôt, le cœur de Katherine s'emballa.

— Bonsoir.

Il s'inclina et déposa un baiser sur la joue de sa grand-mère. Il lui dit quelque chose en grec, et elle gloussa en se levant pour disparaître dans la cuisine, laissant sa place sur le banc à son petit-fils.

— Je pense qu'elle avait une raison cachée pour rester là avec moi, murmura Katherine. Je soupçonne qu'elle dit au villageois de ne plus m'éviter. Es-tu pour quelque chose dans cette démarche ?

— Personne ne dicte à grand-mère ce qu'elle doit faire, et surtout pas moi, répondit-il, évasif. Mais il faut que je te dise, je t'ai pardonné d'avoir abandonné Poppy... Je suis sûr que tu as fait ce que tu devais, et pour les meilleures raisons possibles.

Piquée au vif, les yeux pleins de larmes, Katherine se leva.

— Tu m'as *pardonné* ? Comment oses-tu ? Je voulais que tu me comprennes, pas que tu me pardonnes ! Tu as raison sur un point : j'aurais dû t'en parler plus tôt. J'ai eu tort. Mais si tu penses que j'ai besoin d'un pardon pour lui avoir donné le jour, là, tu fais complètement fausse route. Et, à t'entendre, on dirait qu'en l'abandonnant je me suis débarrassée d'un horrible fardeau. Je n'ai pas eu ce sentiment-là ! Je l'ai donnée à deux parents aimants et stables, et moi, ça m'a déchirée. Il suffit de la côtoyer pour se rendre compte que n'importe quel parent serait fier d'elle.

Son ton de voix avait attiré l'attention de plusieurs villageois, mais elle s'en moquait.

— En ce qui me concerne, je ne veux plus jamais te revoir, Alexander.

Se retournant, elle trouva Poppy debout derrière elle. Sa fille affichait un grand sourire.

— Ça m'étonnerait, dit-elle. Beaucoup, même.

— L'arrière-grand-mère de Crystal ne se sent pas bien, dit Poppy deux jours plus tard.

Katherine sentit l'inquiétude l'envahir. Elle aimait beaucoup la vieille dame, et elle ne l'avait pas revue depuis qu'elle s'était donnée en spectacle face à Alexander.

— Tu sais ce qu'elle a ?

— D'après Crystal, elle a pris froid et elle ne s'est pas levée ce matin.

— Crystal ? Où est-elle ?

— Je l'ai laissée là-bas. Je voulais qu'elle vienne avec moi, mais elle n'a pas voulu laisser Yia-Yia.

— Alexander n'est pas au courant ? demanda Katherine en refermant son portable.

— Je ne crois pas.

Katherine saisit la trousse de médecin qu'elle avait apportée. Par chance, il lui restait un lot complet d'antibiotiques de l'épidémie de méningite. Yia-Yia faisait-elle une infection pulmonaire ? Ce serait très ennuyeux… Mais il ne fallait pas tirer des conclusions hâtives : elle avait peut-être pris froid, rien de plus.

Mais dès qu'elle vit la vieille dame, Katherine sut qu'il ne s'agissait pas d'un simple refroidissement. Yia-Yia avait visiblement de la fièvre.

— Poppy, peux-tu emmener Crystal chez nous, s'il te plaît ? Restez là-bas jusqu'à mon retour. Vous pouvez descendre sur la plage si vous voulez, mais pas plus loin. C'est compris ?

Tant qu'on ne serait pas sûr qu'il ne s'agissait pas d'une autre forme de méningite, il valait mieux isoler Yia-Yia de son entourage.

Pour une fois, Poppy ne discuta pas, et elle prit la fillette par la main.

— Va chercher ton maillot. Ma maman va s'occuper de ton arrière-grand-mère.

C'était la première fois que Poppy l'appelait maman, et Katherine en fut bouleversée, mais elle se concentra sur le travail à faire.

Après avoir ausculté Yia-Yia et pris sa température — qui était en effet élevée —, Katherine appela Alexander et lui exposa la situation.

— J'arrive tout de suite, dit-il.

— Je vais lui donner des antibiotiques par voie orale, mais par sécurité il vaudrait mieux les lui administrer par perfusion. Veux-tu que je l'emmène à l'hôpital ?

— Attends que je sois là, dans une demi-heure.

En attendant, Katherine posa un linge humide sur le front de Yia-Yia. Quand celle-ci tenta de le rejeter, elle put la calmer par quelques mots en grec, et en fut heureuse.

— Alexander arrive, dit-elle doucement. Il veut que vous restiez là, couchée, bien tranquillement, et que vous me laissiez m'occuper de vous en l'attendant.

— Et Crystal ? Où est-elle ?

— Poppy l'a emmenée chez moi. Ne vous inquiétez pas, elle s'occupera bien d'elle.

La vieille dame s'affaissa sur ses oreillers, trop fatiguée pour protester, ce qui était inquiétant.

Alexander avait dû rouler comme s'il avait le diable à ses trousses, car il arriva à peine vingt minutes plus tard.

— Elle a le pouls autour de cent et de la fièvre, dit Katherine. Je lui ai donné des antibiotiques par voie orale. Crystal est avec Poppy. J'ai estimé que ça valait mieux.

Le regard inquiet, Alexander sortit son stéthoscope, et elle aida Yia-Yia à se redresser pour qu'il l'ausculte.

— Comme je le pensais, c'est une infection pulmonaire, dit Alexander. Elle a probablement attrapé la grippe qui sévit par ici, et une infection secondaire s'est greffée par-dessus.

— Faut-il l'hospitaliser ?

Yia-Yia tira sur la manche de son petit-fils.

— Elle n'ira pas, traduisit-il. Elle veut rester chez elle.

— Dans ce cas, nous pouvons la placer sous perf d'anti-biotiques. Poppy et moi donnerons un coup de main pour veiller sur elle. Qu'en penses-tu ?

— C'est risqué.

— Plus risqué que de la faire hospitaliser ?

Les épaules d'Alexander s'affaissèrent.

— Tu as raison.

— Il est temps que je rentre, dit Poppy.

Elle avait été une véritable fée les deux jours précédents, jouant avec Crystal pendant qu'Alexander et Katherine s'occupaient à tour de rôle de Yia-Yia. Elle avait aussi donné un coup de main avec les autres villageois âgés qui avaient contracté cette affection. Bientôt, Yia-Yia et les autres malades allèrent mieux.

— Je pense que maman aurait besoin d'aide avec Charlie, dit-elle, un jour, l'air soucieux… Tu es très bien, toi, mais Liz, c'est toujours ma mère.

Elle avait accompagné ces derniers mots d'un sourire.

— Bien sûr. C'est la femme qui a pris soin de toi toute ta vie, la femme qui t'a soignée à chaque maladie infantile. Bien sûr qu'elle sera toujours ta maman. Mais j'espère que tu te souviendras toujours que je t'aime moi aussi. Si ça peut t'aider, considère-moi comme une tante — quelqu'un qui sera toujours là pour toi.

— Tu sais, et je ne voudrais pas que tu trouves ça horrible, je suis contente que tu m'aies abandonnée. Pour moi, mes parents, ce sont Liz et Mike et personne d'autre. Bon, ils m'énervent des fois mais, tu sais, ils ont toujours été là… Si tu pouvais recommencer, est-ce que tu m'abandonnerais encore ?

Katherine prit le temps de réfléchir avant de répondre. Elle aimait trop Poppy pour ne pas être honnête.

— Je trouve que j'ai beaucoup de chance que tu sois dans ma vie maintenant, d'avoir obtenu cette seconde chance d'apprendre à te connaître. Et te connaissant maintenant, je ne peux pas imaginer un scénario dans lequel je t'abandonnerais. Mais, à l'époque, je ne te connaissais pas, et je n'étais pas la personne que je suis maintenant. N'oublie pas que j'avais à peu près ton âge. J'étais à moitié adulte et à moitié encore enfant. J'ai pensé à toi presque tous les jours, et recevoir de tes nouvelles envoyées par Liz, accompagnées de photos — j'en ai fait un album —, c'était pour moi le grand moment de l'année. Je ne dis pas que cela compense le fait que je ne t'aie pas élevée moi-même, mais je savais que tu étais heureuse, alors j'ai pu vivre avec la décision que j'avais prise.

— Pourquoi est-ce que tu ne t'es jamais mariée ?

— Je n'ai jamais rencontré la bonne personne. Une des choses que je m'étais promises quand je t'ai abandonnée, c'était que je me concentrerais sur une chose : devenir le meilleur médecin possible.

— Et tu l'as fait, dit Poppy avec un ton d'admiration qui bouleversa Katherine.

— Je suis humaine, tu es bien placée pour le savoir. Tu sais que personne n'est parfait.

— Tu aimes Alexander, non ? Et je pense qu'il t'aime aussi.

Katherine trouva étrange de parler de sa vie amoureuse avec sa fille de dix-sept ans.

— Il m'aimait… avant.

Elle se pencha et prit sa fille dans ses bras.

— Mais maintenant, je t'ai, toi. Et pour moi, c'est largement suffisant.

Deux jours plus tard, les billets d'avion pour l'Angleterre étaient réservés, et Poppy était allée faire un somme, épuisée après une journée passée à faire la cuisine et les courses. Sa fille était vraiment une jeune femme incroyable, pensa Katherine.

Le dîner était prêt, et Poppy n'était pas réapparue, aussi, Katherine se glissa-t-elle sur la pointe des pieds dans la chambre de sa fille. Elle la trouva allongée sur le lit, les bras en croix, et les draps enroulés autour de ses longues jambes. Une fois encore, Katherine formula mentalement un remerciement pour la raison obscure qui lui avait ramené sa fille.

Mais l'expression de son jeune visage était douloureuse, et cela incita Katherine à traverser la pièce pour poser une main sur son front. Sueur froide. Un frisson d'alerte traversa

Katherine. Le soir d'avant, Poppy s'était plainte d'un mal au ventre…

C'était peut-être la maladie qui avait affecté Yia-Yia et d'autres villageois. Réprimant la panique qui l'envahissait, Katherine secoua doucement l'épaule de sa fille.

— Réveille-toi.

L'adolescente ouvrit les yeux, grommela quelques mots, et ses paupières retombèrent.

Le cœur battant follement, Katherine s'agenouilla près du lit et examina les membres de Poppy. Horrifiée, elle vit que ses jambes étaient couvertes d'une éruption légère mais nettement pourpre. Un des signes de la méningite. Pis encore, d'une méningite installée.

Se forçant à rester calme, elle redescendit en hâte dans le séjour et saisit son téléphone mobile. Ses mains tremblaient si fort qu'elle parvint à peine à composer le numéro d'Alexander.

A son grand soulagement, il décrocha aussitôt.

— Docteur Dimitriou.

— Alexander. Où es-tu ?

— Chez moi. Que se passe-t-il ? Est-ce que tu vas bien ?

— C'est Poppy. Il faut que tu viennes.

— J'arrive tout de suite.

Katherine regagna la chambre de sa fille et tenta encore de la réveiller, mais elle n'obtint qu'un frémissement de paupières. Il fallait la placer d'urgence sous perfusion d'anti-biotiques. Peut-être aurait-elle dû appeler une ambulance plutôt qu'Alexander ! Mais cela aurait demandé trop de temps, et chaque seconde comptait !

S'asseyant sur le lit, Katherine prit sa fille dans ses bras.

— Tiens bon, ma chérie, s'il te plaît, tiens bon.

Alexander arriva moins de cinq minutes plus tard et, au premier coup d'œil, il comprit ce qui se passait.

Il aurait aimé réconforter Katherine, mais il passa instantanément en mode professionnel et prit le pouls de l'adolescente. Rapide mais encore fort. Elle était moite, mais la nuit était chaude… Alexander inspecta ses membres et son torse. L'éruption ne ressemblait pas tout à fait à celles qu'il avait vues sur les patients atteints de la méningite. Cependant, étant donné la récente épidémie, cela restait un diagnostic très vraisemblable.

Il souleva Poppy dans ses bras et se dirigea vers la porte.

— On l'emmène à l'hôpital. Tu t'assieds à l'arrière avec elle et tu appelles pour prévenir de notre arrivée.

Pour une fois, Katherine ne se plaignit pas de sa manière de conduire. Elle serrait sa fille dans ses bras, murmurant des mots d'amour et d'encouragement.

Assise près du lit, Katherine tenait la main de sa fille qui avait été placée sous perfusion d'antibiotiques, et il faudrait du temps avant qu'on sache s'ils avaient été pris à temps.

Alexander avait disparu. Il appellerait Liz et Mike dès qu'il aurait de nouveau parlé avec les médecins.

Allait-elle de nouveau perdre sa fille alors qu'elle venait juste de la retrouver ? Pourquoi n'avait-elle pas obligé Poppy à repartir ? Elle était sûre que sa fille ne courait aucun risque de contracter la méningite… Avait-elle laissé son désir de l'avoir avec elle l'emporter sur l'intérêt de Poppy ?

Entendant un léger bruit de pas, Katherine leva les yeux et vit Alexander qui lui souriait. Pourquoi ? Ne savait-il pas qu'elle risquait de perdre sa fille ?

— J'ai une bonne nouvelle, murmura-t-il. Ce n'est pas une méningite.

— Comment ça ? Les douleurs, l'éruption cutanée…

— C'est l'éruption cutanée qui m'a fait douter. C'est un symptôme d'une méningite à méningocoque, mais j'ai remarqué qu'elle était localisée sur ses tibias. Je me rappelle avoir lu quelque chose sur une maladie qui évoque la méningite, alors j'ai vérifié. C'est la maladie de Henoch-Schönlein — pas la méningite. Quand les reins sont atteints, cela peut être grave, mais ceux de Poppy ne sont pas touchés.

— Tu en es sûr ?

— Oui. Ça va durer une ou deux semaines, mais elle guérira.

Les yeux de Katherine se remplirent de larmes, et Alexander la prit dans ses bras.

— Ça va aller, murmura-t-il dans ses cheveux. Je te le promets.

— Comment va Poppy aujourd'hui ? demanda Alexander, deux jours plus tard, en entrant dans la chambre d'hôpital.

— Elle s'envole pour Londres cet après-midi, et je m'en vais avec elle… Merci d'être venu.

— Tu reviendras ?

Katherine eut un pâle sourire.

— Je ne crois pas.

— Je t'aime, Katherine. J'ai été un idiot, un imbécile — tout ce que tu voudras —, mais je t'aime au-delà de ce que j'aurais pu imaginer. Laisse-moi juste une chance de te le prouver.

— Je regrette, mais tout est fini… Maintenant, il faut que je m'en aille, sinon nous allons rater notre avion.

Alexander aurait aimé la prendre dans ses bras, mais son regard glacial l'en dissuada. Ce n'était pas le moment idéal pour la convaincre de lui laisser une autre chance.

Il se contenta donc de lui presser la main.

— Si jamais tu veux revenir, si jamais tu as besoin de moi, je serai là.

9.

Katherine remonta le col de sa veste. En une nuit ou guère plus, les feuilles étaient tombées, et formaient un tapis sur le sol.

Dans une semaine, Poppy viendrait passer chez elle ses vacances d'octobre. Liz et Mike la déposeraient avant de se rendre chez les parents de Liz dans les Cotswolds où Katherine l'emmènerait une semaine plus tard, et elle-même y passerait la nuit avant de regagner Londres.

Elle était très vite devenue un membre de la famille de Poppy. C'était incroyable… Elle n'avait jamais essayé de prendre la place de Liz, jouant plutôt le rôle d'une tante ou d'une grande sœur avisée. Poppy avait déposé un dossier pour entrer à l'école de médecine à l'automne de l'année suivante.

Dans ses bottines, les pieds de Katherine étaient gelés, mais elle répugnait à rentrer chez elle. La solitude qui lui plaisait tant avant son séjour en Grèce — avant Poppy et Alexander — ressemblait étrangement à un funeste isolement, maintenant.

Un bruit de pas derrière elle la fit se retourner brusquement.

Et elle crut qu'elle rêvait.

Alexander…

Aussi beau que dans son souvenir, il portait un imperméable épais sur un fin chandail, un jean et de grosses chaussures. Il avait les cheveux un peu plus longs et les pommettes plus saillantes, mais le même sourire faisait briller ses yeux.

— Katherine…, murmura-t-il, en avançant de quelques pas.

Depuis son retour de Grèce, elle avait espéré ce moment,

sans être sûre qu'il arriverait. Ensuite, au fil des semaines, elle avait perdu tout espoir.

Qu'est-ce qui l'amenait ? se demanda-t-elle, le cœur battant la chamade.

— Comment m'as-tu trouvée ?

— Tu sais bien que Poppy et Crystal s'écrivent… Ma fille me donne régulièrement des nouvelles chaque fois que Poppy mentionne ton nom, ce qui arrive assez souvent, à ce que j'ai cru comprendre.

— Est-ce que Crystal est avec toi ?

— Bien sûr. Je l'ai laissée à l'hôtel avec ta fille. C'est Poppy qui m'a dit que tu serais là, et où te trouver exactement.

— Poppy est à Londres ?

— Elle est venue nous attendre hier à l'aéroport.

— Elle s'immisce dans mes affaires, on dirait — de peur que je reste vieille fille, j'imagine, parce qu'elle devrait s'occuper de moi quand je serais âgée. Voilà pourquoi elle t'a demandé de venir, conclut Katherine, plaisantant.

— Non, elle ne m'a rien demandé. Je lui ai écrit pour lui dire que j'allais venir te voir, et elle m'a demandé de garder le secret pour te faire une surprise.

Il s'avança encore, et le parfum de son savon de toilette la fit fondre intérieurement.

— Pour être franc, je n'étais pas sûr que tu voudrais me voir, poursuivit-il.

— Comment va Yia-Yia ? demanda-t-elle, changeant de sujet.

— Elle a hâte de te revoir. Elle a décidé que tu faisais déjà partie de la famille, apparemment.

Alexander la saisit par les épaules pour l'attirer à lui.

— Tu ne peux pas savoir à quel point tu m'as manqué, murmura-t-il contre ses cheveux.

— Ça n'a pas trop l'air de te réjouir, répondit-elle.

— Oui et non. Ça dépend.

— De quoi ? demanda-t-elle, le repoussant malgré l'envie qu'elle avait de rester blottie contre lui.

— De tes sentiments à toi.

— Tu sais ce que je ressens, non ? Mais je ne serai pas avec toi si tu me désapprouves, ou si tu désapprouves ce que j'ai fait. Je ne peux pas vivre avec l'idée que je dois payer encore et encore pour ce que j'ai fait.

Elle essaya de sourire, mais son sourire vacilla.

— J'ai passé les dix-sept dernières années de ma vie avec le sentiment que je ne méritais pas d'être heureuse. Mon séjour en Grèce avec Poppy a changé tout ça. J'ai agi à dix-sept ans comme je pensais devoir le faire. J'étais ainsi à cette époque-là, et je ne peux rien y changer. Je ne suis même pas sûre de le vouloir.

— Bon sang, Katherine, tu ne comprends pas ce que je te dis ? Je t'aime. J'aime tout chez toi, celle que tu étais et la femme que tu es maintenant. Quand je t'ai rencontrée, je ne voulais pas tomber amoureux de toi. J'ai résisté, mais en vain. Alors je me suis dit que Sophia voudrait que je sois heureux, et que je me remarie, surtout avec quelqu'un qui aime Crystal… Je ne t'ai pas tout dit sur Sophia. Il faut que je te raconte le reste afin que tu essaies de comprendre pourquoi j'ai agi comme je l'ai fait.

Lui prenant la main, Alexander la conduisit jusqu'à un banc où ils s'assirent.

— J'étais à six mois de poser ma candidature pour le poste aux Etats-Unis. Entre-temps, on m'avait proposé un poste de consultant au St. George, tout en sachant que je voulais partir en Amérique. En fait, on m'a dit que c'était une des raisons pour lesquelles on m'avait choisi. Pendant mon séjour là-bas, on emploierait un remplaçant, et on me garderait la place. C'était une preuve flatteuse de l'estime qu'on avait pour moi, mais à l'époque je trouvais tout normal, car c'était pour ça que j'avais travaillé pendant des années. Je ne voulais pas lever le pied — alors que j'aurais dû le faire. J'avais le travail que je voulais, le poste en Amérique. J'avais tout réussi. Maintenant, l'heure de Sophia était venue, et j'étais prêt à m'occuper davantage des enfants — ou du moins, c'était ce que j'avais promis à Sophia. Elle a passé un entretien pour un petit orchestre. Ce n'était pas la carrière de pianiste de concert de ses rêves, mais c'était un début. Elle était follement heureuse. Inquiète aussi. Elle a commencé à répéter comme si sa vie en dépendait. A chaque heure où elle ne s'occupait pas de Crystal, elle répétait. Souvent, en me réveillant la nuit, j'entendais du Mozart ou du Beethoven ; maintenant, je ne supporte plus leur musique. Elle s'acharnait — persuadée que c'était sa dernière chance. C'est seulement à ce moment-là que j'ai compris à quel point elle s'était sacrifiée pour moi. Ensuite, elle est tombée de nouveau enceinte, ce qui n'était pas prévu, mais c'était fini. Sa chance était passée. On était en décembre, et l'hiver était rude. Je quittais la maison tôt — parfois avant 6 heures —, mais elle se levait toujours pour m'accompagner à la porte. Ce matin-là, elle s'était plainte d'un mal de tête. Quand j'y repense, ce n'était pas la première fois, mais je n'ai pas vraiment fait attention. Je pensais déjà à une intervention compliquée prévue pour ce matin-là. Elle a dit qu'elle allait prendre des antalgiques et se recoucher pour une heure ou deux. Si j'avais pris le temps de l'observer vraiment, j'aurais vu les signes. J'étais médecin, bon sang ! Deux minutes auraient suffi. Les routes étaient mauvaises. Parfois, elle me conduisait à la gare, mais comme elle avait la migraine, j'ai dit que j'allais prendre la voiture que je laisserais à la gare puisqu'elle n'avait pas l'intention de s'en servir. Moi, j'étais soulagé. J'arriverais à temps pour voir mon patient avant le début de l'intervention.

La gorge nouée, Katherine avait deviné la suite.

— Tu n'es pas obligé de continuer.

— Si. J'ai revécu cette journée en pensée des centaines de fois, avec une issue différente mais, bien sûr, c'est impossible… Ce jour-là, à l'hôpital, tout s'est très bien passé avec deux interventions majeures m'obligeant à terminer tard. Ma secrétaire m'a laissé un message : Sophia avait téléphoné. J'ai tenté de la rappeler — sans succès. J'ai vaguement supposé qu'elle prenait un bain, et je suis allé voir mes opérés avec l'intention de la rappeler plus tard. Evidemment, j'ai été retenu, et à 19 heures seulement, je me suis rappelé que je n'avais pas appelé. J'ai essayé de nouveau et je suis tombé sur sa boîte vocale. Je ne m'inquiétais toujours pas : elle pouvait se trouver dans la baignoire ou dans le jardin, et ne pas avoir entendu la sonnerie. A la maison, elle ne gardait jamais son portable sur elle. Pourtant, il me tardait de rentrer juste pour me rassurer. J'avais le sentiment désagréable que quelque chose ne tournait pas rond. Le trajet du retour en train m'a paru interminable. J'essayais de l'appeler, et comme elle ne décrochait pas, je m'inquiétais de plus en plus. Elle était peut-être tombée. Et il n'y avait personne à proximité — pas de voisins que j'aurais pu contacter. De toute façon, même s'il y en avait eu, je ne les connaissais pas. J'ai envisagé d'appeler la police, mais ma femme qui ne répondait pas au téléphone, ce n'était pas vraiment une urgence ! J'ai pris la voiture à la gare, mais la neige m'a empêché d'emprunter la petite route qui menait chez moi, et j'ai dû terminer le trajet à pied. J'étais fou d'inquiétude quand je suis arrivé. La maison était sombre, alors que d'habitude, elle était illuminée comme un arbre de Noël. C'était peut-être une coupure de courant — cela arrivait parfois… Une fois à l'intérieur, j'ai appelé Sophia. Sans réponse… Les lampes fonctionnaient : ce n'était pas une panne de secteur. Je l'ai trouvée dans notre chambre, son téléphone dans la main. Elle avait perdu conscience, mais elle était vivante. Je remarquai que ses chevilles, ses mains et son visage étaient gonflés. Eclampsie… Complètement centré sur moi et sur ma carrière, je n'avais rien vu. Mais ce n'était pas le moment de me faire des reproches à moi-même. J'ai appelé le 999 pour qu'on m'envoie une ambulance et je les ai prévenus que j'irais à leur rencontre car le chemin était impraticable. Ils devaient arriver environ vingt minutes plus tard si l'état des routes le permettait pour délivrer le bébé, mais si j'avais eu un scalpel sur moi, je l'aurais fait. Sophia est revenue à elle brièvement, assez pour voir que j'étais là, mais ensuite la crise a repris. J'ai attendu qu'elle s'arrête puis j'ai enveloppé ma femme dans une couverture et, par chance, l'ambulance est arrivée. Ils ont mis mon fils au monde, mais il était trop tard. Pour les deux.

Katherine prit Alexander dans ses bras et le berça. Que pouvait-elle faire pour lui, sinon le laisser parler ? Pas étonnant qu'il ait été si choqué quand il avait découvert l'existence de Poppy. Sophia était morte en mettant un bébé au monde, alors qu'elle-même avait abandonné le sien sans état d'âme — du moins, c'était l'impression qu'il avait eue.

— S'il n'y avait pas eu Crystal, qui avait trois ans, je ne sais pas comment j'aurais survécu. A la fin, c'est l'intervention de Helen qui nous a sauvés tous les deux. Dès qu'elle a appris la mauvaise nouvelle, elle a sauté dans le premier avion. Moi, j'étais fou de chagrin. J'avais perdu la femme qui était tout pour moi et qui ne serait pas morte si j'avais agi autrement. C'était ma faute. J'ai arrêté d'aller au travail. J'ai refusé le poste de consultant au St. George et celui en Amérique. Je ne les méritais plus. En fait, pour être franc, je m'apitoyais sur mon sort, avec complaisance. Et la venue de Helen n'a rien arrangé. Elle était là pour s'occuper de Crystal, alors il n'y avait plus rien pour me retenir. Le soir, je buvais souvent jusqu'à ce que tout soit noir dans ma tête. Je me levais rarement avant 11 heures du matin, je ne me lavais pas ni ne m'habillais de la journée. Dieu sait combien de temps cela aurait duré si Helen n'avait pas appelé des renforts. Une partie de ma famille a débarqué chez moi, dont la mère de Helen, la mienne, et ma grand-mère aussi. Ces femmes formidables m'ont embrassé, serré dans leurs bras, puis elles m'ont mis sous la douche. Ma mère a vidé les bouteilles dans l'évier, et ensuite Helen et Yia-Yia ont préparé des plats en quantité. Elles se sont occupées de Crystal mais, surtout, elles m'ont fait comprendre que c'était mon travail de m'occuper d'elle. Ensuite, j'ai vendu tout ce que j'avais en Angleterre et je l'ai investi dans un petit cabinet médical en Grèce. Et ensuite… je t'ai rencontrée. J'ai refusé l'attirance que tu m'inspirais, mais je ne pouvais pas lutter. Tu étais la seule femme qui pouvait rivaliser avec Sophia, la seule avec laquelle je pouvais imaginer de passer le reste de ma vie. Mais je me sentais coupable. Je trahissais la mémoire de Sophia. Ensuite, j'ai découvert l'existence de Poppy et j'ai eu l'impression que je ne te connaissais plus. La femme parfaite avait disparu en un instant. Au fond, nous n'étions pas si différents. Nous ressentions tous les deux le même besoin d'expier.

Katherine eut une petite moue.

— Je ne ressens plus le besoin d'expier. Il me suffit de regarder la merveilleuse et heureuse jeune femme que Poppy est devenue pour savoir que j'ai pris la bonne décision. Je regrette de ne pas avoir été parfaite pour toi. Mais, tu sais, je ne crois pas que je veuille être parfaite.

— Non, répondit doucement Alexander. Tu es humaine. Comme nous tous.

— Alors qu'est-ce qui t'a fait changer d'avis ?

— Rien. Quand tu m'as expliqué pourquoi tu avais abandonné Poppy, j'ai compris que, pour toi, il n'y avait pas d'autre choix possible. Tu ressentais les choses ainsi. Et quand je t'ai vue avec ta fille, j'ai compris que tu l'aimais. Quand Yia-Yia a été malade, je voulais te demander pardon. Dès que j'ai su qu'elle allait mieux, j'ai voulais te demander de rester — et de m'épouser. Mais tu m'as appelé pour Poppy et, évidemment, ce n'était pas le moment idéal pour te parler de mes sentiments. Toute ton attention était, logiquement, concentrée sur ta fille. Je me suis dit que le moment viendrait plus tard, quand elle irait mieux. Ce que je me demandais, c'était si tu pourrais me pardonner. Mais quand tu es partie, je me suis dit que j'avais perdu toutes mes chances avec toi.

— Tu as dit que tu me pardonnais. Comment pouvais-je vivre avec un homme qui croyait que j'avais besoin de son pardon ?

— C'était stupide de ma part.

— Oui. J'avais besoin que l'homme que j'aimais m'aime comme j'étais.

Le regard d'Alexander brilla.

— Donc, tu m'aimes ?

— Oui. Je crois que je suis tombée amoureuse de toi

dès que je t'ai vu ou presque. Mais en même temps, j'avais peur. Je voulais te parler de Poppy, mais je ne pouvais pas. Du moins, pas à ce moment-là. Et ensuite, elle est arrivée. Je ne voulais pas que tu découvres son existence de cette manière ! Ensuite, elle est tombée malade, et je n'ai plus pensé à rien d'autre. Je croyais que j'allais de nouveau la perdre.

— Mais quand elle est allée mieux, pourquoi ne m'as-tu pas écrit ?

— Il lui a fallu beaucoup de temps pour se rétablir. Quand elle a été complètement guérie, j'ai rêvé que tu me rejoindrais.

— Je serais bien venu plus tôt, mais je cherchais un poste ici. J'ai pris une année sabbatique. Je t'aime. Passionnément… Je ne veux pas d'une vie sans toi. J'ai perdu Sophia parce que j'avais placé mon ambition avant ses besoins. Je ne te ferai pas subir la même chose. Il faut que je sache si tu acceptes de m'épouser. Si tu dis oui, je passerai le reste de ma vie à te rendre heureuse.

— Et Sophia ? Je ne veux pas passer le reste de ma vie à lutter avec le souvenir d'une femme parfaite, car nous savons tous les deux que, moi, je ne le suis pas.

— Pour moi, tu l'es, mon amour. Mais et toi ? Peux-tu t'accommoder d'un homme qui ne sait pas toujours apprécier une bonne chose quand il la rencontre ?

Il affichait un grand sourire, et elle sourit aussi, le cœur battant très fort.

— Eh bien, je pense que oui.

Epilogue

La petite église aux murs blanchis à la chaux était perchée sur un promontoire dominant la mer. Poppy avait aidé Katherine à trouver l'endroit où elle épouserait Alexander, et celui-là était parfait.

En cette superbe journée de printemps, tout était parfait, même la brise légère qui faisait danser la robe de Katherine autour de ses chevilles.

Crystal avait du mal à contenir son excitation. Depuis le matin, elle dansait d'un pied sur l'autre, et parlait sans cesse. Poppy, elle, tentait de le cacher, mais elle était tout aussi ravie et excitée d'être une demoiselle d'honneur — au point qu'elle avait ôté son piercing pour l'occasion. Il serait remis en place dès le lendemain, mais tout ce qui comptait, c'était que Poppy soit là pour célébrer le jour le plus heureux de la vie de sa mère.

Crystal et Poppy avaient des mères. Mais à présent, Katherine serait là aussi pour elles — pour les réconforter dans le chagrin, et pour les aider en cas de difficultés.

Le regard de Katherine se tourna vers l'homme debout près d'elle, plus beau que jamais dans son costume crème et sa chemise impeccablement repassée. Ayant obtenu son doctorat, elle avait accepté un poste à Athènes pour deux ans et parlait presque couramment le grec, à présent.

Que feraient-ils après ces deux ans ? Ils n'en avaient aucune idée pour l'instant, mais ils le décideraient ensemble. Un avenir merveilleux s'ouvrait devant elle, et pour le vivre, elle aurait Alexander auprès d'elle.

AMALIE BERLIN

L'irrésistible Dr Keightly

COLLECTION *Blanche*

éditions HARLEQUIN

Cet ouvrage a été publié en langue anglaise
sous le titre :
RETURN OF DR IRRESISTIBLE

Traduction française de
MICHELLE LECŒUR

1.

Cela faisait dix ans que le Dr Reece Keightly redoutait ce moment.

Il avait toujours su qu'il arriverait. Tout reposait sur ses épaules : la dynastie du cirque, l'avenir de la compagnie et le poids du passé. Deux siècles d'histoire — qui allaient s'achever à cause de lui.

Il était la dixième génération de propriétaires du Keightly Circus, et celui qui allait tout détruire. Un chiffre rond, le 10. C'était comme si le destin en avait décidé ainsi. Comme si lui se contentait de tenir le rôle qui lui avait été dévolu. Comme si ce n'était pas sa faute…

Sauf que ça l'était. En tout cas, tout le monde le penserait.

Reece avança d'un pas dans la queue qui serpentait jusqu'à la caisse. Traditionnellement, Atlanta était la dernière étape du cirque avant qu'il ne prenne ses quartiers d'été, mais c'était aussi son meilleur public. Le cirque local, de retour d'une saison triomphale sur les routes, passait sa dernière semaine dans sa région d'origine. C'était une des traditions parmi tant d'autres, dans cette famille du cirque qui était la sienne. Et les Keightly mettaient un point d'honneur à la respecter.

Depuis l'annonce de la fermeture imminente du cirque, ils avaient bénéficié d'une incroyable couverture médiatique, la télévision et les stations de radio locales diffusaient l'information depuis des semaines. Lors des dernières représentations, ils avaient donc enregistré un taux record de fréquentation. A Atlanta, les parents allaient au cirque avec leurs enfants depuis des générations. Encore une tradition qui ne serait plus respectée après cette année.

Même s'il était excité à l'idée d'assister au spectacle — car il n'avait jamais perdu cette excitation —, voir des gens auxquels il tenait mettre leur vie en danger lui donnait une conscience aiguë du monde qui l'entourait. Il avait l'impression de sortir de lui-même. Toute l'appréhension qu'il éprouvait était amplifiée, au point de devenir une sensation physique — un goût métallique à l'arrière de la langue.

C'était un mélange d'excitation et de peur. Il avait presque envie de n'être qu'un spectateur anonyme parmi la foule, qui ne voyait que le côté divertissant du show. Mais il connaissait aussi l'autre côté.

Tout autour de lui, des enfants riaient et bavardaient joyeusement. Devant eux, sous le gigantesque chapiteau bleu, les musiciens de l'orchestre accordaient leurs instruments, bientôt prêts à ouvrir le spectacle. A chaque note, la peur le grignotait un peu plus. La sciure de la piste l'attendait. Une tradition dont il se serait bien passé.

S'appesantir sur les aspects désagréables ne l'aiderait pas à mieux réagir. Il avait seulement besoin de voir ce spectacle une dernière fois. Pour s'assurer qu'il prenait la bonne décision. En fait, il n'avait pas véritablement de doutes, mais deux cents ans d'histoire méritaient une dernière réflexion. Une dernière chance qu'il change d'avis.

Quand il n'y eut plus que deux personnes devant lui, il entendit les premiers lents sifflements du calliope, et une musique entraînante se fit entendre, chassant le chaos de ses pensées.

Il avait toujours adoré le vieux calliope, un genre d'orgue à vapeur ambulant, haut en couleur, composé d'un ensemble de sifflets activés par un clavier, que l'on voyait souvent à la fin des parades. Soudain, en entendant les premières notes chantantes, une vague de nostalgie le submergea — une nostalgie tellement forte qu'il balança entre des émotions contradictoires : l'appartenance et le rejet, le réconfort et la peur, la sérénité et la colère.

Il avait un penchant pour la colère. Mais, pour être tout à fait honnête avec lui-même, il voulait surtout être présent pour *une* personne. Certes, il avait envie de tous les voir, mais c'était la perspective de regarder Jolie Bohannon évoluer à la lumière des projecteurs qui le motivait avant tout.

Il avait seulement besoin de voir le show encore une fois. Que tout se passe bien.

Et de dire adieu à tout cela.

Ensuite, il prendrait soin de chacun d'eux. Il veillerait à ce qu'ils soient correctement logés quelque part. Et il pourrait retourner à sa vie tranquille et ordonnée, trouver un endroit où installer son cabinet médical. Acheter une maison avec des fondations solides. Il aurait des patients qui lui confieraient leur santé — ce pour quoi il avait été formé —, mais ceux-ci ne mettraient pas leur vie en jeu pour distraire des spectateurs, pendant qu'il s'inquiéterait pour eux depuis les coulisses.

Du coin de l'œil, il vit s'avancer le calliope. Sa mère se tenait derrière le clavier, pianotant et actionnant les sifflets à vapeur tandis que Mack Bohannon conduisait l'engin.

La famille de Jolie voyageait avec le Keightly Circus depuis la guerre de Sécession, et même avant. Il existait des liens quasiment familiaux entre eux. D'ailleurs ces liens n'allaient pas tarder à se resserrer pour de bon avec le mariage de sa mère et de Mack, qui ferait de Reece le dernier Keightly en place.

Peu désireux d'être repéré tout de suite, Reece baissa le bord de son chapeau mou et rentra les épaules. Chez les Keightly, les hommes étaient grands : ils dépassaient largement le mètre quatre-vingts. Mais personne ne s'attendait qu'il soit là ce soir. Comment la troupe réagirait-elle à sa présence ? Il était venu en tant que simple spectateur.

Tout de même, il avait le droit d'être en colère. Mais il ne se faisait pas d'illusions : il avait le mauvais rôle dans l'histoire. Seuls les méchants fermaient les cirques… Même s'il prenait la bonne décision pour de bonnes raisons, elle entraînait la mort de quelque chose que tous adoraient.

Hâter la mort du cirque plutôt que le laisser se déliter peu à peu était un acte de charité. S'il ne reprenait pas les rênes en tant que dernier des Keightly, il se devait au moins de l'accompagner dans sa fin, et c'était ce qu'il allait faire. Avec tout le respect et les honneurs dus à cette belle aventure.

Mais, auparavant, il allait voir un dernier spectacle et lui faire ses adieux — personnellement. Peut-être trouverait-il le moyen de se convaincre qu'il n'était pas un monstre.

Jolie Bohannon était debout à l'arrière du chapiteau, tenant fermement la bride de Gordy. L'étalon blanc miniature devait toujours être contenu au dernier moment, juste avant d'entrer en piste. Il vivait pour le spectacle — un sentiment auquel elle avait pu s'identifier autrefois. Mais pour l'instant, elle devait veiller à ce que les montures de taille normale et les cavaliers acrobates de la famille Bohannon ne piétinent pas accidentellement Gordy, au cas où quelqu'un lui aurait lâché la bride trop tôt.

Tout devait se dérouler dans le calme et l'ordre, pour des raisons de sécurité.

Elle nota le changement de rythme de la musique. Au cirque, on apprenait ainsi à repérer à quel moment du spectacle on en était. Elle vérifia une dernière fois la bride de Gordy, d'un gris argenté scintillant, sa selle assortie et, non moins tape-à-l'œil, son costume.

Au premier son de trompette, elle détacha le harnais. Gordy se précipita aussitôt vers la piste. Arrivé au milieu des autres chevaux montés par les Bohannon, il s'arrêta brusquement et, s'appuyant sur ses jambes arrière comme pour s'étirer au maximum, poussa un hennissement triomphant.

Un par un, les autres chevaux s'inclinèrent devant lui, le petit roi. Il était l'élément de distraction venant clore le numéro, celui qui faisait oublier aux enfants les moments d'excitation et de crainte qu'ils venaient de vivre.

Jolie sourit. Gordy parvenait encore à la faire sourire.

Le spectacle était presque terminé. Plus qu'un numéro, et ce serait le final.

Elle se recula pour laisser la place libre et entendit le remue-ménage de l'équipe chargée de changer le décor pour le numéro suivant.

Elle ne se sentait plus la force de regarder. D'habitude, elle ne laissait pas l'émotion la submerger. Jamais. Mais, avec le cirque qui allait fermer pour de bon, il lui semblait que tout ce qu'elle avait enfoui en elle depuis longtemps était près de jaillir à la surface. Elle n'avait surtout pas besoin d'un élément déclencheur.

Il n'aurait plus manqué qu'elle devienne sentimentale et se mette à pleurer en regardant la fin du spectacle ! Pour l'instant, son travail consistait à attendre que Gordy fasse son show, mais elle n'avait pas besoin de surveiller une machine aussi bien huilée.

Soudain, la musique cessa, ce qui n'était pas prévu. Elle ne s'arrêtait jamais, normalement, quelle que soit la raison. Un frisson courut sur sa nuque.

Des cris avaient à peine commencé à s'élever dans le public qu'elle s'était déjà ruée sur la piste. Tous les cavaliers étaient descendus de leur monture et entouraient quelque chose.

Mais où était Gordy ?

Elle joua des coudes pour se frayer un passage et le trouva couché sur le côté. Il se débattait et tenta à plusieurs reprises de se redresser. En vain. Elle n'eut pas besoin de le regarder de près pour se rendre compte que son antérieur gauche était blessé. Oh non !, encore…

Trois des cousins de Jolie voulurent aider Gordy à se relever, mais il essaya de les mordre.

— Ecartez-vous et appelez un vétérinaire, dit-elle. Il nous faut un véto !

Sa voix fut suffisamment forte pour être entendue même au milieu de la confusion. Veiller sur Gordy était sa responsabilité. Son travail. Et surtout, elle l'aimait. C'était à elle de prendre soin de lui.

Attrapant son téléphone portable dans sa poche, elle le

tendit à son oncle et s'efforça de garder son calme. Gordy avait besoin d'ordre et de calme, et que cela vienne d'elle.

— Woh ! Gordy, tout va bien. Woh !

Il souffrait visiblement et était terrifié. Elle s'accroupit près de lui et, malgré son agitation, réussit à défaire les sangles qui encerclaient son ventre, puis elle lui retira sa selle. Mais être débarrassé de ce poids ne l'aida pas davantage à se redresser. Or, il fallait qu'elle le voie debout.

Il n'allait pas la mordre. Il ne l'avait jamais mordue.

Prenant une profonde inspiration, elle se pencha en avant et tendit les bras pour saisir le petit étalon par le poitrail et le ventre et l'aider à se relever.

— Jolie, sa jambe est cassée, dit une forte voix d'homme.

C'était une voix essoufflée, celle de quelqu'un qui avait couru aussi — une voix familière, mais sur laquelle elle ne parvenait pas à mettre de nom. Pourtant lui, à l'évidence, la connaissait.

Trop occupée pour s'interroger davantage, elle tenta de nouveau de soulever Gordy. Il était si lourd. Elle l'enserra plus fermement et s'efforça de le soulever sans faire porter de poids sur son antérieur.

Il réussit à se mettre sur les genoux, mais elle n'était pas assez forte pour le lever complètement. Dans cette position, Gordy appuya sur son antérieur. Alors lui, son animal préféré, retroussa les lèvres et la mordit à l'avant-bras. Le choc la fit presque autant souffrir que la douleur qui irradiait dans son bras.

Elle avait dû lui faire vraiment mal, car ce n'était pas une petite morsure d'avertissement. Il avait les mâchoires serrées sur son bras et ne la lâchait pas.

Quelqu'un s'approcha de l'autre côté du cheval et entoura le poitrail de Gordy de ses bras.

— A 3, dit-il.

Elle réussit à compter en grinçant des dents, et l'homme au torse impressionnant souleva le cheval miniature en même temps qu'elle.

Cette fois, les jambes de Gordy se retrouvèrent sous lui et

il put se tenir sur les trois qui n'étaient pas blessées. Il fallait qu'elle le voie debout, qu'elle évalue la gravité de la fracture.

Fut un temps où elle aurait été beaucoup plus angoissée. Mais la médecine vétérinaire avait bien progressé depuis l'époque où un membre cassé équivalait à une sentence de mort pour un cheval.

Cependant, Gordy avait toujours eu des problèmes de jambes. Elle se rappelait encore ce qu'ils avaient traversé la fois précédente — elle comme lui. Il y aurait quelqu'un pour faire la terrible suggestion… Pour dire qu'il valait mieux l'abattre. Elle devait absolument empêcher cela.

Il fallait aussi qu'il relâche sa morsure. En respirant profondément, elle devait pouvoir contrôler la douleur, mais ce serait plus facile s'il la lâchait. Et si elle criait, cela risquait de l'effrayer encore plus.

— Maintenant, lâche-le, dit l'homme au-dessus de la tête de Gordy.

Elle s'attendait à voir un vétérinaire, ou peut-être un ancien du cirque qui avait voyagé avec eux dans le passé…

En dix ans, son visage avait changé. Il s'était élargi, tout en devenant plus anguleux. Mais elle connaissait bien ces yeux — ceux du garçon qu'elle avait connu dix ans auparavant. Et qu'elle avait aimé.

Reece n'était pas censé être là. Pas plus qu'il n'aurait dû avoir l'air de quelqu'un sur le point de vomir.

— Je ne peux pas le lâcher, répondit-elle entre ses dents.

Le simple fait de parler lui demandait un effort. Soudain, tout était devenu difficile. Contrôler la douleur, sa voix, respirer…

— Il me tient, dit-elle difficilement.

Si elle le lâchait, il risquait de retomber et de se faire encore plus mal, et peut-être emporterait-il un morceau de sa chair entre ses dents.

Certes, une distraction était bienvenue pour l'aider à maîtriser ses émotions, mais Reece n'était pas ce qu'il lui fallait. Sa présence ne faisait qu'aggraver les choses et lui rendre la douleur encore plus insupportable. Elle ne voulait pas de lui ici.

Il n'était pas supposé arriver avant qu'ils soient tous à la ferme, où elle aurait disposé de suffisamment d'espace pour l'éviter. Il était parti pendant dix ans, alors pourquoi diable venait-il voir le spectacle maintenant ? Elle n'était pas d'accord.

Mais il était là, il était venu l'aider et il avait l'air d'un géant aux cheveux longs. Mon Dieu, qu'il était grand… Il pouvait au moins lui servir pour Gordy. L'aider à le remettre sur ses pieds et à relancer le spectacle.

Une foule de gens les entourait, et les enfants du public se pressaient au bord de la piste, s'approchant le plus près qu'ils pouvaient… L'intensité de leur trouble l'oppressait.

Car ce ne pouvait être que leurs émotions qu'elle ressentait. Elle-même avait maîtrisé les siennes des années auparavant et, depuis, s'était tenue à bonne distance de tout homme portant les cheveux longs.

Elle recouvrerait son contrôle une fois que Gordy serait sorti d'affaire et Reece reparti — peu importait où, du moment que c'était loin d'elle.

Une chose à la fois.

— Il faut qu'on le fasse sortir d'ici, dit-elle.

Elle aussi avait besoin de prendre l'air.

Reece se contenta d'un simple hochement de tête. Puis il approcha les mains de la bouche du cheval pendant qu'elle le maintenait debout. Des mains grandes et fortes, qui s'emparèrent des mâchoires de Gordy et les écartèrent peu à peu tandis qu'il lui parlait doucement, émettant des sons qu'il voulait rassurants mais qui ne firent rien pour la réconforter, elle.

En tout cas, ils parurent faire leur effet sur Gordy, à moins que ce ne soit la combinaison des mots doux et de la force brute : le cheval miniature lâcha son bras ensanglanté.

Aussitôt, Reece glissa les bras sous le cou et le ventre du cheval pour soutenir son poitrail et son arrière-train. Puis il fit une chose qu'elle n'avait encore jamais vue : il souleva le cheval dans ses bras.

— Je vais de quel côté ? demanda-t-il d'une voix tendue, avec cet air toujours au bord de la nausée.

Comment était-il devenu si fort ? Les médecins n'étaient-ils pas censés passer leur temps à étudier et à jouer au golf ? Bien que petit, Gordy n'en était pas moins un cheval et devait peser pas loin de quatre-vingt-dix kilos. Pourtant, Reece le porta hors de la piste. A lui tout seul.

Bon. Ce n'était pas le moment de se perdre en conjectures. Gordy était blessé, et elle aussi. Le spectacle s'était arrêté, les enfants devaient être apeurés et perturbés.

— Par là.

Elle leur fraya un chemin en étendant les bras devant elle et entraîna Reece et sa charge volumineuse dehors, à l'arrière du chapiteau, en direction de l'écurie. Il n'avait plus qu'à porter Gordy jusqu'à son box et à s'en aller, pour qu'elle puisse reprendre ses esprits. L'écurie était la propriété des Bohannon, elle n'aurait qu'à lui dire de sortir. Elle prendrait soin de son cheval elle-même.

Quelqu'un allait faire redémarrer le spectacle — peu importait qui, pourvu que le vétérinaire ne tarde pas.

Lorsqu'ils arrivèrent à l'écurie, Reece respirait bruyamment, et même plus fort qu'elle. Elle tentait vainement de ne rien ressentir — ni la douleur dans le bras, ni la colère et le sentiment de trahison qui resurgissaient peu à peu du coin sombre dans lequel elle avait entreposé toutes les émotions en rapport avec Reece.

— Allonge-le sur la paille, lui dit-elle.

Son bras lui faisait si mal ! Pourvu que l'os n'ait pas été fracturé.

Toutes sortes de pensées se bousculaient dans sa tête : des bribes de l'histoire de Gordy, la façon dont Mack ne manquerait pas de réagir, le souvenir de tous les animaux qu'elle avait perdus au fil des années…

Elle dut faire un effort pour les chasser de son esprit. Rien n'allait arriver à Gordy. C'était presque comme un frère pour elle. Il avait été sa première monture, pratiquement depuis qu'elle avait été en âge de marcher. Il fallait qu'elle se calme.

Avec précaution, Reece déposa le petit cheval, apparemment rasséréné, sur sa couche.

— On dirait qu'il se souvient de toi, dit-elle dans un murmure.

Même si Reece avait changé, Gordy ne l'avait pas oublié, au point de se laisser docilement porter par lui.

Ce n'était pas une raison suffisante pour garder cet homme dans l'écurie. Elle ne pouvait pas se concentrer s'il restait là.

— Merci. Tu peux aller regarder la fin du spectacle, dit-elle en se plaçant entre lui et le cheval.

— Laisse-moi jeter un coup d'œil à ton bras.

— Il attendra.

Gordy avait peut-être un problème intestinal, conséquence de sa chute, et il fallait…

Les mains de Reece entourèrent sa taille, détournant son attention. Ses mains sur elle… Ce fut comme le feu et la glace : une inexplicable combinaison qui, pendant un instant, prit le pas sur sa peur de perdre Gordy et la fit penser… à toutes sortes de choses.

Il fallait qu'il parte. Mais elle devait relever Gordy, et elle n'avait pas réussi à le faire seule tout à l'heure.

— Mon bras peut attendre, dit-elle de nouveau.

Et il n'avait pas besoin de la tenir ainsi. Elle se dégagea de son étreinte, réprimant une grimace de douleur au passage.

— Il faut remettre Gordy sur ses pieds.

— Tu es blessée, il peut attendre un moment.

Il semblait sincèrement inquiet pour elle… Ce qui était complètement bidon, naturellement.

— Il doit se tenir debout, dit-elle, butée. La dernière chose qu'il lui faut, c'est se reposer.

Règle n° 1 : Ne pas le regarder dans les yeux.

— Jolie…

— Reece…, répondit-elle.

Et elle le regarda dans les yeux. Bon. Pas de temps à perdre, se dit-elle en s'écartant de lui. Le contact de ses mains, le fait qu'il les ait aidés, et la sollicitude qu'elle avait cru lire dans son regard, tout cela lui ramollissait l'esprit et l'empêchait de penser.

C'était elle qui savait ce qu'il fallait pour son cheval, pas lui.

— Tu peux rester ici pendant que je vais lui chercher un harnais de soutien. Et ne t'imagine pas que tu vas me dire ce que je dois faire, juste parce que tu es devenu assez fort pour porter mon cheval ! Ce n'est pas toi qui commandes, ici. Libre à toi de détruire le cirque, mais Gordy est un Bohannon. Alors j'accepte que tu m'aides pour lui, après quoi tu pourras ficher le camp de mon écurie !

Qu'était-il donc advenu de son calme légendaire ? Ce devait être à cause de son bras. De la douleur, et de son inquiétude pour Gordy. Et aussi du choc de revoir Reece. Mais bientôt tout rentrerait dans l'ordre.

En attendant, elle ne pouvait courir le risque de perdre Gordy. Il lui fallait ce harnais…

Une demi-heure plus tard, ils avaient confectionné un harnais de fortune à l'aide de sangles et de ceintures reliées ensemble et attachées à deux poteaux de bois. Reece les avait trouvés non loin du chapiteau, rapportés sur une épaule et accrochés à la charpente.

Une nouvelle fois, il souleva le petit cheval, qui se retrouva ainsi suspendu et tenta de se débattre.

Il avait besoin d'un calmant ; et elle, d'un remontant.

— Je voudrais lui faire une injection de tranquillisant, dit-elle. Je connais le dosage pour un grand cheval, peux-tu m'aider à faire le calcul en tenant compte de la différence de poids ?

— D'accord. Ensuite, on s'occupera de ton bras.

Elle courut jusqu'à sa caravane chercher le tranquillisant dans le réfrigérateur. A son retour, Reece lui donna le dosage qu'il avait calculé, et elle insista pour faire l'injection elle-même.

— Tu pourras t'occuper de mon bras quand le vétérinaire sera arrivé, dit-elle. Gordy a besoin de moi, il a besoin d'être rassuré. Il ne faut surtout pas qu'il ait peur.

— Jolivetta Chriselle Ra…

— Oh ! ça va, Docteur-Reece-qui-se-prend-pour-le-patron ! Peux-tu tenir Gordy le temps de l'injection ?

Elle trouva la veine du premier coup et injecta lentement le contenu de la seringue. L'effet fut presque immédiat. Elle lui avait donné suffisamment de produit pour le calmer sans l'assommer.

— Tu peux t'en aller, maintenant, dit-elle à Reece.

Il croisa les bras.

— Pas avant de t'avoir soignée. Je vais attendre le vétérinaire avec toi.

Elle alla s'asseoir sur le tabouret, au fond de la stalle.

— Gordy peut très bien être plâtré, dit-elle. Avec l'aide d'un bon harnais de soutien pour soulager son antérieur, il va guérir, j'en suis sûre.

2.

Reece passa la main dans ses cheveux : le mal de tête menaçait. Ce n'était pas ainsi qu'il s'était imaginé les retrouvailles avec Jolie.

— Hé ! Mais tu n'es pas habillée, dit-il soudain.

Normalement, elle aurait dû porter un costume scintillant.

— Je m'habille comme il me plaît, répondit-elle sèchement, avant de se tourner vers Gordy pour lui parler d'une voix radoucie. Tout va bien se passer. Je ne laisserai personne te faire du mal.

Reece avait attendu toute la durée du spectacle pour la voir, et maintenant seulement il se rendait compte qu'elle n'était pas en tenue. Un jean et un T-shirt rose avec une licorne blanche sur fond d'arc-en-ciel, ce n'était pas vraiment le costume adéquat.

— Tu n'as pas fait ton numéro, dit-il, insistant. Je pensais que tu interviendrais à la fin avec les voltigeuses, mais tu n'es pas habillée.

— Je n'ai plus de numéro.

— Pourquoi ?

— Cela ne te regarde pas.

Elle continuait à parler doucement, mais il comprit que c'était à cause de Gordy. Elle lui frotta les oreilles. Le sédatif faisait son effet, mais la présence de Jolie l'apaisait également, visiblement. Il appuya la tête contre elle et accepta son réconfort.

Elle avait le feeling. Reece oublia son irritation pendant

quelques secondes, la revoyant après l'accident, la tête de Gordy sur les genoux, le caressant…

Jolie, c'était deux personnes dans un même corps : sur la piste, elle était tellement pleine d'énergie que, même quand une figure ratait, elle réussissait à tenir le public en haleine. Et le reste du temps, elle avait ce contact particulier : elle était capable d'apaiser n'importe quel animal. Même un adolescent… Elle avait été la seule qu'il avait voulue près de lui après la mort de son père.

Une tache rouge s'agrandissait sur le T-shirt rose, du côté où elle avait tenu son bras blessé contre elle, se servant de l'autre pour Gordy.

— Ça fait mal ? demanda-t-il.

— L'effet de l'adrénaline se dissipe, mais je peux attendre.

— Sans aucun doute.

Il devait absolument demander à sa mère des informations sur tout ce qui concernait Jolie et qu'il n'avait pas voulu qu'elle lui dise avant. A l'époque, il s'efforçait de rester à l'école de médecine et de la chasser de son esprit.

Quelque chose n'allait pas chez elle, et ce n'était pas seulement à cause de l'accident de Gordy. Peut-être même n'était-ce pas seulement dû sa présence ici, à côté d'elle, ni à toutes les autres raisons qu'elle avait de lui en vouloir. Ne plus se produire sur la piste n'était probablement pas une décision récente.

Il n'eut pas le temps de s'interroger davantage sur les problèmes qu'elle avait pu avoir pendant son absence. Mack, oncle de Jolie et chef du clan Bohannon, entra dans l'écurie escorté du vétérinaire, et le fit sortir, ainsi que sa nièce : cela faisait trop de monde pour la petite stalle.

— Nous n'avons pas de harnais assez petit, dit-elle au vétérinaire. J'ai fait ce que j'ai pu pour protéger son système digestif et soulager son antérieur.

— J'ai une élingue, répondit-il en fouillant dans son sac à dos.

Mack l'aida à l'installer. L'avenir de Gordy reposait entre les mains de ces deux hommes.

— Tout ira bien, il va guérir, dit Jolie à Mack, qui paraissait sombre.

Pas plus que Jolie, Reece n'avait envie de voir cette expression sur son visage. Il posa la main sur son épaule et tenta de l'entraîner vers la porte.

— Allons nous occuper de ton bras.

— Je ne pars pas maintenant. On pourrait avoir besoin de moi.

Il avait pensé qu'avec le temps elle était peut-être devenue moins têtue, et il s'était trompé. Elle avait toujours été ainsi dès qu'il s'était agi de Gordy.

Le vétérinaire avait besoin d'espace pour travailler. Sachant à quel point il était difficile de soigner un patient quand il y avait du monde autour, Reece souleva Jolie dans ses bras. Puis il l'entraîna hors de l'écurie.

Pendant quelques secondes, Jolie fut tellement surprise qu'elle en resta muette. Puis elle protesta de toutes ses forces.

— Reece ! Reece, repose-moi ! disait-elle, indignée. Je dois rester avec Gordy, il le faut.

— Il faut que ton bras soit nettoyé et examiné, voilà ce qu'il faut, répondit-il en resserrant son étreinte, sans doute au cas où elle aurait tenté de s'échapper. Je suis fatigué de discuter. Maman a sûrement une trousse de premiers secours.

— Et s'ils décidaient de l'abattre pendant que je ne suis pas là ? Il a besoin d'un avocat pour assurer sa défense. Je lui ai promis de prendre soin de lui. Et je sais qu'il peut guérir.

Pendant quelques secondes, elle se tortilla en vain, puis lui adressa un regard suppliant.

— S'il te plaît…

— Cela ne prendra pas longtemps.

— Il faut au moins cinq minutes pour arriver au camping-car de ta mère. Ma caravane est plus près ! J'ai tous les médicaments qu'il faut, puisque je suis auxiliaire médicale d'urgence. D'ailleurs, je peux très bien me soigner toute seule et…

Elle avait trouvé le bon argument. Pour le coup, il s'arrêta un instant de marcher afin de la regarder, et ses yeux descendirent sur sa bouche, où ils se fixèrent un peu trop longtemps à son goût. Surtout, elle ne devait pas se laisser distraire.

— Tu es auxiliaire médicale d'urgence ? demanda-t-il, surpris.

— Est-ce que tu ne pourrais pas avancer et parler en même temps ? fit-elle en grognant.

L'écurie n'était plus en vue à présent. La chaleur du grand corps de Reece contre le sien et la perspective de se retrouver seule avec lui créèrent un mouvement de panique en elle. Une seule crise à la fois, elle ne pouvait pas faire face à plus.

— Repose-moi par terre et laisse-moi me désinfecter toute seule, ou recommence à avancer. Ne reste pas planté là alors qu'ils sont peut-être en train de prendre des décisions sans moi !

— As-tu dû quitter le cirque pendant que tu prenais des cours ? demanda-t-il, imperturbable.

Qu'est-ce que cela pouvait bien lui faire ?

— Repose-moi, ou je te jure que je vais te frapper avec mon bras blessé.

Il la regarda de travers mais reprit sa marche, et elle se détendit un peu.

— J'ai suivi des cours pendant l'été, entre deux périodes de travail, dit-elle.

Il connaissait son manque d'intérêt pour le monde extérieur. Mais, quand le cirque prenait ses quartiers d'été à la ferme Bohannon, comme chaque année, elle n'avait pas l'impression de le quitter. La seule différence avait été que, pendant les cours, elle avait dû côtoyer des gens bizarres qui tondaient leur pelouse tous les samedis, passaient leur temps libre dans les centres commerciaux et se vantaient de conduire un camping-car.

— Ma caravane est par là.

De son bras valide, elle lui indiqua la direction et, en moins de deux minutes, ils furent dans son confortable petit intérieur.

— Les médicaments sont dans le placard au-dessus de l'évier.

Il la déposa précisément devant et, pendant qu'il se lavait les mains, elle sortit les médicaments et se fit une promesse solennelle. Jamais plus Reece ne parviendrait à la faire souffrir — même si c'était pour son bien.

— Ce n'est pas très beau, dit-il comme pour lui-même.

Il enroula sa main autour de son poignet pour faire couler l'eau sur sa blessure et, à cette seconde, elle oublia toute sa peur pour Gordy et la douleur. Elle en oublia même sa colère contre Reece — pour ce qu'il s'apprêtait à leur faire.

Le contact de leurs peaux était encore plus puissant que le fait d'être portée par lui. A propos, n'était-il pas censé avoir terminé sa croissance quand il était parti étudier ? Les hommes ne s'arrêtaient-ils donc jamais de grandir ?

Elle ressentit un pincement dans la poitrine quand elle leva les yeux vers lui.

— Tu es trop grand. Je suis obligée de me tordre le cou, dit-elle.

Mieux valait réagir ainsi que de céder à l'envie de se blottir contre lui et de s'abandonner à cette force qu'elle avait vue à l'œuvre… Surtout, elle devait résister au désir d'oublier les mauvais souvenirs pour jouir du réconfort qui l'attendait dans ses bras.

Règle n° 2 : Ne plus jamais laisser Reece la réconforter.

Elle s'essuya le bras en le tamponnant avec une serviette en papier, puis exerça une pression pour étancher le sang qui recommençait à couler. Quand elle appuya sur la blessure, la douleur, qui s'était calmée, se réveilla. Si elle le mentionnait à Reece, elle serait aux urgences en moins de temps qu'il n'en faudrait pour le dire.

Curieux : chez un cheval, l'endroit où se situait sa blessure correspondait à l'antérieur gauche. Comme si elle était le miroir de Gordy. Le destin avait parfois le sens de l'humour...

Reece lui prit le bras et examina la morsure sous la lumière du comptoir, avant de la désinfecter soigneusement. Il y avait quelques traces de dents profondément marquées, une vilaine entaille, et elle aurait certainement un énorme bleu.

— On aurait pu mettre un ou deux points de suture, mais si tu as un bande, cela fera l'affaire, dit-il.

Depuis qu'il avait pris les choses en main, sa voix avait perdu de son irritation. Mais il gardait les lèvres serrées.

— Les infections se produisent plus souvent en cas de morsures profondes que de coupures, ajouta-t-il. C'est pourquoi il fallait que ce soit traité rapidement.

Il relâcha son bras, et ses pensées redevinrent un peu plus claires.

— Tu sais, je peux très bien me débrouiller, dit-elle d'un ton assuré. Pourquoi ne rends-tu pas visite à ta maman ? J'ai besoin d'être un peu seule.

Une fois Reece parti, elle irait sûrement mieux.

— J'ai presque terminé.

A présent, il ne la regardait plus dans les yeux. Cela signifiait peut-être que lui aussi ressentait quelque chose. Même si ce n'était pas aussi fort que ce qu'il y avait eu entre eux autrefois.

— Je me fiche que tu aies bientôt terminé, répondit-elle. Je voudrais que tu sois ailleurs, là où je ne suis pas. Je finirai ça seule, puis je retournerai à l'écurie. Tu es en train de tout gâcher.

Sa voix devenait plus aiguë à mesure qu'elle parlait.

— Tu peux rester calme si tu le veux, répondit-il, apparemment impassible.

Il ne se souciait pas vraiment d'eux. Il n'était qu'un médecin effectuant son travail : soigner des patients.

— Je fais mon possible pour être calme. Dépêche-toi, tu sais qu'il faut que je retourne là-bas. J'avais oublié à quel point tu t'y entends pour faire attendre les gens.

Elle était sur un terrain glissant, elle devait s'arrêter tout de suite. Et se concentrer sur Gordy.

Il lui jeta un coup d'œil éloquent et lui reprit le poignet. Son grand corps occupait tout l'espace de la minuscule kitchenette. Il continua à travailler à son rythme tranquille.

Elle tentait de respirer lentement pour se calmer. Elle qui avait toujours cru pouvoir se maîtriser, actuellement elle n'y arrivait pas. Son cœur cognait fort dans sa poitrine, au point qu'elle pouvait l'entendre. Ce n'était pas bon. Elle respirait beaucoup trop vite.

Tout était en train d'échapper à son contrôle.

— Ils ne vont pas l'euthanasier pendant mon absence, pas vrai ? dit-elle avec angoisse. C'est quelque chose qui prend du temps et qu'il faut préparer, pas vrai ? Et ils attendraient qu'on puisse lui dire adieu…

« Pas vrai ? » Pourquoi répétait-elle bêtement cette expression idiote ? Elle grimaça. Bon sang, elle devenait à moitié folle. Dire qu'elle avait projeté de lui parler dans quelque temps, une fois qu'ils seraient à la ferme…

— Inspire profondément par le nez, lui ordonna-t-il soudain.

Décidément, il voulait tout contrôler, même sa façon de respirer !

— Jolie, je crois que tu es en train d'avoir une crise de panique. Il faut que tu ralentisses ta respiration.

Elle avait été tellement sûre de pouvoir se maîtriser… C'était avant qu'il n'arrive, et qu'elle ne plonge la tête première dans le puits sans fond où elle jetait toutes les émotions qu'il était trop difficile d'exprimer verbalement.

— Je n'arrive pas à respirer.

Elle avait dû attraper un terrible microbe avec cette morsure, et tout allait de travers. Tout.

Lui lâchant brusquement le poignet, il la saisit par les hanches et, une demi-seconde plus tard, elle était assise sur le comptoir en face de lui, haletant pour trouver de l'air et tremblant de tout son corps, impuissante à endiguer le flot de larmes qui troublait sa vision et coulait sur ses joues.

Il prit son visage dans ses mains et lui pencha la tête sur le côté, jusqu'à ce qu'il retienne son regard. Il avait des yeux si bleus. Si intenses.

Tout en lui caressant les joues avec ses pouces et en essuyant ses larmes, il dit quelque chose d'un ton apaisant, et cela fit son effet. Elle retrouva de l'air, cessa de pleurer et se sentit calmée, mais l'esprit confus.

Que s'était-il donc passé ?

— C'était une crise de panique ? demanda-t-elle d'une voix hésitante, se sentant vidée.

Il hocha la tête, l'entoura de ses bras et l'attira contre son torse chaud et musclé. Exactement là où elle voulait être.

— J'en ai une certaine expérience, dit-il.

Difficile d'imaginer quoi que ce soit qui puisse le déstabiliser à ce point.

— C'est une sensation horrible, dit-elle dans un murmure, dérogeant sans aucune honte à la règle n° 2.

Elle ne manquerait pas de l'observer de nouveau dans quelques secondes mais, pour l'instant, elle avait besoin d'être serrée dans des bras forts. Et son visage étant plaqué sur son torse, elle n'avait pas à le regarder dans les yeux…

— Oui, je sais, répondit-il doucement. Mais ne t'en fais pas, ta famille aussi adore Gordy. Elle ne prendra pas de décision pendant que tu es allée te soigner.

— Je sais, je suis désolée. Je n'ai pas l'habitude de réagir ainsi.

Elle s'essuya les yeux et s'écarta de lui avant de faire quelque chose de complètement fou.

C'était seulement à cause du choc, parce qu'elle venait de le revoir après tout ce temps. Mais c'était passé. Maintenant, son souci pour Gordy devait être chez elle l'émotion dominante. Il avait besoin d'elle. Elle pourrait craquer plus tard.

La dernière fois qu'elle avait eu aussi peur, elle avait seize ans et regardait Reece s'éloigner en voiture, parti seul à la découverte du monde. Elle devait garder à l'esprit que, dès lors, toute la confiance qu'elle avait mise en lui et tout le souci qu'elle s'était fait à son sujet, tout cela n'avait plus rien signifié.

Au bout du compte, il s'était conduit comme son père qui, pourtant, avait toujours été le premier à la serrer dans ses bras. Cela, il ne fallait pas qu'elle l'oublie.

— C'est bientôt fini ?

Il hocha la tête en la regardant. Après avoir appliqué un onguent sur la blessure, il posa une bande, qu'il fit tenir avec du sparadrap.

— Ne t'inquiète pas pour ce qui vient de se passer, dit-il. Tu es juste bouleversée, comme nous le sommes tous. Moi aussi, je m'inquiète pour Gordy. Voilà. Ton pansement devrait tenir, même si tu te remettais à saigner. Mais si tu as l'impression que la douleur augmente ou que tu as de la fièvre, préviens-moi.

— Je sais. Antibiotiques.

Elle ne pouvait pas tenir compte de ce qu'il avait dit à propos de Gordy. Il n'éprouvait sans doute rien de très profond.

— Si j'en avais eu sur moi, je t'en aurais donné tout de suite. Tu n'as pas beaucoup grandi, on dirait, ajouta-t-il.

— Je suis bien assez grande. Tout le monde n'ambitionne pas de devenir un géant !

Le sarcasme avait toujours été son refuge, son moyen de maintenir les choses et les gens à distance.

— Ce n'était pas une critique. J'évaluais juste ton poids pour l'ordonnance.

— Oh !

Pour elle, tirer une conclusion négative de ce qu'il disait ou faisait était plus facile que de croire qu'il se souciait réellement d'elle. Et il était encore là pour tout détruire en elle.

Il était temps pour elle de s'en aller. Bondissant de l'autre côté du comptoir, elle se précipita vers la porte.

— N'oublie pas de fermer en partant, dit-elle avant de s'enfuir en courant.

— Tu ne veux pas de calmants ? demanda-t-il, obligé de forcer la voix.

Elle ne prit pas la peine de répondre. Des calmants ? Oh si ! volontiers ! Elle aurait bien aimé aussi des pilules génératrices d'amnésie. Et qu'il les prenne en même temps qu'elle.

Personne n'abattrait Gordy sans leur donner le temps de se faire leurs adieux, une petite partie d'elle-même encore saine d'esprit le savait. Pourtant, elle craignait d'arriver aux écuries et de découvrir qu'il n'était déjà plus là.

Reece fixa la porte quelques secondes, espérant que Jolie reviendrait prendre son ibuprofène. Mais elle n'en fit rien.

Il sortit quelques cachets de la boîte et les enveloppa dans une serviette en papier qu'il mit dans sa poche. Avant que la nuit tombe, quelqu'un en aurait sans doute besoin. Peut-être lui… Les crises de panique étaient-elles contagieuses ? Il avait apparemment transmis à Jolie celle contre laquelle il avait lutté toute la soirée.

Avant de partir, il veilla à nettoyer derrière lui. C'était une chose que l'on apprenait à tous les enfants du cirque : maintenir propre son lieu de vie. Surtout quand il était si petit et se déplaçait sur roues. Et on devait être prêt à faire en sorte que tout fonctionne, même s'il fallait pour cela se laver avec le tuyau d'arrosage à l'arrière du camping-car, lorsque toutes les douches étaient prises. On apprenait à s'adapter à toutes les situations. Reece pouvait venir à bout du désordre matériel qu'il avait créé, mais qu'en était-il de la dévastation émotionnelle qu'il laisserait derrière lui ? Il ne pouvait qu'espérer que la troupe s'y adapterait aussi.

C'était dans leur nature. Et dans celle de Jolie.

Ils avaient trois ans d'écart, mais les enfants du cirque grandissaient vite. Surtout Jolie. Depuis qu'ils l'avaient récupérée, elle ne s'était plus jamais vraiment comportée comme une enfant normale. Elle regardait constamment par-dessus son épaule, craignant perpétuellement que quelque chose ne tourne mal. Mais les enfants apprenaient à tirer des leçons de tout.

Depuis dix ans, il s'était efforcé de ne pas penser à la leçon qu'elle avait tirée de son départ. D'ailleurs, il refusait toujours d'y penser.

Il s'était toujours fait du souci pour elle, au point de s'empêcher d'aller de l'avant. D'ailleurs, s'il avait laissé sa mère lui parler d'elle, il serait sûrement revenu en courant après sa première semaine à l'école de médecine. Sa tactique de survie — le seul moyen pour lui de poursuivre ses études — avait été d'oublier Jolie.

Elle faisait toujours la même taille, mais avait changé sur d'autres plans de manière peu encourageante. Il y était sans doute pour quelque chose. A peine trente minutes passées en sa présence avaient soulevé en lui beaucoup d'autres questions que la simple interrogation sur la manière dont elle réagirait à la fermeture du cirque.

La musique du spectacle s'était arrêtée depuis un moment. La mère de Reece devait donc se trouver soit dans son camping-car, soit sous la tente de la cantine. Elle aimait manger avec tout le monde. Le Keightly Circus soudait tous ses membres comme une famille, et c'était cette facette de la communauté qui serait la plus difficile à ignorer. Ils mangeaient ensemble. Prenaient leurs quartiers d'été ensemble. Elevaient leurs enfants ensemble. Jusqu'aux membres les plus âgés, qui prenaient leur retraite dans les mêmes endroits…

Il abaissa le loquet de la porte pour la fermer avant de partir à la recherche de sa mère, pour obtenir plus d'informations.

Une heure plus tard, Reece, ayant reçu de sa mère le sermon qu'il avait évité pendant dix ans, retourna aux écuries avec deux assiettes pleines et des bouteilles d'eau.

Il trouva Jolie seule près de Gordy, maintenant inconscient. Un lit de camp avait été installé dans la stalle, et elle était assise dessus, le dos appuyé contre le mur. Reece crut d'abord qu'elle fixait le cheval, puis remarqua qu'elle avait les yeux dans le vague.

Il savait par expérience que lorsqu'on était seul avec ses pensées, on avait tendance à se remémorer certains souvenirs que l'on aurait mieux fait d'oublier. C'était ainsi qu'il avait revu des images de son père maculant de son sang la sciure de la piste…

— Qu'est-ce que tu fabriques ? Tu as l'air malade, dit la voix de Jolie, le tirant de ses pensées. La nourriture est vraiment si mauvaise que ça ?

— Tout va bien. Je me suis dit que tu devais avoir faim et j'ai apporté à dîner. J'aimerais aussi savoir ce que le véto a dit. Je peux ? fit-il en désignant un coin du lit de camp, qui était assez grand pour eux deux.

Elle répondit par un grognement. Son regard vert était toujours lointain, comme si son émotion était à fleur de peau.

— D'après lui, les fractures des membres antérieurs sont plus graves que celles des membres postérieurs, dit-elle en prenant l'assiette et la bouteille qu'il lui tendait avant de s'asseoir. Et puis il y a ces problèmes circulatoires… En tout cas, ce harnais est plus confortable et il a été parfaitement installé. Mack dit qu'il s'est peut-être tordu quelque chose à l'intérieur en tombant, et que c'est heureux qu'on ait pu le remettre sur ses pieds aussi vite. Ils n'ont rien senti en lui palpant le ventre, mais il était déjà inconscient à ce moment-là et n'aurait pas pu réagir à la douleur.

— Quel est le pronostic ? demanda-t-il, incapable de toucher à son assiette.

Elle n'y avait pas encore touché non plus.

— Oh !

Elle réprima un soupir. Le pire était à craindre, même si elle n'était sans doute pas prête à l'admettre.

— Le véto a dit que ce serait dur… On va essayer…

Elle ne prononça pas le « mais », pourtant ce fut comme s'il l'avait entendu.

Sortant les comprimés de sa poche, il les posa sur sa jambe.

— Des anti-inflammatoires, dit-il, lui laissant le choix de les prendre ou non.

Puis il revint à Gordy.

— Quelle est la prochaine étape ?

— Rester près de lui. Veiller à ce qu'il soit bien. Guetter les signes de colique, répondit-elle en prenant les comprimés. J'ai aussi des analgésiques et des tranquillisants à lui injecter si cela s'aggrave.

— Tu t'es bien débrouillée, la première fois. Tu as trouvé la veine du premier coup. Tu as pris aussi des cours pour soigner les animaux ?

— Non, mais j'avais déjà fait des injections et des prises de sang sur les chevaux auparavant. Et je lis. Beaucoup.

Il se souvenait de ça. Elle lisait tout ce qui avait trait à la zoologie, que cela concerne les chevaux, les chiens ou les animaux sauvages. Pourtant, ces derniers ne faisaient plus partie du spectacle depuis que son arrière-grand-père avait été lacéré par un lion pendant un numéro.

Le cirque était toujours dangereux, mais un peu moins depuis qu'il était revenu à ses racines et avait abandonné les animaux exotiques datant de la période victorienne.

— Merci pour le dîner, dit-elle.

Il se força à manger. La nuit serait longue, et il avait bien l'intention de la passer à ses côtés.

Il ne put s'empêcher de la regarder. Bon sang. Ses boucles auburn, habituellement indisciplinées, avaient été réunies en une tresse un peu fantaisiste, mais qui lui permettait, même dans l'obscurité de l'écurie, de voir nettement son visage. Elle était toujours la plus jolie fille qu'il ait jamais vue. Elle avait même embelli depuis qu'il était parti.

Elle avait dû encore pleurer, car ses yeux verts étaient

plus grands, plus clairs, et dégageaient une impression de tristesse.

— Ce n'est probablement pas le bon moment, mais je voulais m'excuser, dit-il soudain.

— De nous avoir abandonnés ?

3.

Non. Reece ne pouvait pas s'excuser pour cela.

— Je veux parler du cirque, dit-il après avoir pris une profonde inspiration. De ce que je suis venu faire ici. Je sais que ce n'est pas ce que tu veux, mais je t'aiderai à t'installer où tu voudras une fois que tout sera fini.

— Je ne veux aller nulle part, répondit Jolie.

Aucun d'eux ne le souhaitait. Il était le méchant dans cette histoire, mais pour de bonnes raisons. Un jour, elle comprendrait.

— Je le sais bien.

Elle écarta l'assiette à laquelle elle n'avait pas touché et se tourna vers lui.

— Ecoute. Je ne m'attendais pas à te voir ce soir. A vrai dire, je ne pensais pas te revoir avant le mariage de Ginny et Mack. J'avais un projet à te soumettre quand tu serais venu à la ferme. Et puis il y a eu Gordy...

Elle avait un projet ?

— Ne me dis pas que tu voulais me dissuader de fermer.

— Je voulais te proposer de travailler avec moi et de changer notre façon de faire. Plus de cirque sur les routes. Une nouvelle perspective.

Voilà qui ressemblait beaucoup à : « S'il te plaît, ne ferme pas ».

— Il n'y a pas d'avenir pour Keightly, Jolie. Cela n'a pas seulement à voir avec moi et ce que j'entends faire de ma vie. C'est dangereux. Et plus les gens vieillissent, plus cela devient dangereux pour eux. Gordy est un vieux cheval et...

— Il n'est pas vieux, dit-elle, avec une lueur dans les yeux indiquant qu'elle pouvait encore être prise d'un coup de folie s'il n'y prenait pas garde. Il a vingt-huit ans, et les petits chevaux vivent beaucoup plus longtemps que les grands. A la ferme, on en a des grands qui ont dépassé trente-cinq ans. Gordy a encore de l'avenir.

A l'évidence, elle craignait encore que son animal favori ne soit euthanasié.

— Premièrement, les numéros à grand spectacle, les plus dangereux, ne sont plus exécutés par le cœur de la troupe. Nous engageons d'autres artistes. Pendant quelques années, nous avons eu un couple russe pour le numéro avec les barres. Et même si une partie de la troupe a vieilli, cela ne signifie pas qu'ils veuillent arrêter.

— Je sais qu'ils ne veulent pas…

— Deuxièmement, dit-elle en levant deux doigts. Je ne veux pas que le cirque continue à bouger. Je ne veux même pas qu'il reste un cirque.

Il sentit son mal de tête qui empirait.

— Que veux-tu dire ? Qu'envisages-tu de faire de Keightly ?

— Un camp avec des activités liées au cirque, répondit-elle avec un sourire plein d'espoir. A la ferme Bohannon.

— Un camp ?

— Les anciens membres de la troupe peuvent encore enseigner, j'en suis la preuve. Je peux assurer les démonstrations, et… et…

Elle cherchait ses mots, visiblement désireuse de le convaincre.

— Les cirques se meurent, fit-elle. Ils étaient des milliers en Amérique du Nord, et combien en reste-t-il ? Si l'on n'y prend pas garde, cette forme d'expression artistique sera bientôt complètement oubliée. Nous devons transmettre notre savoir aux enfants. D'autre part, nous ne sommes qu'à une demi-heure d'Atlanta, et tout le monde adore le cirque Keightly dans cette partie de la Géorgie. Les parents seraient ravis d'envoyer leurs enfants dans un camp d'été pour y apprendre le cirque. Ils s'amuseraient, feraient des activités physiques, et seraient occupés la journée pendant que les parents sont au travail. Le reste de l'année, on pourrait créer une école de cirque pour les enfants plus grands, en âge d'assimiler un enseignement plus rigoureux.

— Une minute.

Il se frotta le front : son mal de tête gagnait du terrain.

— Tu as d'excellents arguments, mais maman est fatiguée de tout diriger. Elle l'a souvent répété, et c'est pourquoi je suis ici. De mon côté, je n'ai pas de temps à consacrer à la cogestion d'un cirque. J'ai un cabinet médical à créer et à faire tourner.

— Je ne vous demande pas, à Ginny et à toi, de diriger quoi que ce soit. Je peux très bien le faire, je ne suis plus une petite fille.

Ses doigts tambourinaient sur sa jambe ; elle s'efforçait visiblement de calmer son excitation.

— Tu pourrais faire ce que bon te semble, et te concentrer sur ton cabinet médical. Et Ginny pourrait prendre sa retraite et continuer à participer, dans la limite de ses envies.

— Tout le matériel m'appartient et mon nom y figure, dit-il. Je serais donc automatiquement impliqué, et pour moi il n'est pas question de faire courir le moindre danger à des enfants.

— On serait évidemment particulièrement vigilants en ce qui concerne la sécurité, répondit-elle. On commencerait doucement, par de simples roulades au sol pour les enfants ne pratiquant pas la gymnastique. Et il n'y a pas que les acrobaties. Tu sais mieux que personne que toutes sortes de disciplines, qui font partie du cirque, n'ont rien à voir avec des performances physiques, qu'il s'agisse de la création des costumes, des soins donnés aux animaux…

Elle se tut et regarda Gordy, toujours inconscient. Quand il lui avait demandé pourquoi elle avait arrêté la scène, elle ne lui avait pas répondu. Parce qu'elle ne voulait pas en parler avec lui ? Mais il avait envie de savoir ! Si c'était à cause d'une erreur qu'il avait commise, peut-être pourrait-il la réparer…

— Quand t'es-tu arrêtée de te produire sur la piste ?

— Lorsque tu es parti.

Il eut comme un coup à l'estomac.

— Pourquoi ?

Elle haussa les épaules.

— Comme ça.

— Tu as bien dû avoir une raison. Tu adorais ça…

— Je n'en avais plus envie.

— Jolie…

— Mais je pratique toujours, je fais différentes choses. C'est un bon moyen de rester en forme.

Elle ne cherchait pas à le blâmer, et il lui en fut reconnaissant. Qu'aurait-il pu dire, si elle était revenue sur ses fautes passées ? Et d'ailleurs, pourquoi l'interrogeait-il alors qu'il n'avait aucune envie qu'elle fasse de même avec lui ? Parce qu'il était un imbécile. Parce qu'il voulait tout connaître d'elle.

Et comme il ne savait pas lui dire non, il fallait qu'il parte.

— Tu t'en sortiras, toute seule cette nuit ?

— Oui. Quelqu'un va venir me relayer dans quelques heures.

Blottie sur le lit de camp, à côté du cheval, elle paraissait encore plus petite.

Elle le regarda droit dans les yeux.

— Veux-tu bien au moins réfléchir à ce que je t'ai dit ? demanda-t-elle.

Il savait déjà parfaitement ce qu'il en pensait. C'était une mauvaise idée, même si elle y tenait énormément.

— S'il te plaît… Laisse-moi le temps de te montrer ce que cela peut donner. Peux-tu attendre que Gordy soit suffisamment stabilisé pour que je n'aie pas besoin de rester toujours près de lui ? Une fois que nous aurons regagné la ferme ?

Une fois que son bras aurait guéri ? Ou bien une fois qu'il lui aurait dit qu'il avait un acheteur potentiel pour tout le matériel ?

Il laissa passer quelques secondes, dans le vain espoir de trouver les mots justes pour lui faire perdre ses illusions en douceur, mais rien ne vint.

— D'accord, répondit-il à sa propre surprise. J'attendrai que nous ayons regagné la ferme, et je verrai ce que tout le monde pense de cette idée. Je pèserai le pour et le contre…

Elle poussa un long soupir de soulagement en s'appuyant contre le mur.

— Ne le prends pas mal, mais pourrais-tu aussi rester loin de moi pendant quelques jours ? demanda-t-elle.

— Pourquoi ?

— Parce que, si tu es dans les parages, je ne pourrai pas m'empêcher de te demander de le faire, et…

Elle s'interrompit brusquement et devint écarlate.

— Enfin, je veux dire… Pas de le faire, évidemment. Du moins, je ne parlais pas de sexe. Evidemment…

Si elle disait encore une fois « évidemment »…

— Euh… Il ne s'agit pas de sexe, mais du camp. Si je te vois tout le temps, je n'arrêterai pas de te demander de le faire. Le camp, je veux dire…

De nouveau elle soupira, puis s'arrêta de parler. Enfin.

— Bien sûr, répondit-il, d'une voix qu'il s'efforça de garder impassible. Je peux te laisser de l'espace. Tu devrais dormir un peu. Maman a mon numéro, au cas où tu aurais l'impression que la morsure s'infecte. J'ai des choses à faire, de toute façon.

Et il sortit.

En effet, il avait d'importantes choses à faire — comme reprendre ses esprits avant de dire oui à tout ce qu'elle proposerait pour qu'il ne les laisse pas tomber.

Mais justement, pourquoi ne voulait-il plus de ce cirque ? Pour éviter que quelqu'un ne soit blessé. Dans la décision qu'il prendrait, les blessures physiques — qui pouvaient aller jusqu'à la mort — devaient l'emporter sur les blessures émotionnelles, ces dernières donnant seulement l'impression de mourir.

Ils finiraient tous par s'habituer à la vie à l'extérieur du cirque, se répéta-t-il une fois de plus. Et s'ils n'y parvenaient pas, il les aiderait à trouver de nouveaux foyers. Quelque part où il cesserait enfin de s'inquiéter pour eux, où quelqu'un d'autre les prendrait en charge.

A la seconde où son père était mort, cette responsabilité lui avait incombé. Même quand il n'était pas présent physiquement, elle pesait sur lui. Oh ! Il avait tout fait pour l'ignorer, mais maintenant il pouvait sentir le poids de chaque vie entre ses mains. Et il était grand temps qu'il se serve de ces mains pour les protéger.

Il était un homme à présent, plus un jeune garçon à qui on pouvait dire de rester en silence dans son coin.

Dans la vie de Jolie, il y avait eu des moments où, à la seconde même où elle avait agi, elle l'avait regretté.

Comme les fois où elle était tombée, par exemple. Quand elle avait appris à évoluer sur un câble, elle avait souvent eu ce sentiment. Mais il s'évaporait dès qu'elle touchait le sol. Et depuis qu'elle avait appris à contrôler ses émotions, elle n'avait plus éprouvé cette sorte de regret à propos de quoi que ce soit.

Or, depuis trois jours, ce sentiment ne la quittait pas. Son calme inébranlable, auquel elle s'était si longuement entraînée, l'avait quittée à l'instant où elle avait revu Reece. Même s'il se tenait à distance, comme elle le lui avait demandé, cela ne changeait rien.

Le tout dernier spectacle avait eu lieu la veille. Elle n'y avait pas assisté. Pour elle, le show s'était terminé le soir où Gordy avait été blessé.

Normalement elle aurait dû faire comme les autres jours — aider à tout recharger —, mais Mack l'en avait dispensée. A cause de son bras, ou de sa crise de nerfs ? Elle n'en avait aucune idée.

Alors elle fit ce qu'elle put dans les écuries, s'efforçant de se changer les idées et d'ignorer la douleur dans son bras. Surtout, elle évita de trop s'inquiéter pour Gordy. Se demander comment il allait supporter le trajet jusqu'à la ferme ne changerait rien. L'élingue ne pourrait pas être installée dans la remorque, car Gordy aurait risqué de se cogner partout au moindre accident de terrain. Il lui faudrait rester couché pendant l'intégralité du trajet.

Tout le monde entrait et sortait, portant du matériel ou emmenant les autres chevaux. Elle démonta le lit de camp et le déposa hors de la stalle. Puis elle reprit sa garde, assise sur un petit tabouret. Si seulement elle avait pu se débarrasser de ce sentiment d'avoir commis une stupide erreur…

Si elle n'était pas devenue à moitié hystérique avec Reece, il aurait été là aujourd'hui et se serait servi de ses bras puissants et de ses épaules impressionnantes pour porter Gordy. Ou pour le changer de position une fois dans la remorque, au cas où son ventre se serait mis à lui causer des problèmes.

Le pauvre petit cheval était encore sous l'effet des sédatifs ; elle ne savait donc pas si son système digestif était détraqué ou s'il était juste trop dans le cirage pour que ses intestins fonctionnent normalement. Chaque fois qu'il bougeait une oreille, elle allait vérifier s'il avait réussi à se soulager un peu.

Elle était en plein examen quand elle entendit une voix grave, qu'elle reconnut cette fois-ci immédiatement.

— Veux-tu de l'aide pour t'occuper de Gordy dans la remorque ? demanda Reece

— Euh, oui. Volontiers.

Elle prit une profonde inspiration.

— Je me fais du souci pour le trajet. Et aussi…

— … tu crains qu'il ait des coliques. As-tu changé ton bandage ?

— Pas depuis hier, si je me souviens bien.

Les trois derniers jours s'étaient déroulés comme dans un brouillard.

— Heureusement pour toi, aujourd'hui je suis équipé, dit-il en brandissant une mallette en cuir.

— Super. On pourrait peut-être faire ça dehors ? J'ai besoin d'un peu d'air avant qu'on s'enferme dans la remorque. Car, si j'ai bien compris, c'est ce que tu me proposes ? D'accompagner Gordy pendant le trajet ?

— Exactement.

Ils sortirent dans la lumière du soleil matinal. Les animaux étaient toujours chargés en premier. Les Bohannon arriveraient probablement à la ferme avant les ouvriers pour déballer le matériel qui les avait fait vivre pendant toutes ces années.

Jolie s'efforça de ne plus y penser. Ce n'était pas la dernière fois qu'elle voyait le chapiteau dressé, il devait encore servir pour le mariage de la mère de Reece — quelle que soit la décision de ce dernier à propos du camp.

S'asseyant à une table de pique-nique, elle tendit le bras sur le bois dur chauffé par le soleil printanier, et le regarda faire.

Elle en profita pour ajouter une règle à la liste commencée depuis qu'il était revenu, et censée l'aider à gérer le désordre émotionnel qu'il avait déclenché.

Règle n° 3 : Se concentrer sur une émotion à la fois.

La présence de Reece ne lui facilitait pas la tâche, pas plus que le manque de sommeil accumulé depuis trois jours. Elle ne se sentit pas la force de lui demander s'il avait pris une décision.

— Tu te rappelles, quand je montais encore Gordy ?

Il défit le bandage, exposant la blessure.

— Je me rappelle, répondit-il d'une voix adoucie.

Son ton lui fit vaguement espérer qu'il avait gardé au fond de son cœur une petite place pour leur histoire — à l'écart de la tragédie de la mort de son père.

— C'était peu de temps avant que je ne devienne trop grande pour lui. Pendant longtemps, j'ai demandé quand il grandirait lui aussi, pour que je puisse le monter de nouveau. Je n'avais pas compris qu'il était différent des autres chevaux, dit-elle tout bas. Il peut être un vrai galopin, parfois. Il mord tout le temps les autres chevaux. Mais c'est la première fois qu'il me mord, moi.

— Il ne l'a pas fait exprès.

Elle eut soudain l'impression complètement folle que Reece allait lui prendre la main. Mais, à la dernière seconde, il tendit le bras vers sa mallette, et elle n'eut pas le temps de paniquer.

— Je sais…

— Cela va mieux du côté des traces de dents, en revanche il y a un peu trop de bleus pour mon goût. Tu devrais passer une radio, par sécurité.

Il ouvrit une bouteille d'eau et en versa sur de la gaze pour nettoyer sa blessure.

— Je vais attendre un peu et voir comment cela évolue, dit-elle. Tu logeais chez ta mère ?

— Non. J'ai loué un appartement pour quelque temps. En fait, je n'y suis pas allé depuis le soir de mon arrivée. Un de mes professeurs m'a appelé, un médecin de la région prend sa retraite et veut céder son cabinet, qui se trouve tout près de la ferme.

— Comment s'appelle-t-il ?

— Richards.

— Oh ! je le connais ! Il a de très beaux pêchers, il en a planté encore récemment.

Après avoir appliqué une crème antibiotique, il prépara le bandage.

— Tu l'as déjà consulté ? demanda-t-il.

— Non, mais j'ai emmené plusieurs fois grand-mère Bohannon chez lui, il a fallu pratiquement l'attacher !

Elle le regarda dans les yeux.

— Tu ne serais pas malade, par hasard ? demanda-t-elle.

— Non.

— Tu mens. Depuis ton retour, je t'ai vu au moins trois fois sur le point de vomir. Alors soit tu es malade, soit c'est moi qui te rends malade.

Il secoua la tête.

— Ce n'est pas ça…

Du bout des doigts, il appuya sur le sparadrap pour le faire adhérer. Il évitait de la toucher directement, même en la soignant.

— C'est la sciure de la piste, dit-il.

— La sciure ? Tu es devenu allergique ?

— Non, c'est juste que je ne supporte plus cette odeur depuis que papa est mort.

Il était visiblement sincère, mais sa voix était tendue comme si, en même temps, il avait du mal à l'admettre. Et il ne l'avait pas regardée en parlant — signe que le sujet était encore délicat pour lui.

Elle eut un pincement au cœur. Pendant tout le temps qu'elle avait passé avec lui après la mort de son père, elle ne s'était rendu compte de rien.

Elle n'avait encore jamais rencontré quelqu'un qui n'aimait pas l'odeur de la sciure. En recouvrir la piste faisait partie de la marque de fabrique du Keightly Circus, qui mettait un point d'honneur à conserver les traditions alors que d'autres compagnies s'étaient agrandies et modernisées.

— En fait, c'est la panique que j'avais du mal à contrôler, dit-il. J'ai réussi à la surmonter, mais j'ai toujours un peu mal au cœur, c'est tout.

— Je suis désolée…

— Et je ne voulais pas que cela se sache. Je ne le veux toujours pas, d'ailleurs. Surtout, ne crois pas que c'est à cause de toi. Mais tu as sans doute raison, il vaut mieux maintenir une certaine distance, en fait. Les choses pourraient facilement devenir embrouillées, entre nous. Il vaut mieux y aller doucement.

— Je suis d'accord.

Son pansement terminé, elle se leva.

— Ils sont déjà partis avec les autres chevaux, dit-elle. Nous avons la remorque pour nous tout seuls. On peut installer Gordy et partir, si tu es prêt.

Il hocha la tête.

— A-t-il été sédaté ?

— Oui.

Il s'approcha du camion et tendit sa mallette au chauffeur. Puis il rejoignit le petit cheval et fit jouer ses muscles puissants pour le porter jusqu'à la remorque.

*
* *

— Il vaudrait mieux que tu t'y prépares, dit doucement Reece. Si son état ne s'améliore pas d'ici trois jours…

Jolie et lui étaient assis sur la paille dans la remorque, Gordy entre eux deux, la tête du cheval reposant sur les genoux de Jolie.

— Arrête, fit-elle d'une voix à peine perceptible.

— Je ne dis pas ça pour te faire de la peine.

— Non. Je sais que tu tiens à rester rationnel et à donner un avis purement médical, mais tant qu'il y aura de l'espoir, je ne renoncerai pas.

A l'évidence, elle préférait rester dans le déni.

— Y a-t-il de l'espoir ? demanda-t-il.

Quand il était parti, elle avait sans doute continué à espérer son retour pendant des mois. Mais il ne voulait pas vraiment le savoir. La grande émotivité qui la caractérisait n'était pas l'unique raison pour laquelle il voulait avancer lentement avec elle.

— Naturellement, il y a de l'espoir. Il est toujours en vie.

Elle le regarda comme s'il était un monstre, manifestement loin d'imaginer à quel point lui-même serait atteint lorsque Gordy mourrait. Et elle n'était pas plus consciente des armes qu'elle possédait et dont elle pouvait user contre lui. Pour lui, son seul salut était qu'elle reste dans l'ignorance.

— Une fois qu'on sera à la ferme et qu'il sera installé dans son harnais de soutien, dit-il, il faudra le sevrer complètement des médicaments et voir comment il réagit une fois plus alerte.

— Il souffre…

— Je sais.

Oubliant sa résolution de ne pas la toucher, il posa la main sur son avant-bras, là où le fin tissu de sa manche évitait un contact direct, de peau à peau. Précaution insuffisante.

Elle le regarda et retira son bras.

— Il a toujours été près de moi lorsque j'allais mal, dit-elle dans un murmure. Quand maman m'a sortie de cet horrible foyer où j'avais été placée après le départ de papa, il n'y avait que toi, moi et Gordy. Et il ne m'a jamais quittée.

Elle caressa le cheval endormi.

— Papa est parti. Tu es parti. Gordy a toujours été là. Je ne l'abandonnerai pas, je ne m'en remettrai pas au destin. Nous allons nous battre, et il ira mieux.

Une chose était sûre : Reece n'appréciait pas d'être rangé dans la même catégorie que le père de Jolie.

4.

Reece n'aimait pas faire le tri dans ses émotions, il préférait les ignorer du mieux qu'il pouvait jusqu'à ce que les choses s'éclaircissent d'elles-mêmes. Mais en ce qui concernait Jolie, rien n'était clair pour lui.

Rien, si ce n'était qu'elle était toujours capable de le rendre fou. Pourtant, cela ne faisait que deux semaines qu'il était sans nouvelles d'elle.

Il arrêta sa voiture dans la longue allée et desserra sa cravate, qui le gênait de plus en plus à mesure qu'il approchait de la ferme. La vente du cabinet médical du Dr Richards s'était conclue quelques jours auparavant, et Reece se rappela le vieux proverbe brodé sur un oreiller dans le bureau. « La route de l'enfer est pavée de bonnes intentions », ou quelque chose comme ça. Si Richards n'emportait pas ce maudit oreiller en partant, Reece allait le brûler.

En fait, la route de l'enfer n'était pavée de rien du tout, même pas de bonnes intentions. C'était une longue allée de gravier, quelque part au milieu de la Géorgie.

La cérémonie de mariage de sa mère allait commencer dans une heure au plus, et il était là. Il n'avait pas de solution, ni aucune idée de ce qu'il allait trouver et de ce que serait l'humeur de la troupe.

Il en avait assez d'attendre de trouver une solution au sujet du camp. Jolie n'en pouvait sans doute plus de patienter, elle non plus. Mais si elle voulait ouvrir à temps pour la saison d'été, il allait devoir se décider rapidement.

Le chapiteau blanc avait été dressé, et Reece alla se garer

un peu à l'écart, sur le côté. Le printemps était toujours une période instable dans le Sud. Le temps s'était nettement réchauffé, mais un front froid venu du nord promettait des complications. De lourds nuages noirs se rassemblaient au loin, et le vent s'était déjà levé.

Il releva les vitres de sa voiture, saisit sa veste et se dirigea vers le chapiteau. Personne n'était encore là, mais il y avait des fleurs partout, et une sorte d'arche avait été dressée sur la piste.

Il en profita pour tester sa réaction à la sciure et prit une profonde inspiration, contractant ses muscles avec une légère appréhension.

— Ce n'est que du sable, dit une voix douce, j'ai fait remplacer la sciure.

Jolie était assise à l'extrémité d'un gradin. Une fleur plantée dans ses cheveux retenait ses boucles auburn sur le côté. La légère robe rose qu'elle portait n'était accrochée que par une épaule, découvrant sa peau crémeuse et parsemée de quelques taches de rousseur sur l'épaule.

Jolie examina Reece de la tête aux pieds.

— Beau costume. Très bien coupé. Tu te l'es fait faire sur mesure ? Ta maman va être contente.

— Tu me trouves élégant ? demanda-t-il en la rejoignant.

— Très élégant. Mais si les autres n'arrivent pas rapide-ment, plus personne ne ressemblera à rien.

— A cause de la tempête ?

— Mmm… J'ai rassemblé dans un seau des gants, des marteaux et des cordes, au cas où le vent ferait des dégâts.

— Bonne idée.

— Je n'étais pas certaine que tu viendrais, murmura-t-elle, tout en veillant à rester à bonne distance de lui.

— Pour le mariage de ma mère ?

— Cela fait deux semaines que tu es parti.

Elle avait décidé, s'il venait aujourd'hui, de ne pas lui

parler du camp, ce n'était pas pour lui reprocher d'être parti sans donner de nouvelles pendant deux semaines ! Il ne s'agissait pas cette fois de leur relation personnelle, mais d'une éventuelle relation professionnelle. Il n'y avait donc aucune raison d'être contrariée pour cela.

D'un autre côté, elle n'avait pas besoin de lui trouver des excuses pour les avoir abandonnés de nouveau. Ils étaient tous heureux du retour du fils prodigue. Si elle se disputait avec lui, ils lui pardonneraient — c'était ainsi que cela devait se passer dans une famille —, mais cela leur ferait de la peine. Or, elle avait consacré pratiquement toute sa vie à protéger ces gens, ce n'était pas pour les blesser de façon inconsidérée aujourd'hui.

Le mieux, c'était peut-être tout simplement d'éviter Reece.

Du plat de la main, elle lissa sa robe rose achetée spécialement pour le mariage et quitta les gradins.

— Tu as quelque chose à faire ? demanda-t-il, l'air déconcerté, en la regardant s'éloigner.

Ainsi, ils étaient deux à ne plus rien y comprendre : Reece la mettait dans un perpétuel état de confusion.

— Oui, répondit-elle, en évitant de se retourner pour le regarder.

Elle n'aimait pas mentir. Elle l'entendit courir derrière elle.

— Je peux t'aider ? demanda-t-il en la rattrapant.

— J'ai besoin d'être seule pour ce que je veux faire. C'est le mariage de ta mère, ce n'est pas le moment de se disputer ou de faire n'importe quoi.

— D'accord. On fait une trêve pour la journée ?

— Plus facile à dire qu'à faire, fit-elle entre ses dents.

Machinalement, il se passa la main dans les cheveux et repoussa une mèche blond foncé derrière son oreille. Le reste de sa crinière était retenu par un élastique invisible en une courte queue-de-cheval basse. Mais la mèche indisciplinée ressortit, et elle eut envie de la toucher.

— Est-ce que tu me détestes, Jo ?

Quoi ?

— Parfois, fit-elle tout bas, refusant de mentir. Mais je

ne veux pas non plus me battre avec toi… Quoique. J'aurais plutôt envie de te hurler dessus, ou de t'envoyer un coup de pied bien placé. Mais ce serait assez pathétique. Et fatigant.

Il était temps qu'elle s'arrête, avant de se mettre à sangloter. Personne n'était censé pleurer *avant* le mariage. Mieux valait garder ses larmes pour la veillée mortuaire qui allait suivre.

Il desserra sa cravate.

— Tu es en train de tout défaire, dit-elle, prévenante.

— Je sais, je fiche toujours tout en l'air. Mais ça m'est égal, je n'arrive plus à respirer.

A présent, sa cravate pendait sur le côté, et le bouton du haut de sa chemise était défait. Elle détourna les yeux et inspira profondément.

Il s'approcha d'elle au point qu'elle sentit la chaleur qui irradiait de lui, mais il ne la toucha pas.

— Malgré tes envies de violence à mon égard, je dois dire que je te trouve époustouflante.

— C'est… juste la robe, dit-elle avec difficulté.

Il laissa le bout de son index courir sur la pivoine rose plantée dans ses cheveux.

— Lorsque je suis parti il y a dix ans, j'ignorais que je ne reviendrais pas, dit-il à voix basse.

Son instinct de survie se mobilisa en elle et la poussa à faire un pas en arrière pour s'éloigner de lui, mais cet idiot de Reece semblait bien décidé à la faire pleurer.

— Seulement pour aujourd'hui, pouvons-nous prétendre que je n'ai pas été un parfait imbécile, ces dix dernières années ? demanda-t-il.

Il esquissa un léger sourire.

— Je serais juste le fils du propriétaire, autoritaire, borné, et incapable d'ôter les mains de tes cheveux… Et toi, tu serais la fille au grand cœur de la maison d'à côté, qui doit me supporter…

— Je ne t'ai pas seulement supporté, répondit-elle, cherchant sa respiration.

Ce moment de grâce qu'ils étaient en train d'avoir… Il fallait qu'il cesse.

— Je t'ai subi, dit-elle de son ton le plus sarcastique, en s'écartant.

Le sourire de Reece s'agrandit.

— Vraiment ?

— Vraiment. La nuance est importante, dit-elle, reprenant son souffle. Bon, d'accord. Je vais m'asseoir quelques instants avec toi.

— Jusqu'à ce que tu sois soudain reprise d'une pulsion de violence à mon égard ? dit-il en lui offrant le bras.

Elle ne put s'empêcher de rire et glissa la main dans le creux de son coude.

Les bourrasques augmentaient, secouant le chapiteau si violemment que l'épais vinyle s'agitait bruyamment, faisant un bruit sourd de tambour.

— Ils feraient bien de se dépêcher, ou le chapiteau va s'envoler, dit-elle.

Ses doigts la picotaient à l'endroit où elle touchait son bras. Malgré les talons d'une hauteur non négligeable qu'elle portait, il la dominait encore largement. A être si proche de lui, une sensation s'insinuait en elle, qu'elle se refusa à nommer. C'était le genre de sensation qui pouvait l'amener à prendre toutes sortes de mauvaises décisions.

Quand ils eurent grimpé quelques marches pour s'asseoir, elle veilla à ce qu'il y ait un certain espace entre eux. En attendant que les autres arrivent, il se mit à parler de sujets sans risque : il raconta des anecdotes du temps où il était étudiant et réussit à la faire rire, lui faisant oublier pour un moment les contentieux qui s'étaient accumulés entre eux.

Lorsque les mariés arrivèrent à pied sous le grand chapiteau, Jolie fronça les sourcils.

— Je croyais qu'ils devaient entrer à cheval…

Un coup de tonnerre l'interrompit. Tout le monde leva la tête, Reece compris.

Mère Nature avait eu la bonté d'attendre que l'heureux

couple se soit d'abord abrité. Dès qu'ils furent à l'intérieur, les nuages ouvrirent leurs vannes, et la pluie s'abattit si brutalement qu'on l'entendait tambouriner très fort de l'intérieur. Les éclairs et le tonnerre se succédaient, le vent était maintenant déchaîné.

Les grosses tempêtes rendaient habituellement les gens du cirque nerveux, mais ils avaient tous le désir de faire honneur à la cérémonie. Pour pouvoir entendre l'échange des vœux, ils quittèrent leurs sièges et entourèrent le couple.

Mais le pasteur fut interrompu par un sifflement qui déchira l'air. Au même instant, quarante têtes se tournèrent dans la même direction : un des câbles d'ancrage s'était détaché.

— Bon sang !

Jolie courut chercher le récipient qu'elle avait mis de côté, suivie de Reece et de plusieurs cousins, prêts à tout faire pour sauver le chapiteau.

Et quand un autre câble céda, le reste de la noce se précipita du côté nord-ouest du chapiteau pour la retenir. Tous s'activèrent entre les rafales pour enfoncer les piquets plus profondément dans le sol.

Lorsque, enfin, le chapiteau fut entièrement sécurisé, les participants étaient trempés et épuisés… A l'exception des mariés, à peine décoiffés, qui avaient été priés d'attendre seuls sous le chapiteau — un peu dans l'angoisse, tout de même.

Tout le monde se rassembla de nouveau autour de la piste, le couple et le pasteur étaient les seules personnes à ne pas être mouillées.

Jolie se tenait entre Reece et Natalie, une autre cousine. L'assemblée se rapprocha, et ils se prirent par la main pour former un cercle, témoignant ainsi de la nouvelle union de deux vies.

Pour la première fois depuis dix ans, la main de Reece s'ouvrit et Jolie y glissa la sienne, mais ils n'entremêlèrent pas leurs doigts, joignant simplement leurs mains comme un frère et une sœur. Pourtant, la main de Reece provoquait toujours chez elle ce picotement exagéré, qu'elle devait absolument ignorer.

Elle ne se serait jamais imaginée en train de pleurer à un mariage. Mais il y avait en elle une stupide ado de seize ans, qui avait rêvé à une époque d'un mariage Keigthly-Bohannon.

Il aurait été différent, bien sûr. Elle se rappelait encore ce qu'elle avait imaginé. Naturellement, ils se seraient mariés sur le trapèze, avec des fleurs et des guirlandes de vigne accrochées partout. Au moment crucial, elle se serait jetée dans ses bras dans un numéro que personne n'aurait encore osé faire. Reece l'aurait rattrapée et embrassée... Elle avait même imaginé Gordy en demoiselle d'honneur ! Tout cela frisait le ridicule et n'avait même rien de romantique... contrairement à cette cérémonie. De nombreux obstacles avaient surgi pour l'interrompre, mais ils n'avaient finalement réussi qu'à éliminer les artifices, ne laissant place qu'à la simple beauté, à l'authenticité de l'union de deux êtres qui avaient longtemps attendu pour se trouver.

La gorge de Jolie se noua. Peut-être Reece avait-il eu raison de partir, à l'époque. Elle s'était peut-être fait des idées sur leur relation.

Tout le monde était tellement trempé que personne ne remarquerait une ou deux larmes sur ses joues...

La main de Reece pressa la sienne, et elle sut que lui les avait remarquées. Mais elle chercha vainement son regard. Seule la contraction de ses mâchoires indiquait qu'il n'était pas indifférent à la situation. Etait-ce à cause du mariage de sa mère, ou parce que lui aussi s'était replongé dans le passé ?

A la fin de la cérémonie, les participants se lâchèrent la main pour applaudir M. et Mme Mack Bohannon, ce qui faisait de Reece le dernier de la lignée des Keightly. Peut-être, à cet instant, pensait-il à son père...

— Est-ce que ça va ? lui demanda-t-elle lorsque Natalie sortit son appareil photo et commença à mitrailler les jeunes mariés.

Il secoua la tête.

— La tempête a tout gâché.

Elle jeta un coup d'œil aux convives, et vit des vêtements

mouillés collés sur les corps, des cheveux en bataille, et de nombreux sourires.

— Regarde-les, dit-elle, prenant la tête de Reece entre ses mains pour la tourner d'autorité en direction de sa maman. Ont-ils l'air malheureux ?

— Non.

Il alla récupérer sa veste sur un siège et la posa sur ses épaules dénudées.

— Au contraire, ils ont l'air heureux, dit-il. Mais cela aurait pu être mieux. Le chapiteau a failli se déchirer, on est tous trempés, et les fleurs de maman sont abîmées…

— Mais son cœur déborde. C'est un mariage qui restera dans les annales…

Pourquoi se focalisait-il sur ce qu'il ne pouvait pas contrôler ?

— Et moi, est-ce que j'ai l'air heureux ? demanda-t-elle en souriant. Ou bien est-ce que j'essaie seulement de faire bonne figure ?

Pendant quelques secondes, il la regarda en silence.

— Tu pleurais, tout à l'heure.

— Je vais bien. Si ce n'est que j'ai un peu froid.

Il enferma ses petites mains dans ses grandes mains chaudes.

Règle n° 4 : Pas d'homme dans sa vie.

C'était une règle qu'elle avait appliquée depuis longtemps déjà. Mieux valait être seule qu'avec quelqu'un qui vous abandonnerait quand il quitterait le cirque. En fait, cette règle était une variante d'un conseil que sa mère lui avait souvent répété : « N'épouse pas un homme qui ne fasse pas partie du cirque. Il ne fera que te briser le cœur et partira en kidnappant ta fille. »

Mais maintenant, il n'y avait plus de cirque.

Jolie jeta un coup d'œil derrière elle pour s'assurer que personne ne les observait. Reece en profita pour défaire la barrette retenant ses cheveux.

— Je préfère quand ils sont lâchés, dit-il d'une voix sourde.

— Même s'ils sont mouillés ?

— Surtout s'ils sont mouillés…

Elle sentit des picotements sur sa nuque. Quand il posa les yeux sur elle, ce fut tout son corps qui se mit à la picoter.

Maudite règle n° 4 ! Leur trêve était effective jusqu'au lendemain. Pourquoi ne pas y inclure toutes les rancœurs accumulées ? Elle aurait tant voulu s'en débarrasser, au moins pour quelques heures.

Flirter, se tenir par la main, s'embrasser… Voilà des gestes qui procuraient des sensations agréables… Des sensations qu'elle aurait aimé retrouver.

Cédant à son impulsion, elle se tendit vers lui et appuya ses lèvres sur sa joue.

— Qu'est-ce que tu fais ? demanda-t-il d'une voix étouffée, en l'enlaçant.

— Je fais comme si tu n'avais pas été un imbécile pendant dix ans.

Elle glissa les bras sous les siens et appuya la joue au creux de son épaule. Il posa le menton sur le haut de son crâne, mais elle sentait que son corps était tendu.

— Tu es tout chaud.

— Pas du tout.

Elle laissa courir ses mains le long de son dos et l'entendit pousser un long soupir, avant de se détendre enfin contre elle.

— A ton avis, que font les mariés ? demanda-t-il contre ses cheveux.

— Je pense qu'ils ont hâte que la veillée funèbre ait lieu pour pouvoir partir en voyage de noces.

— La… quoi ?

— La veillée funèbre, pour la mort du cirque Keightly. Tu croyais vraiment que l'on n'allait rien faire ?

— Mais… C'est un mariage.

— Et ta maman et Mack voulaient fêter leur nouveau départ dans la vie tout en disant dignement adieu au passé. C'est là qu'ils se sont connus, rappelle-toi. Cela crée un équilibre entre deux événements, l'un gai et l'autre triste.

Il regarda derrière eux.

— Mais qu'est-ce qu'ils font ?

Plusieurs personnes étaient en train d'enlever les fleurs.

— Ils changent le décor pour le spectacle, répondit Jolie à Reece. Je sais que tu as été absent un certain temps, mais que fait-on habituellement lors d'une veillée funèbre ?

Pivotant sur elle-même, elle appuya le dos contre son torse.

Que faisaient-ils pendant les veillées ?

— On parle… des gens qui sont partis, répondit-il. On boit à leur santé…

— … et on leur rend hommage, dit-elle.

Il n'avait aucune envie d'assister à la veillée.

— Cela fait longtemps que tu n'es pas allée voir comment allait Gordy, dit-il.

On lui avait joué un sale tour en ne le prévenant pas de ce qui allait se passer. S'il ne s'était pas agi du mariage de sa mère, il serait parti.

— Gordy va beaucoup mieux, ce que tu saurais si tu n'étais pas resté absent pendant deux semaines.

Elle se retourna vers lui et posa les mains sur son torse. Cela lui fit du bien. Jolie lui faisait du bien. Mais pas une veillée mortuaire.

— Est-ce que ça va ? demanda-t-elle. Personne ne t'en veut, si c'est ce qui t'inquiète.

— Je vais très bien.

Elle lui jeta un regard qui lui fit comprendre qu'elle n'était pas dupe.

— Tu es nerveux, tu as les mains moites.

— Tout va bien. Allons nous asseoir.

Il s'éloigna, et elle le saisit par la main. Il s'arrêta net, surpris.

— N'aie pas l'air aussi lugubre…

Elle se dirigea vers les gradins, et il la suivit. Au premier rang, on avait disposé une rangée de photos dans des cadres :

c'étaient tous ceux que la troupe de Keightly avait perdus au fil des années. Il se souvenait de certains, mais seuls les plus âgés avaient connu les anciens.

Il reconnut les photos de son grand-père, de son oncle, de son cousin : les veillées funèbres auxquelles il avait assisté. La photo de son père : celle qu'il avait évitée.

Cette soirée se présentait de plus en plus mal. Comme un automate, il s'assit à côté de Jolie.

— Habituellement, le bourreau n'assiste pas aux funérailles de sa victime, dit-il entre ses dents.

— Personne ne te voit comme ça. Ils t'aiment tous, Reece.

De nouveau elle lui prit la main, et il ignora le signal dans sa tête l'avertissant qu'il ne devait pas la toucher autant. La main de Jolie lui faisait du bien. Elle était petite, mais forte. Et elle avait ce toucher, ce feeling… Dans un moment pareil, il en avait besoin.

— Même si tu ne te sens pas à l'aise en ce moment, cette famille est aussi la tienne, dit Jolie. Tout le monde veut que tu sois là… A part toi, apparemment. Sinon, tous les autres y tiennent.

— Même toi ?

Elle hocha la tête, mais la tristesse qu'il avait déjà vue dans ses yeux réapparut. Elle lui avait tout de même dit de se tenir à l'écart d'elle, et était sûrement restée très affectée par le passé. Cela, il ne pouvait pas l'ignorer.

Les lumières baissèrent, et elle se serra un peu plus contre lui. Il entoura ses épaules de son bras. Après tout, il pouvait au moins apprécier cet aspect de la veillée. Pas le spectacle, parce qu'il y avait ce nœud dans sa gorge… Mais être avec Jolie dans l'obscurité, sentir l'odeur de ses cheveux… Cela l'aiderait à supporter le reste.

Soudain, un puissant spot éclaira la piste. Un grand drap blanc était suspendu au milieu, il servirait probablement d'écran de projection, et grand-mère Bohannon s'avança. Il l'avait toujours appelée grand-mère, même si ce n'était pas la sienne. Elle avait un cœur d'or et un langage de charretier, rassemblés dans un corps tout frêle. Les femmes Bohannon étaient aussi petites que les hommes Keightly étaient grands.

— Si c'est grand-mère qui présente la soirée, ça va être quelque chose, dit-il tout bas.

Avec elle, tout devenait drôle, voire franchement loufoque.

— Elle a fait répéter les enfants pendant des semaines, répondit Jolie sur le même ton.

La première photo à apparaître sur l'écran fut celle d'un vieux toboggan avec un homme en costume très sérieux dessus. Puis un autre spot s'alluma, éclairant un des enfants revêtu du même costume que sur la photo, qui s'efforça de jongler d'une manière ostensiblement maladroite et finit par courir après ses balles tout autour de la piste pendant que grand-mère faisait des commentaires très personnels… dans un langage qui, pour un peu, aurait fait rougir Reece.

— C'est toujours bien de commencer par les clowns, dit-il à Jolie, ne pouvant s'empêcher de sourire.

La troupe adorait s'amuser. C'était la meilleure façon de commencer la veillée. Des histoires, des souvenirs, et des rires.

Au premier numéro sérieux, Jolie sentit Reece se contracter de nouveau. Il lui serra l'épaule un peu trop fort, révélant son malaise.

Dix ans auparavant, elle n'avait pas saisi les signaux qu'il lui avait envoyés — elle s'en rendait compte à présent. Elle n'avait pas su l'aider à se remettre de la mort de son père. Pourtant, à l'époque, elle croyait être arrivée à le comprendre. Mais si cela avait été le cas, il ne serait pas en train de souffrir.

Elle aussi avait perdu son père — ou plutôt, elle avait été abandonnée par lui. Le résultat avait été le même, mais elle avait surmonté sa peine. C'était la seule façon d'aller de l'avant : traverser les mauvais moments, jusqu'à ce qu'ils redeviennent meilleurs.

La réaction de Reece à la sciure avait été une révélation pour elle. Lorsque le caractère de Reece avait changé après la mort de son père, elle avait cru qu'il était plein de colère — c'était la seule émotion qu'il l'avait autorisée à voir jusque récemment, quand il lui avait fait cet aveu inattendu.

Elle lui jeta un coup d'œil à la dérobée : son profil, éclairé par les projecteurs, faisait ressortir ses mâchoires contractées. Mais le plus révélateur était son air extrêmement concentré. Il ne semblait même pas s'apercevoir qu'elle l'observait.

Tout le monde avait vu son chagrin, à la mort de son père, mais elle-même ne s'était pas rendu compte de l'étendue du traumatisme — jusqu'à maintenant.

Elle lui toucha le bras pour attirer son attention.

— Si je te dis un secret, tu me promets de n'en parler à personne ?

— Pas maintenant. Plus tard.

Soudain, elle éprouva une envie irrésistible de le protéger. De l'aider. Sa colère envers lui était toujours là et toujours légitime — il avait agi de façon complètement stupide en les rayant tous de sa vie comme il l'avait fait. Et elle n'avait aucun doute qu'il recommencerait quand cela l'arrangerait. Mais à présent, elle le comprenait un peu mieux.

L'abandon de son père l'avait poussée à rechercher la sécurité au sein du cirque, alors que, pour Reece, la mort du sien l'avait convaincu qu'il n'y trouverait aucune sécurité.

La veillée se prolongea toute la nuit, jusqu'au matin. On porta des toasts, on raconta des histoires, on rendit des hommages. Et personne ne fut critiqué.

Reece fit la connaissance d'un nouveau demi-frère : un garçon de quinze ans, Anthony. Il était arrivé à la ferme Bohannon en tant que pupille de la nation, dans le cadre de leur programme d'adoption d'enfants en difficulté. Anthony sut aussitôt se faire aimer de lui.

A la fin de la veillée, Reece se retrouva dehors avec Jolie et la prit par la main. Ils marchèrent lentement en direction de sa caravane, puis continuèrent en se tenant par la taille.

Elle monta les marches et se tourna vers lui. La façon dont elle abaissa les yeux sur sa bouche avant de le regarder était une invitation suffisamment éloquente.

Sans un mot, il l'enlaça et l'embrassa, avec le même désir qu'il avait toujours éprouvé pour elle. Aussitôt elle écarta ses lèvres douces pour accueillir sa langue.

Personne n'avait le même goût que Jolie. Et personne n'embrassait comme elle. Lorsqu'ils s'arrêtèrent pour reprendre leur souffle, ils restèrent un instant dans les bras l'un de l'autre, sans bouger.

— C'est une mauvaise idée, dit-elle enfin, mordillant ses lèvres gonflées.

Il secoua la tête.

— Une bonne idée.

— Non. Très mauvaise…

Cette fois, ce fut elle qui chercha ses lèvres. Puis elle défit les boutons de la veste qu'elle avait gardée sur ses épaules et se pressa contre lui.

Il poussa un soupir de désir. Le tissu léger de sa robe ne lui laissait plus grand-chose à imaginer.

Il avait envie de la sentir, de la toucher. Partout.

5.

Jolie glissa la langue dans sa bouche, et Reece étouffa un grognement.

A tâtons, elle chercha la poignée de la porte dans son dos et l'entrouvrit.

— Je ne sais pas si je dois te laisser entrer.

— Invite-moi. Je sais très bien me tenir.

Aussitôt, ils furent à l'intérieur de la caravane.

— C'est que… J'ai établi des règles, dit-elle, tandis qu'il refermait la porte derrière lui.

— J'aime les règles.

Dans un moment pareil, il aurait dit qu'il aimait n'importe quoi. Il laissa tomber sa veste par terre, glissa un bras autour de sa taille et l'attira contre lui.

Sans hésiter, elle l'embrassa de nouveau. Il s'assit sur la banquette et la prit sur ses genoux, pour qu'elle n'ait aucun doute sur l'intensité de son désir pour elle.

— J'ai des règles, dit-elle de nouveau en fourrant les doigts dans ses cheveux.

A cet instant, il vit une lueur dans ses yeux. Elle semblait au bord de la panique.

— Quelles règles ? demanda-t-il doucement.

— Des règles à propos des hommes, dit-elle d'une voix mal assurée. Je ne coucherai pas avec toi.

— Entendu.

Lui prenant les mains, il la fit asseoir à côté de lui.

— Veux-tu que je parte ?

— Je ne sais pas.

— As-tu mal quelque part ?

— Je vais bien.

Il prit une longue inspiration et la regarda.

— J'aimerais savoir ce que tu penses vraiment, parce que… Il y a une minute, nous étions sur la même longueur d'onde. Et puis tu as commencé à paniquer.

— Mes vêtements sont encore humides.

— Veux-tu te changer avant qu'on parle ?

Elle hocha la tête.

— Et toi ? Je n'ai pas grand-chose qui pourrait t'aller, mais dans le camping-car…

— Je reste là, je t'attends. Je voudrais te parler, m'assurer que tu vas bien. Et profiter ainsi au maximum de notre trêve.

Elle alla dans le coin opposé de la caravane et lui tourna le dos pour retirer ses dessous. Difficile de trouver un peu d'intimité dans aussi peu d'espace. Elle tourna la tête pour savoir s'il la regardait.

Evidemment.

— Ferme les yeux.

— Je te connais déjà par cœur.

— S'il te plaît, n'insiste pas.

Il s'exécuta, et elle regagna bientôt la banquette avec une nouvelle petite robe rose, un peu réchauffée et plus maîtresse d'elle-même.

Elle n'avait peut-être pas beaucoup changé depuis la dernière fois que Reece l'avait vue, mais lui, si. Ce n'était vraiment pas juste, se dit-elle.

— Qu'est-ce que c'est que tout ce rose ? lui demanda-t-il. Tu sembles en porter beaucoup, maintenant.

— J'aime cette couleur.

Sur sa banquette, il occupait presque toute la place et avait l'air un peu mal à l'aise. Il n'était pas en colère : il n'avait pas les mâchoires serrées. Mais il avait de nouveau cette expression très concentrée.

Il la regarda longuement.

— Tu rougis plus facilement qu'avant, dit-il. Parle-moi donc de tes règles concernant les hommes.

Ah oui ! Ça…

— Je n'ai pas besoin d'eux dans ma vie, en dehors de ceux de ma famille.

— Donc, tu ne fréquentes personne ?

— Personne.

— Cela dure depuis longtemps ?

Elle poussa un soupir.

— Suffisamment. Je n'ai pas besoin de fréquenter quelqu'un. Et honnêtement, il n'y a pas eu beaucoup d'occasions avec le cirque. Nous avons invité quelques artistes, maman a épousé l'un d'eux et voyage maintenant avec une autre famille du cirque. Je n'ai pas voulu les suivre. A présent, je me rends compte que, puisqu'on ne sera plus sur les routes, ce serait peut-être plus facile d'avoir une relation stable. Mais je ne fréquente pas non plus de sites de rencontres. Je suis très bien comme ça.

Il s'étira en arrière en secouant la tête, ses yeux bleus toujours fixés sur elle.

— A d'autres ! Tu ne me feras pas croire ça. Quand on a envie de rester seule, on n'embrasse pas comme tu m'as embrassé. Et j'ai une très bonne mémoire.

C'était étrange d'avoir cette conversation, alors qu'elle n'avait jamais parlé à quiconque de sa vie amoureuse.

— Dans ce cas, tu n'as pas dû oublier comment cela s'est passé pour nous sur le plan sexuel, répondit-elle.

— Crois-moi, je m'en souviens très bien. Mon ego en prend un coup, chaque fois que j'y pense. Je suis sûrement la pire expérience que tu aies jamais faite.

Elle rougit, et il fronça les sourcils.

— Est-ce que je suis ton unique expérience ?

— Cela ne te regarde pas.

— Si. En plus, je t'ai définitivement dégoûtée du sexe…, dit Reece.

Certes, il n'avait pas envie d'entendre qu'elle avait été avec quelqu'un d'autre. Mais savoir qu'elle n'avait fréquenté personne depuis lui… C'était pire.

— Tu n'en as pas envie ?

— J'ai des envies comme tout le monde, c'est juste que je n'ai pas besoin d'un homme pour…

— Pour atteindre l'orgasme, tu veux dire.

Il s'efforça de contenir son imagination car, soudain, la conversation avait pris un tour intéressant.

— Je me débrouille très bien toute seule, dit-elle.

Quelques images lui vinrent à l'esprit, sur lesquelles il se serait volontiers arrêté.

Du calme. Il cherchait simplement à mieux la comprendre, pour pouvoir éventuellement l'aider. Le but n'était pas qu'il parte en vrille.

Elle releva le menton avec défi.

— Et je n'ai pas honte de dire que j'ai un sex-toy.

Pour le coup, une avalanche d'images lui vint à l'esprit. Stop.

— Tout de même, c'est autre chose quand c'est un homme qui s'occupe de toi, dit-il.

— Oh ! ça ne doit pas être si différent que ça… En tout cas, cela me satisfait.

Elle avait beau crâner, elle était devenue écarlate.

— Oh ! Jolie… Tu te trompes. Ou alors, tu le fais exprès pour me torturer, parce que tu cherches à te venger de la façon dont… Alors, d'après toi, cela ne ferait pas de différence si c'était moi, par exemple, qui manipulais ton… vibromasseur ?

— Il ne vibre pas. C'est un pénis en silicone, et c'est très bien comme ça.

Quel genre de femme pouvait croire une chose pareille ? Celle qu'il avait déçue il y avait dix ans.

— Bon, d'accord.

— Quoi ?

— Va chercher ton… pénis récréatif.

Elle laissa échapper un rire incrédule.

— Tu plaisantes ?

— Non. Je crois que tu bluffes. Tu me fais marcher.

— Pas du tout ! Mais ce serait une mauvaise idée de coucher ensemble.

— Tu as raison. D'ailleurs, je n'ai pas de préservatifs sur moi et, d'après ce que tu viens de me dire, tu n'en as pas non plus.

— En effet.

— Va le chercher… Je te promets…

Elle avait toujours été du genre à relever les défis. Il n'aurait sans doute pas dû la provoquer sur le plan sexuel, mais il était si frustré par tout ce qu'il venait d'entendre. Il fallait absolument qu'il lui ouvre les yeux. Peut-être pourrait-il se rattraper un peu par la même occasion.

Jolie fixa Reece un instant, puis son regard s'abaissa involontairement sur son pantalon.

— Est-ce que tu peux me jurer que tu n'essaieras pas de coucher avec moi ?

— Je te le promets. Je saurai me contrôler.

Elle réfléchit un instant, pesant le pour et le contre.

Pour : il allait souffrir un peu, ce serait très frustrant pour lui. Et ce ne serait que justice. Après tout, il lui avait pris sa virginité avant de paniquer et de s'enfuir pour ne plus revenir.

Contre : il risquait de ne pas tenir sa promesse — ce ne serait pas la première fois. Et si elle se retrouvait avec un petit Bohannon dans un proche avenir ? En fait, ce ne serait pas vraiment un inconvénient : elle adorait les enfants. Mais la perspective d'être de nouveau abandonnée par Reece ne l'enchantait guère.

Tout cela faisait trop d'émotions à la fois, d'autant plus qu'il y avait encore en elle ce désir d'être embrassée. Quelle était la règle n° 3, déjà ? Une émotion à la fois.

— Entendu, dit-elle enfin. Mais que ce soit bien clair :

même si tu en as très envie, on ne fera pas l'amour. Et je ne toucherai pas ton sexe.

— Je ne te le demanderai pas. Je tiens juste à te prouver que j'ai raison et que le sexe, c'est meilleur avec un partenaire qu'avec un bout de silicone, même si on ne couche pas ensemble.

Il se leva, la souleva de la banquette et se dirigea vers le lit.

— Il faut vraiment que tu arrêtes de me trimballer dans tes bras pour un oui ou pour un non, dit-elle entre ses dents. Tu n'es pas un homme des cavernes, tout de même.

Il la reposa au pied du lit et entreprit de se débarrasser de ses vêtements.

— Ne reste pas là, va chercher le sex-toy. Est-ce qu'il a un nom ?

— Bien sûr que non, quelle idée ! dit-elle en se dirigeant vers la table de nuit.

Puis elle se tourna vers lui.

— Garde ton caleçon, dit-elle d'un ton autoritaire.

Il s'était déshabillé sans l'ombre d'une hésitation, mais ce fut plus difficile pour elle. Son audace menaça même de l'abandonner quand il ne lui resta plus que ses dessous.

Ce n'était pas le genre de défi qu'elle s'était attendue à relever. Mais elle avait encore sur les lèvres le goût des lèvres de Reece, et à la mémoire le contact de ses mains chaudes sur elle. A la perspective de se retrouver peau contre peau avec lui, de sentir son grand corps contre le sien, elle sentit s'éveiller un désir qu'elle n'avait pas éprouvé depuis longtemps.

A n'en pas douter, il était complètement concentré sur elle : il avait les pupilles dilatées et la bouche entrouverte. Dix années s'étaient écoulées et son visage avait peut-être changé, mais elle pouvait encore reconnaître le désir chez lui — et il avait toujours envie d'elle.

Naturellement, il avait dû poser ce même regard sur bon nombre de femmes depuis qu'il l'avait quittée. Demain, cela lui reviendrait avec une redoutable clarté. Mais pour l'instant, c'était elle qu'il voulait. Et personne d'autre.

Il lui devait bien cette soirée. Quant à lui, méritait-il vraiment de souffrir ?

— Approche-toi, dit-il.

Il lui tendit la main. Quand elle s'assit à côté de lui, seins nus, il abaissa son visage vers le sien.

Elle allait probablement regretter tout cela dès le lendemain matin. Mais pour l'instant, il y avait en elle un mélange de curiosité et d'incrédulité. Quelque part, elle aurait aimé qu'il ait raison.

Il se mit à respirer plus vite, et elle sentit les battements de son propre cœur s'accélérer. Une sorte de signal d'alarme se mettait en route. Elle choisit de l'ignorer.

Déjà, il avait posé les mains sur elle, et elle eut cette drôle de sensation au creux du ventre…

Ils s'allongèrent sur le lit. Quand les poils de son torse frôlèrent sa peau, elle eut la surprise de sentir ses seins se durcir. Il n'avait pas commencé à la toucher que son corps réagissait déjà. Elle enfonça les doigts dans ses cheveux, inhabituellement longs pour un homme, d'un blond presque roux, et il chercha sa bouche.

Elle avait besoin d'air. Son cœur battait trop vite et trop fort. Dès que leurs lèvres s'écartèrent, elle respira profondément à plusieurs reprises, les yeux toujours fixés sur les siens.

Il n'allait pas tenir sa promesse. Il était comme cela. Les muscles tendus de ses bras et de son dos indiquaient qu'il se contenait, mais cela ne durerait pas. Il allait au moins essayer. Et, pour la première fois, elle était presque certaine qu'elle le laisserait faire.

S'efforçant de calmer les réactions de son corps, elle ferma les yeux, pour les rouvrir presque aussitôt en sentant la main chaude de Reece se glisser entre ses cuisses.

— Mais… Ce n'est pas M. Satisfaction !

Il eut un bref sourire, elle venait de révéler le nom de son jouet. Puis il redevint sérieux et ne quitta pas ses yeux.

— Je voudrais juste m'assurer… que tu es prête.

Tandis qu'il la caressait longuement de ses doigts manifestement devenus experts, elle laissa échapper un gémissement de volupté, se rappelant vaguement qu'elle était censée comparer le plaisir qu'il lui donnait avec celui qu'elle prenait seule. Mais elle n'était plus capable de penser.

Il respirait de plus en plus fort. Sans aucun doute, il souffrait, et elle n'en retirait aucune joie, car l'intense désir qui s'était éveillé en elle était lui aussi presque une souffrance. Il n'avait jamais été aussi fort, pas même la première fois, quand ils avaient commencé à faire l'amour. Il avait… eu un problème et joui presque immédiatement.

Il retira sa main, puis M. Satisfaction chercha à entrer, tandis que Reece la dévorait des yeux. Avant même que le sex-toy ne la pénètre, elle sut qu'elle aurait son plus bel orgasme. Il se mit à faire aller et venir le faux pénis — d'abord lentement, puis plus vite — ajustant sa position d'après les soupirs de plaisir qu'elle laissait échapper.

Mais ce n'était pas suffisant. M. Satisfaction n'était que le pâle substitut de ce qu'elle voulait vraiment. Elle avait envie de sentir la chaleur de Reece entre ses jambes, de faire onduler les muscles du bas de son dos tandis qu'il évoluait en elle… Et elle avait envie qu'il ait du plaisir.

— Enlève ça, fit-elle d'une voix désespérée.

Il s'arrêta aussitôt, haletant.

— C'est toi que je veux, dit-elle, cherchant son souffle.

Il ferma les yeux et secoua la tête, puis sa main reprit son mouvement de va-et-vient.

— Je t'ai fait une promesse, dit-il.

Rouvrant les yeux, il la regarda.

— Je te sens trembler. Ne lutte pas, laisse-toi aller. Tu en as besoin, et moi aussi. Je ne romprai plus jamais une promesse, Jolie, dit-il. Quoi que cela me coûte.

Il tenait donc à respecter son engagement envers elle ? Elle ne s'était jamais sentie aussi importante aux yeux de quelqu'un.

*
* *

Quand elle atteignit l'orgasme, son corps se cabra, mais ses yeux restèrent rivés à ceux de Reece. Elle ne l'avait pas vraiment cru capable de tenir sa promesse : il pouvait le voir au pli qui s'était formé entre ses sourcils.

Elle s'était attendue qu'il crie victoire, mais elle ne vit aucune lueur de triomphe dans son regard torturé. Il ne chercha même pas à la taquiner. Pas de : « Tu vois, je te l'avais dit. »

Quand il retira le sex-toy, sa main tremblait. Il l'attira contre lui et enfouit son visage dans ses cheveux en soupirant, tandis qu'elle sentait son érection contre ses fesses. Mais il ne fit rien pour se soulager. Ils restèrent simplement ainsi, le temps que leurs deux cœurs reprennent un rythme normal.

Elle fut la première à craquer. Même si elle lui en voulait pour le passé, à cet instant elle avait simplement envie qu'il ressente lui aussi ce qu'elle avait ressenti.

— J'ai envie de te toucher, dit-elle.

— Non. Plus de promesse rompue, ni maintenant ni jamais.

Il réprima un tremblement mais, incapable sans doute de supporter plus longtemps la chaleur de son corps, il la lâcha et roula sur le dos, avant de s'asseoir au pied du lit et de chercher ses vêtements.

— Tu t'en vas ?

— Je préfère éviter la tentation, dit-il en enfilant son pantalon, qui avait du mal à cacher son impressionnante érection.

Elle n'avait pas encore pris le temps de l'admirer, mais il était vraiment resté dans une forme magnifique depuis son départ du cirque.

— Tu avais raison, dit-elle dans un murmure.

— On en parlera demain.

Il finit de s'habiller à la hâte, mais prit le temps de s'arrêter pour la regarder.

— Est-ce que ça va ? demanda-t-il avec un petit sourire triste.

Elle hocha la tête en remontant le drap sur son corps — autant pour lui que pour elle.

Il se pencha et lui embrassa les cheveux, puis il sortit. Elle se blottit à l'endroit où il s'était couché, cherchant sa chaleur, et remonta les couvertures.

S'il était resté fidèle à ses habitudes, elle ne le reverrait que quand il reviendrait vendre le matériel.

Des coups frappés à sa porte tirèrent Reece d'un sommeil chaotique. Il se leva d'un pas hésitant et trouva grand-mère Bohannon sur le palier.

— Prends ton attirail de médecin, lui dit-elle sans préambule. Un de mes gars est blessé.

— Qu'est-ce qu'il a ?

— Il est tombé et a le bras dans une drôle de position. Je ne sais pas s'il est cassé, mais il ne peut plus se relever tellement il a mal. Je lui avais pourtant bien dit de ne pas s'approcher du matériel, mais il écoute aussi bien que mon cinquième mari !

Conduit à vive allure par une grand-mère de quatre-vingt-dix ans qui ne cessait de maugréer, le 4x4 déposa Reece devant la grange. Plusieurs personnes entouraient un garçon d'une quinzaine d'années qui sanglotait de douleur, appuyé contre un poteau, le visage couleur de cendre.

Jolie était agenouillée près de lui, l'aidant à maintenir son bras sur son torse. Ils étaient donc d'abord allés la trouver ?

Elle lui jeta un coup d'œil et rougit. Sachant à quoi elle pensait, il eut du mal à se concentrer.

— Il s'est déboîté l'épaule, dit-elle. Luxation antérieure de l'humérus.

Reece s'accroupit près du garçon, et un rapide examen confirma le diagnostic de Jolie.

— Comment le sais-tu ? demanda-t-il, étonné tout de même.

— Si c'était plus grave, une entorse ou une fracture, ce serait beaucoup plus enflé, et il y aurait déjà des bleus.

— Bien observé.

— J'ai une certaine expérience de ce genre de blessure, répondit-elle simplement.

— Tu t'es déjà luxé l'épaule ?

Elle hocha la tête sans le regarder. Oui, la vie au cirque était dangereuse, même si elle aimait prétendre le contraire.

— Ça doit faire mal…

Il reporta son attention sur le garçon, dont la respiration s'accéléra quand il détacha son bras de son torse et se mit à le bouger légèrement. Il était visiblement plein d'appréhension.

Jolie alla s'asseoir de l'autre côté de l'adolescent.

— Regarde-moi, Sam. Tu as horriblement mal, je sais. Et tu vas souffrir encore plus, juste pendant quelques secondes. Imagine que tu mets toute cette douleur dans un ballon et qu'on lui donne un coup de pied. Ce coup va faire mal… mais ensuite, ce sera fini, tu te sentiras tellement mieux. A présent, il faut te détendre et faire ce que Reece te dira. D'accord ?

Tant pis pour le discours habituel de Reece, qui se résumait à : « Cela ne va pas être agréable pendant quelques secondes. »

— Je vais essayer, répondit Sam.

— Garde les yeux sur moi, dit Jolie en lui tournant la tête vers elle.

Reece n'avait encore remis qu'une seule luxation de l'épaule en place, mais il avait précisément gardé les gestes à la mémoire. Lentement, il souleva le bras et le fit tourner, provoquant un hurlement chez le garçon. Mais la tête de l'humérus était remise en place.

— Respire, Sam. C'est terminé, dit-elle doucement.

Grand-mère tendit une bouteille d'eau à Reece, qui la remercia d'un sourire avant de la passer au garçon.

— Bois, ça te fera du bien.

En quelques secondes, le visage de Sam retrouva des couleurs.

— Alors, ça va mieux ? demanda Reece. La prochaine fois que grand-mère te dira de ne pas grimper sur le matériel, je suppose que…

— Je l'écouterai, marmonna Sam.

— Je vais chercher la voiture, dit grand-mère en le faisant asseoir sur une chaise. Je reviens tout de suite.

— Si vous pouviez trouver une attelle, ou quelque chose d'approchant…, fit Reece.

Jolie resta près du garçon, et Reece leur donna quelques conseils à suivre pour les premiers jours. Sam ne les retiendrait peut-être pas, mais il pouvait compter sur Jolie.

— Tu te débrouilles bien avec les enfants, lui dit-il.

Grand-mère fut rapidement de retour avec une attelle et les emmena en voiture jusqu'à la maison. Sam était assis devant, lui et Jolie à l'arrière.

— J'aime ces gamins, dit enfin Jolie, comme pour répondre à sa remarque. Eux aussi ont été malmenés par le monde extérieur. Cela leur fait du bien d'être ici, avec nous.

Elle n'aimait vraiment pas la vie hors du cirque, c'était chaque jour plus évident.

— Mais je suppose que, dans ton métier, tu dois souvent observer ce genre de chose, dit-elle. Peut-être que l'on s'endurcit et que, à la longue, on s'y habitue.

Elle sentait bon… La libido de Reece — qui n'était pas vraiment revenue à la normale depuis la veille — se réveilla tout à fait, et il se rappela le lit en désordre, le contact de sa peau, son odeur…

A l'arrivée, plusieurs membres de la compagnie les attendaient sous le porche.

— On est ici pour voir le médecin, dit l'un d'eux.

Reece compta rapidement : huit nouveaux patients l'attendaient.

— J'ai fait de la place dedans, dit grand-mère en l'entraînant à l'intérieur. Avant c'était la lingerie, mais on l'a déplacée depuis.

Quand il se retourna pour dire à Jolie qu'il voulait lui parler ensuite, elle était déjà loin.

Plus tard, il la rejoindrait. Pour l'instant, il devait s'occuper d'autres membres de la famille.

Pour la première fois depuis qu'il était de retour dans leurs vies, Reece eut l'impression de faire son travail. Cette sensation si agréable durerait jusqu'à ce qu'il redevienne un être sans cœur aux yeux de la troupe, quand il dirait non à Jolie pour son projet de camp, détruisant les liens qu'ils avaient rétablis tout récemment.

Mais une trêve ne pouvait qu'être limitée dans le temps.

6.

Reece prit le temps d'enregistrer le passé médical de la dernière génération d'artistes du cirque. Puis, ayant encore en tête la liste considérable de leurs problèmes de santé, liés à la profession, il partit à la recherche de Jolie.

Si la veillée funèbre avait pu le faire douter de sa décision, les colonnes vertébrales déformées et les articulations sans cartilage qu'il avait observées chez ses nouveaux patients balayèrent ces doutes.

Il trouva Jolie en suivant la musique qui s'échappait du grand chapiteau. Elle était perchée sur un câble tendu entre deux poteaux, à au moins trois mètres cinquante du sol.

Il reconnut les ballerines de cuir souple qu'elle portait pour les avoir déjà vues chez d'autres danseuses sur câble, mais les protections qu'il remarqua sur les paumes de ses mains étaient quelque chose de nouveau pour lui.

Un solo de guitare, lent et sensuel, s'échappa d'un haut-parleur invisible, mais il s'arrêta alors que le pied de Jolie venait de glisser sur le fil. Elle tourna la tête en direction de la musique et perdit l'équilibre.

Reece courait déjà vers elle quand il se rendit compte qu'elle n'était pas tombée et n'avait donc pas atterri sur les tapis disposés au-dessous — heureusement, il y avait les tapis.

Elle avait apparemment gardé d'excellents réflexes : elle avait réussi à se raccrocher au câble et était en train de remonter. C'était peut-être à cela que servaient les protections aux mains.

En quelques pas bondissants, elle couvrit la longueur

du câble et gagna l'une des plates-formes, où elle s'empara d'une télécommande. Le solo de guitare reprit, et elle repartit dans l'autre sens.

Tout cela n'était qu'un entraînement. La routine. Quelque part — par curiosité, et parce qu'il y avait des tapis par terre — il trouva la force de rester la regarder, alors qu'il n'avait qu'une envie : qu'elle descende sur la terre ferme, où il n'y avait aucun danger.

Le corps de Jolie se mit à onduler avec grâce — le genre de mouvements sensuels que l'on se serait attendu à voir lors d'un strip-tease ou d'une danse du ventre. Les évolutions sexy n'avaient pas cours dans les cirques américains. Mais si elle était capable de bouger comme cela, elle pouvait changer le cours des choses… Ce côté sensuel était nouveau chez elle.

Il retourna dans l'ombre pour la regarder évoluer. Il n'y avait personne d'autre sous le chapiteau. Soudain, le rythme de la musique changea, et elle se mit à exécuter une série de sauts à couper le souffle, faisant des bonds très hauts et pliant le câble en se réceptionnant — une performance comme il avait pu en voir chez les gymnastes de haut niveau. Il était tétanisé.

« Au moins, si elle tombe, il y a les tapis », se répétait-il comme un mantra.

Il comprit à quoi servaient les protections quand il la vit tourner autour du câble. Puis, elle le lâcha et sauta sur les tapis, se réceptionnant avec une roulade.

C'était une nouvelle expérience pour lui : il pouvait être à la fois terrifié et enthousiaste. Même s'il ne tenait pas particulièrement à l'admettre.

Il y avait une chose qu'il voulait bien reconnaître, bien qu'il lui en coûtât : Jolie était toujours une artiste, et elle avait fait ce qu'il fallait pour le rester. Personne ne pouvait conserver un tel niveau sans avoir eu envie de continuer — et sans s'être sérieusement entraîné.

Sauf lui. Il ne désirait plus se produire sur la piste, mais voulait conserver la forme qu'il aurait eue s'il n'était pas parti. Peut-être Jolie avait-elle le même besoin, et son désir de créer un camp était-il aussi un moyen de le satisfaire.

Elle devait se croire seule sous le chapiteau et souriait. En fait, elle rayonnait littéralement.

— Je croyais que tu allais m'interrompre, dit Jolie.

Elle ôta les protections attachées à ses poignets, avant de regarder du côté où Reece s'était tapi dans l'ombre.

— Je ne pensais pas que tu m'avais vu.

Il s'avança dans la lumière et alla s'asseoir au bord de la piste.

— Quand la musique s'est arrêtée, cela t'a fait vaciller. Et quand tu fais des sauts, tu n'es pas étourdie ?

— Je dois avoir un problème d'oreille interne.

Il fronça les sourcils, et elle se mit à rire.

— Je plaisante. En fait, je ne sais pas pourquoi je n'ai plus d'étourdissements. J'ai continué à m'entraîner malgré eux, et cela va mieux.

Il hocha la tête.

— J'ai lu quelque part que certains danseurs de ballet entraînaient leur esprit à ignorer les signaux d'étourdissement de l'oreille interne. C'est peut-être quelque chose comme ça.

Mais il n'avait pas l'air encore tout à fait remis de ses émotions.

— A propos, comment va ton bras ? demanda-t-il.

— Encore un peu douloureux, mais c'est supportable.

— Tu devrais te faire faire une radio.

Il lui prit le bras et laissa courir son pouce sur les traces de la morsure, lui donnant la chair de poule. Même les pointes de ses seins se dressèrent, et elle se demanda s'il ne s'en était pas aperçu, car il détourna le regard vers le câble.

— Les mouvements de danse étaient… très sexy. Mais quand tu as sauté du câble, tu m'as fait la peur de ma vie.

— Tu as bien vu qu'il y avait des tapis. Et j'ai diminué

la dimension sexy du numéro. A quoi bon jouer avec toutes ces émotions, s'il n'y a personne pour regarder ?

— J'étais là, moi…

Elle sourit en repliant le bras qu'il examinait.

— On dirait que tu as quelque chose en tête…, dit-elle.

Il sourit à son tour.

— En effet.

Ses yeux se fixèrent sur sa bouche.

— Il y a une chose que j'aimerais faire plutôt que de parler.

Il fondit sur sa bouche et la prit dans ses bras avant de la déposer sur les tapis et de la recouvrir de son grand corps.

On pouvait s'embrasser sans avoir à échanger des vœux éternels. Il ne resterait pas toujours, elle le savait. Il la quitterait de nouveau. Les baisers qu'ils auraient échangés — et même s'ils faisaient l'amour —, tout cela ne signifierait rien pour lui quand il aurait décidé de repartir.

Ils ne devaient pas aller trop loin. Il fallait qu'elle s'arrête avant que son cerveau ne soit complètement dirigé par ses hormones en folie.

Mais pas tout de suite.

C'était l'heure de la sieste à côté de Gordy. Certains pouvaient penser que les écuries étaient le dernier endroit où l'on aurait envie de dormir, à cause de l'odeur, mais Jolie n'était pas d'accord.

D'abord, il ne fallait pas laisser les cheveux piétiner leurs excréments : les stalles étaient tenues propres. L'odeur la plus forte était celle du foin, sauf quand les chevaux revenaient de dehors en sueur — ce qui était très rare.

Quelqu'un interrompit sa sieste en entrant dans la stalle. Elle sut qui c'était avant même d'ouvrir les yeux.

— Reece.

Elle retira le masque noir qu'elle avait posé sur ses yeux et contempla un instant son impressionnante silhouette.

— Sérieusement, quand t'es-tu développé comme ça ? Tu es aussi costaud qu'un cheval.

Il sourit et elle se redressa, cherchant ses bottes.

— Que puis-je pour toi ? demanda-t-elle.

— J'ai pensé qu'on pourrait faire une balade à cheval.

— Cette fois, tu viens en milieu de semaine, c'est nouveau pour toi. Quelque chose me dit que ce n'est pas tout.

Il hocha la tête.

— Il faudrait qu'on parle.

— Et tu penses qu'on parlera mieux à dos de cheval ?

— Cela nous fera du bien de prendre l'air. Mais d'abord, je voudrais voir comment va Gordy.

Le petit cheval était endormi. Reece s'écarta pour la laisser sortir de la stalle, puis rentra jeter un coup d'œil au plâtre qui maintenant l'antérieur de Gordy en place.

— Je lui donne encore des analgésiques, dit-elle en l'observant depuis la porte. Et parfois un sédatif pour qu'il soit plus détendu. Je ne suis pas sûre qu'il en ait besoin, il est plutôt de bonne humeur, mais il doit moins avoir envie de marcher. Il continue à se cabrer pour essayer de sortir du harnais de soutien, mais celui du vétérinaire est solide, et il abandonne rapidement.

— Il a toujours des problèmes intestinaux ?

— Plus du tout. Les gamins nettoient souvent la stalle, et en profitent pour lui donner des pommes.

— J'allais justement te parler d'eux. Combien y en a-t-il ? demanda Reece en ressortant de la stalle.

— Sept.

N'y tenant plus, elle se planta devant lui, les poings sur les hanches.

— Je n'ai pas envie de faire une balade à cheval. J'ai chaud, je suis fatiguée et, qui plus est, de mauvais poil. Car je suis pratiquement sûre que tu es venu me dire quelque chose que je n'ai pas envie d'entendre. Mais je suppose que je devrais t'être reconnaissante de venir me prévenir en personne.

— Jo…

Elle se tut et le regarda, attendant qu'il se décide.

Avec un soupir, il lui désigna un banc.

— Je ne veux pas m'asseoir, dit-elle d'un ton ferme. C'est comme ça qu'on vous a appris à annoncer les mauvaises nouvelles, à l'école de médecine ?

Sous son air impassible, Reece semblait plus sensible qu'il ne l'aurait voulu. Il fit un geste vers elle, comme s'il s'apprêtait à la soulever pour l'asseoir de force, mais il se retint. Les vieilles habitudes avaient la vie dure.

— Bon. C'est moi qui vais m'asseoir, dit-il. Tu n'as qu'à rester debout.

Croisant les bras sur sa poitrine, elle attendit.

— Je ne peux pas soutenir ton projet de camp, dit-il sans préambule, allant directement au cœur du sujet. Il n'est pas sans risques. Je comprends pourquoi tu veux le faire, et j'apprécie que tu veuilles garder Keigthly intact et prendre soin de tout le monde, mais ce n'est pas la bonne façon.

— Parce que tu ne crois pas que j'en suis capable.

— Honnêtement, je n'en sais rien, mais ce n'est pas pour ça que j'en suis arrivé à cette conclusion.

Il fronça les sourcils, ce qui lui donnait un air sérieux d'homme torturé, obligé de prendre des décisions difficiles pour le bien de tous ces gens incapables de prendre soin d'eux-mêmes.

— Tu t'en sortirais peut-être très bien, dit-il. Mais le vrai problème, c'est le danger. Il pourrait y avoir des blessés. Et puis, tu gâcherais ton talent.

Ainsi donc, il prétendait se préoccuper de ce qui était le mieux pour elle. Cet homme était décidément plein de contradictions.

— Je ne veux pas me produire sur la piste, dit-elle en marmonnant. Je veux être ici, avec les membres de ma famille, et prendre soin d'eux. Je veux préserver nos traditions et notre mode de vie. On peut le faire ici, sans être sur les routes.

Certes, elle aimait faire partie du spectacle, mais ce n'était pas ce qui comptait le plus dans sa vie. C'était sa famille qui importait. Même si Reece n'y attachait plus d'importance.

— Tu n'es pas honnête envers toi-même, dit-il. Je t'ai

vue sur la piste. Tu rayonnais. Je sais que cela a toujours été ton rêve.

— Je n'ai plus le même rêve. J'avais seize ans. Maintenant, mon rêve...

Quel était-il ? Le camp. Et aussi...

— Mon rêve, ce serait que tout reste comme c'était, fit-elle. Mais cela n'arrivera pas. Alors je rêve d'agir le mieux possible pour tout le monde. Et le camp est une bonne idée. C'est même une grande idée. Tu t'imagines que tout le monde va s'arrêter et prendre sa retraite, mais c'est mal les connaître. Ils veulent continuer. Pourtant, ils écouteront ce que tu leur diras et ne feront pas d'histoires. Parce que, quand ils te regardent, ils voient Henry Keightly, le patron — un homme que tout le monde aimait et respectait, et qui a tout fait pour sa famille.

Elle poussa un long soupir.

— Moi, quand je te regarde, je vois... des promesses non tenues et une obsession du contrôle.

— Des promesses non tenues ? demanda-t-il, croisant les bras à son tour. Je peux savoir ce que j'ai fait de travers récemment ?

— Ce ne sont pas quelques semaines de bonne conduite qui effaceront toute une décennie d'erreurs. Je ne suis pas idiote, je sais que tu es ici pour l'instant et que tu es en contact avec tout le monde. Mais dès que tu auras décidé d'aller ailleurs, tu repartiras sans te retourner. Je me souviens très bien de cette facette de toi. Veux-tu que je te dise comment c'était ? Parce que je peux te raconter en détail le temps qu'il m'a fallu pour renoncer à toi.

Il ne répondit pas, mais ses lèvres se pincèrent.

— Tu as voulu qu'aucun de nous ne fasse partie de ta vie, jusqu'à ce que tu sois en mesure de revenir pour nous contrôler, dit-elle d'un ton accusateur. Et à moins de faire ce que tu dis, personne n'est accepté dans ta vie. Tu es comme ça. C'est sans doute la raison pour laquelle tu as voulu devenir médecin, afin que les gens te paient pour que tu leur dises ce qu'ils doivent faire.

— C'est faux.

La voix de Reece était calme. Elle connaissait bien ce ton. Autrefois, plus elle parlait fort et s'énervait, plus il devenait calme.

— Je viens d'acheter un cabinet médical à un quart d'heure d'ici et je vais m'y installer, dit-il.

— Et tout le monde ici devra obéir à tes ordres. Excepté moi. Alors, quelle est la solution ? Que je me cherche un autre cirque, parce qu'il paraît que je dois me produire sous un chapiteau ! Comment dois-je le prendre, que tu te soucies de la sécurité de tout le monde excepté de la mienne, puisque je dois obligatoirement faire du cirque ?

— Jolie… J'essaie de faire au mieux pour tout le monde. Mais ce qui est bon pour toi ne l'est pas pour les autres. Tu es différente.

— Ah oui ! Comme ça, je suis différente !

— Stop ! dit-il d'une voix autoritaire en se levant, avant de changer de ton. Tu connais la valeur de tout le matériel. Eh bien, j'ai un acheteur. Cela va financer la ferme pour longtemps, permettre de prendre soin des animaux. Les personnes qui s'en occuperont toucheront un salaire. Cela fait beaucoup d'argent.

— Le camp aussi rapporterait de l'argent, répondit-elle. De plus, il permettrait à tout le monde de garder sa fierté au lieu d'être poussé à la retraite.

— Tu ne réfléchis pas correctement, répondit-il. Tu te laisses emporter par tes émotions.

Il contracta les mâchoires.

— Tu dis que ton rêve, c'est que rien ne change ? Comme ça, tu n'aurais pas à te confronter au monde extérieur. En fait, tu veux ce camp pour ne pas avoir à faire vraiment partie de la vie : pas de liens en dehors du cirque, et pas besoin de fréquenter des gens normaux.

— Tu plaisantes ? dit-elle, agacée. Mon projet, c'est d'inviter des étrangers chez moi sur une base quotidienne. Je veux faire tomber le rideau et montrer aux enfants que la magie n'est pas *que* magique ! Qu'avec du travail, ils peuvent faire des choses incroyables.

Elle connaissait parfaitement ce milieu.

— Je mènerai mon projet à bien, quel que soit ton avis.

Il se redressa de toute sa taille.

— Vraiment ?

Nullement impressionnée, elle se sentit soulagée de l'affronter enfin, ce qu'elle aurait dû faire des années auparavant.

— Cette semaine, je vais aller à la banque ! dit-elle avec détermination. Ils font des prêts aux entreprises, et je suis suffisamment intelligente pour en obtenir un. Quoique, avec tous les gens qui nous soutiennent, même si le prêt posait problème, je suis certaine que je pourrais financer le camp en contactant des anciens supporters de Keigthly. Ensuite, j'achèterai le matériel de quelqu'un qui sera moins tyrannique que toi. Le camp ne s'appellera pas Keightly, mais le nom des Bohannon est connu aussi. Celui de Keightly ne sera plus du tout utilisé, de sorte que l'héritage de ta famille ne sera pas terni par mes fantaisies. Certes, il aurait été préférable de garder le nom ainsi que le chapiteau pour les enfants mais, après tout, il y a des écoles de trapèze qui s'installent dehors, et une machinerie indépendante n'est pas si chère que ça.

Il ne broncha pas et continua à la toiser, les bras croisés sur le torse.

— Et tu comptes coller des affiches le long des routes pour faire venir les gens ? Si tu veux attirer du monde, tu devras te rendre dans les écoles pour faire connaître ton idée et aller à la rencontre des parents dans les centres sportifs et de loisirs, tu le sais, n'est-ce pas ? Tu devras aussi t'assurer sur tout…

— Je ne suis pas une recluse, Reece, répondit-elle. Je suis capable de sortir quand il le faut, et je sais parler ! Même si ça ne me plaît pas, je peux le faire. Tu te comportes comme si je te demandais la charité. Mais c'est moi qui t'offre l'opportunité d'honorer deux cents ans d'histoire en m'accompagnant dans une aventure *qui rapporte de l'argent* !

— Tu ne te rends pas compte de la responsabilité que

cela représente. D'accord, cela va peut-être rapporter de l'argent, mais ce matériel est à moi. Même si je ne faisais rien d'autre pour ce camp que fournir des équipements, au bout du compte, c'est à moi que la responsabilité incomberait si quelqu'un était blessé.

Peu à peu, il avait monté le ton. Elle avait finalement touché un point sensible.

— Eh bien, voilà qui est réglé, dit-elle. Je me procurerai le matériel ailleurs. Vas-y, tu n'as qu'à vendre le chapiteau.

Il poussa un grognement de frustration.

— Te rappelles-tu quand mon père est mort ? Je sais que tu n'as pas oublié à quel point c'était terrible. Pour l'amour du ciel, si Gordy a été blessé, c'est parce que c'est un animal qui travaille ! Nous avons eu aussi des incidents sérieux dans le passé avec plusieurs artistes. Certains ont dû arrêter définitivement de se produire après leurs blessures. Tu ne veux tout de même pas faire peser ça sur les enfants, Jolie ? Tu persistes à ignorer le danger. N'as-tu pas vu tous ceux qui ont des problèmes de dos et d'articulations ?

— Je n'ignore pas le danger, je ne veux pas être paralysée par lui.

— Non, mais tu te laisses paralyser par d'autres choses.

Elle prit une profonde inspiration, réfléchissant à ce qu'il venait de dire. Etait-ce une façon implicite d'admettre que *lui* était paralysé par la peur de voir d'autres personnes mourir comme son père ?

— Tu veux que je te dise que j'ai des problèmes parce que j'ai été abandonnée ? D'accord, j'en ai. D'autre part, je ne veux pas aller travailler dans un bureau, ni avoir une maison avec un portail blanc dans un lotissement censé fonctionner comme une communauté, mais où les rapports avec les autres s'arrêtent aux limites de chaque propriété.

— Qu'y a-t-il de mal à cela ?

— La solitude est une maladie, Reece. Les gens tentent de la combler en s'achetant toutes sortes de choses, et ils oublient ce qui est important.

— Il y a pire qu'être seul, fit-il.

D'un seul coup, elle recouvra tout son calme. Elle avait du mal à croire ce qu'elle venait d'entendre. C'était comme si elle s'était permis de soutenir à Reece qu'il y avait pire que de voir son père mourir dans un horrible accident.

Sa gorge se contracta. Finalement, mieux valait la colère que les larmes.

— Tu crois qu'en me répétant sans cesse que je n'y arriverai pas, tu feras autre chose que me renforcer dans mon idée ? Alors tu as bien fait d'oublier tout ce que tu savais de moi. Mais je te remercie de m'avoir rappelé ce que j'avais oublié à propos de toi.

— Que j'ai toujours raison ?

— Non, qu'il n'est pas très avisé de coucher avec Reece Keightly parce qu'il s'enfuit dès qu'il peut !

Excédée, elle s'éloigna à grandes enjambées.

— Qu'est-ce que tu fais ?

— Je m'en vais ! répondit-elle sans tourner la tête. C'est pourtant quelque chose que tu connais.

Reece regarda partir Jolie avec l'impression de recevoir un coup de poing en plein plexus. Sonné, il fit quelques pas et alla se rasseoir sur le banc.

C'était une chose d'avoir honte de la façon dont il lui avait pris sa virginité, c'en était une autre de se l'entendre reprocher par elle.

Elle avait davantage de raisons de lui en vouloir que tout le monde. Pourtant, elle avait été gentille et généreuse avec lui. Elle s'était occupée du problème de la sciure pour lui, avait mis des tapis sous le câble pour le rassurer. Elle s'était efforcée de préserver l'histoire de sa famille et la dynastie Keightly… Mais il y avait toujours une profonde blessure en elle.

Elle avait raison de mettre en doute certaines de ses capacités.

Elle avait raison de dire qu'il était un obsédé du contrôle.

La laisser acheter le matériel et tout faire sans son appui — ou sa contribution financière — avec les gens qu'il aimait… Au moins, s'il la laissait se servir du matériel de Keightly et de son nom, il pourrait garder un droit de regard sur la façon dont les cours auraient lieu au camp. Il établirait un programme qui lui éviterait de futurs regrets et il s'assurerait de la bonne condition physique des enfants participants.

Il étouffa un grognement et alla jusqu'à l'écurie, près de Gordy, qu'il trouva bien réveillé, en train de manger. Il s'assit près du petit cheval, qui avait effectivement l'air d'aller mieux. Pourtant, les premiers jours, il n'aurait pas parié sur lui. Mais Jolie s'était accrochée. Elle ne renonçait jamais à ce qu'elle aimait sans se battre.

Pour le coup, il se demanda si elle avait vraiment renoncé à lui, puisqu'il l'avait privée de combat.

Il fallait qu'il rentre chez lui et se prépare à travailler le lendemain. Cette semaine et la suivante, le Dr Richards serait présent pendant qu'il assurerait ses consultations. Il n'y avait pas de clause contractuelle à ce sujet, mais le médecin, avant de partir à la retraite, voulait s'assurer que ses patients étaient en bonnes mains. Reece le comprenait tout à fait.

De son côté, même si le gros de la compagnie ne portait plus le label Keightly, même si tous vivaient à la ferme Bohannon, il considérerait chacun d'eux comme faisant à jamais partie de sa troupe.

— Je suis venu voir Reece.

Reece connaissait cette voix. Il suivit Richards dans la salle d'examen et sourit en voyant le patient.

— Anthony, voici le Dr Richards. C'est lui qui a fondé ce cabinet.

Anthony se présenta comme « le frère de Reece ».

— Il est devenu mon demi-frère, dit Reece.

— Pourrions-nous rester seuls tous les deux ? demanda Anthony. Il s'agit d'un problème personnel…

— Certainement, dit Richards en quittant la pièce.

Avec une petite prière intérieure, Reece lui désigna un tabouret pour qu'il s'asseye à côté de lui. Pourvu qu'il n'ait pas mis sa petite amie enceinte. Il avait assez de problèmes avec Jolie en ce moment.

— Je suis venu pour moi, fit Anthony. Je n'ai pas voulu en parler à Mack et Ginny, ni à personne, d'ailleurs. Mais maintenant, je crois qu'il le faut.

— Quoi que tu me dises, comme je suis médecin, cela restera confidentiel.

— J'ai du diabète. De type II. Quand j'étais gamin, j'étais plutôt costaud, voire rondouillard. Puis on m'a dit que j'étais diabétique. Mais en grandissant, j'ai perdu du poids et j'allais mieux. Je n'ai plus eu besoin de prendre de médicaments, et j'ai pensé qu'il n'était pas nécessaire que j'en parle.

— Et les choses ont changé ?

— Chaque jour, ici, je me suis servi de l'appareil de grand-mère pour vérifier mon taux de sucre dans le sang. Elle est la seule à être au courant pour mon diabète, et je voulais que ça reste comme ça.

Reece put lire entre les lignes : Anthony craignait que Mack ne le prenne pas s'il savait qu'il était malade.

— Il t'aurait quand même adopté, dit-il. Mack et maman ne sont pas comme ça, tu n'as pas à t'inquiéter.

— Les médicaments, c'est toujours cher. Je ne veux pas leur coûter de l'argent.

Reece se retint de le serrer dans ses bras. Mais à quinze ans, les garçons n'apprécient pas beaucoup les effusions.

— Il ne faut pas te faire de souci, Anthony. Les médicaments ne sont pas toujours chers et, par ailleurs, tu fais partie de la famille. Tu es venu ici pour une raison précise. J'aimerais que tu me dises ce qu'il se passe pour que nous puissions régler cette affaire.

Anthony avait toujours l'air mal à l'aise.

— Jolie m'a surpris en train de me tester. Elle venait en ville aujourd'hui — en fait, elle est de l'autre côté de la rue — et elle m'a déposé ici en me disant que tu pourrais m'aider. Je crois que le diabète n'est de nouveau plus sous contrôle. J'obtiens des chiffres plus élevés quand j'effectue le test.

Il poussa un soupir douloureux.

— Ecoute, lui dit Reece. J'ignore quelle vie tu as eue avant d'arriver chez nous. Mais, comme tu l'as dit, nous sommes frères à présent. Dans une famille, on fait attention les uns aux autres. Jolie ne mentait pas en te disant que je t'aiderais, et je ne te mentirai pas non plus. Nous allons effectuer un petit test sanguin, dit-il en tapant quelques notes sur l'ordinateur. Puis nous verrons quel est le meilleur moyen de contrôler de nouveau ton diabète. Pour ça il n'y a pas que les médicaments, et tu n'as pas de raison de t'inquiéter.

Anthony hocha la tête, l'air un peu plus détendu, et releva sa manche pour la prise de sang.

— Il y a peut-être une raison…

— Laquelle ?

— Ma copine adore me faire la cuisine.

Reece se mit à rire.

— Ce n'est pas fréquent de trouver une fille qui aime cuisiner pour toi. Est-ce qu'elle est jolie ?

— Très.

Il sortit son portable de sa poche et le lui tendit pour lui montrer une photo.

— En effet, dit Reece. Ce doit être difficile de lui dire non quand elle te mitonne des desserts.

Il s'éclaircit la voix.

— Donc, Jolie est à la banque, de l'autre côté de la rue ? demanda-t-il d'un ton désinvolte.

— Elle va demander un prêt pour t'acheter le matériel pour le camp. Je meurs d'impatience. Ça va être génial ! Je travaille mes muscles du torse, en ce moment. Jolie dit que, dans les numéros de trapèze, les porteurs doivent avoir un torse puissant.

Porteur. C'était le rôle que Reece tenait dans le numéro qu'ils préparaient tous les deux avant qu'il ne parte. Il allait devoir faire un petit tour à la banque.

— Il va falloir attendre un peu que l'infirmière arrive pour te faire la prise de sang, dit-il. Quant à moi, je vais voir Jolie. Je n'en ai que pour quelques minutes.

— Tu crois qu'elle flippe ? demanda Anthony. Elle n'a pas arrêté de courir toute la matinée. Mais elle a toujours une expression bizarre quand elle va en ville.

C'était décidément curieux. Comment pouvait-il être aussi observateur quand il s'agissait des autres, mais ne pas avoir suffisamment confiance en ses propres capacités quand il s'agissait de se faire une place dans la famille ?

7.

Cette journée en ville était un vrai marathon pour Jolie, elle avait regroupé toutes ses obligations pour être le moins longtemps possible en contact avec le monde extérieur. Elle allait finir au bord de l'épuisement.

Levée très tôt, elle avait déjà eu plusieurs rendez-vous, était passée prendre Anthony pour le déposer au cabinet médical de Reece, et venait de rayer le mot « banque » sur sa liste en rentrant dans l'établissement.

Elle n'avait aucune idée de la façon dont allait se dérouler l'entretien avec Matt Carmichael, l'employé au costume gris souris qui venait de la faire entrer dans son bureau. Jusqu'à présent, c'était toujours Ginny et Mack qui traitaient avec les banques quand il s'agissait du cirque et de la ferme. C'était d'ailleurs en partie ce qui les avait rapprochés : tous deux avaient des compétences en la matière.

Ce n'était pas le cas pour elle — et elle ne s'en était pas vantée auprès de Reece. Il avait prétendu qu'elle ne serait pas capable d'aller à la recherche d'élèves pour le camp. Quoi qu'il lui en coûte, et si ridicule et immature que soit son attitude, elle mettrait un point d'honneur à lui prouver le contraire.

Mais plus encore, elle voulait se prouver à elle-même qu'elle en était capable.

— Je n'ai jamais fait aucune demande de prêt auparavant, dit-elle. Mais j'ai déjà recueilli beaucoup d'informations sur Internet, et j'avais besoin d'un interlocuteur. Merci de me recevoir aussi rapidement.

— Je vous en prie. Cependant, je dois d'abord vous dire qu'un homme vous demande dans le hall. Il n'a pas donné son nom, mais m'a assuré que vous sauriez qui il est.

Elle n'eut pas besoin de regarder par la vitre pour chercher de qui il s'agissait. La porte du bureau s'ouvrit toute grande, et Reece entra.

— S'il vous plaît, j'ai besoin de m'entretenir une minute avec Mlle Bohannon, dit-il à M. Carmichael.

— Monsieur, je dois vous demander d'attendre dans le hall, répondit ce dernier.

Elle poussa un soupir et se leva.

— Ce n'est rien, dit-elle d'un ton apaisant. Ce ne sera pas long.

M. Carmichael se montra remarquablement accommodant et sortit du bureau, les surveillant du coin de l'œil par la vitre.

Reece entra tout de suite dans le vif du sujet.

— Si tu obtiens un prêt, tu en auras vite par-dessus la tête de devoir tout faire en même temps. Il faut d'abord que tu étudies le marché…

— Tu crois peut-être que c'est mon premier rendez-vous de la journée ? demanda-t-elle.

Elle s'efforçait de parler à voix basse, peu désireuse de faire un scandale justement à l'endroit où elle cherchait à obtenir de l'argent pour financer le projet que Reece refusait de concrétiser.

— Ce matin, je me suis rendue à l'école primaire, au collège et dans un établissement d'enseignement secondaire. J'ai les numéros de téléphone de plusieurs professeurs d'athlétisme et coachs. Je suis aussi passée à la petite académie de danse dont j'ai vu le propriétaire. Il accepte de mettre une publicité sur son tableau d'affichage. Je pourrai venir parler du camp à quelques-unes de ses classes.

— Tu as déjà fait tout ça aujourd'hui ?

— De toute façon, je n'ai pas à me justifier devant toi puisque nous savons tous les deux que tu ne me soutiendras pas et que tu ne travailleras pas avec moi, dit-elle froidement. Ton seul but en venant ici, c'est de saboter mon projet.

Il secoua la tête.

— Crois ce que tu veux, mais je tente de te protéger.

— Je me suis passée de ta protection pendant dix ans, je n'en ai pas davantage besoin maintenant, répondit-elle. S'il te plaît, va-t'en. J'ai un rendez-vous important. Si tu es vraiment de mon côté, prouve-le en me donnant le montant de l'offre qu'on t'a faite pour le matériel, afin que je puisse mieux me positionner.

— Un peu plus de deux millions de dollars pour le tout, répondit-il sans hésiter. Cela comprend les deux grands chapiteaux, le système de chauffage et la clim, les sièges, toutes les caravanes dans lesquelles dorment les techniciens, celles qui n'appartiennent pas aux artistes, et…

— Tant que ça, dit-elle, brusquement calmée.

Elle avait bien pensé à la machinerie et aux sièges, mais pas au chauffage. Ils n'auraient pas besoin de caravanes supplémentaires cette année puisqu'il n'y aurait qu'un camp de jour mais, plus tard, il faudrait prévoir des installations pour dormir.

Reece avait l'air content de lui, et il y avait de quoi. Deux millions de dollars, c'était une somme.

— C'est ça la vraie raison, n'est-ce pas ? dit-elle. Tu parles de la difficulté de s'en sortir pour les cirques itinérants, des dangers pour les gens qui y travaillent et dont tu es supposé te préoccuper. Mais au bout du compte, ce qui t'intéresse, c'est d'avoir un gros chèque.

— Arrête…

Il tendit la main et la saisit par le coude.

— Tu me connais mieux que ça.

— Justement non. Je croyais te connaître, mais il m'a fallu des années pour me rendre compte que je m'étais trompée. Je suis tellement idiote… L'évocation de quelques souvenirs agréables, un peu de flirt et mes hormones m'ont fait oublier la réalité.

Quelle imbécile ! N'apprendrait-elle donc jamais ? Il était peut-être Reece quand il était parti, mais à présent il était le Dr Keightly.

Reece sentit la frustration le gagner. Que devait-il faire pour que Jolie lui accorde le bénéfice du doute ? Il connaissait la réponse : il devait dire oui à son satané camp. Ensuite, il n'aurait plus qu'à regarder les problèmes s'accumuler jusqu'à ce qu'elle renonce, parce que ce camp ne pouvait pas se faire.

— Quels que soient les torts que j'ai eus dans le passé, je suis maintenant dans le présent, dit-il. Je voudrais me racheter en faisant ce qu'il y a de mieux pour chacun. Je ne suis pas ton ennemi.

Il lui lâcha le coude en se dirigeant vers la porte.

— Combien de personnes ont été blessées pendant les entraînements ? demanda-t-il à voix basse. Plus que pendant les spectacles. Les entraînements sont le moment le plus dangereux. A propos, quand ton épaule s'est-elle luxée ? Pendant un entraînement, je parie ?

— Non, Reece. Tu ne t'en souviens pas ?

Il était donc là quand ça s'était passé ? Il chercha rapidement dans sa mémoire… Elle avait bien fait quelques chutes, mais sans gravité.

— Quand cela s'est-il passé ? demanda-t-il à nouveau.

— Peu importe, fit-elle. Tu ferais mieux de retourner travailler.

A travers la vitre, il vit le costume gris approcher. Après tout, il avait fait ce qu'il avait pu.

— Nous en reparlerons plus tard, dit-il en ouvrant la porte pour regagner le hall.

De sa voix la plus douce, elle lui répondit :

— Merci de m'avoir informée, docteur Keigthly.

Ce qui, chez elle, signifiait : « Va te faire voir, Reece. »

— Ne signe rien, Jolivetta ! dit-il à voix forte en passant devant l'employé — sachant qu'elle ferait probablement le contraire.

Il entendit l'homme lui demander d'un ton inquiet :

— Est-ce que ça va, mademoiselle ?

En voilà un qui avait dû succomber à son charme. Il ralentit le pas, tendant machinalement l'oreille.

— Très bien, répondit-elle. A propos du prêt, je voulais vous dire…

La porte se referma, et Reece se dirigea vers la sortie.

Après avoir déjeuné assez tard, Reece retourna au cabinet médical de Richards — qui n'allait plus tarder à devenir le sien.

Depuis sa confrontation avec Jolie, il avait mal à la tête. Le bureau de Richards était vide, il s'y enferma en poussant un soupir de soulagement. Il avait simplement besoin de s'asseoir et de fermer les yeux pendant quelques minutes. Autour de lui, il ne voyait que du gris : tout était de cette couleur.

A la ferme, c'était différent. Entre les prés et les arbres, on trouvait tous les dégradés de vert ; les écuries étaient rouge et blanc, les bâtiments jaune clair, et le bleu du logo des Keightly ressortait partout.

Il y avait aussi une fille avec des cheveux roux et des vêtements roses. Jolie.

Il fallait qu'il trouve une solution de remplacement à son idée de camp. La ferme étant la propriété des Bohannon, il ne pouvait pas se débarrasser de Jolie en lui disant de trouver un travail.

Avec un soupir las, il frotta le point de tension entre ses sourcils.

Jolie avait paru nerveuse à la banque, mais la plupart des gens l'étaient quand ils avaient besoin d'un prêt. Si elle devait poursuivre son idée de camp sans lui, Dieu savait les problèmes qu'elle risquait de rencontrer.

Il se laissa tomber sur la banquette. Il continuait à se sentir responsable de tout le monde.

Le cabinet médical aussi était sa responsabilité.

En affirmant à Jolie qu'il n'était pas disponible, il n'avait pas tout à fait dit la vérité. Au départ, il avait calculé le temps qu'il lui faudrait pour mettre le cabinet médical en route, mais l'achat du cabinet de Richards lui avait grandement simplifié le travail. Non seulement il avait déjà une patientèle, mais il n'avait même pas à se soucier d'équiper de nouveaux locaux.

Il pouvait aider Jolie à gérer un camp, s'il le voulait. Simplement, il n'était pas sûr de le vouloir.

En y réfléchissant… Enseigner serait moins dangereux pour elle et, avec tout l'équipement de sécurité disponible, les enfants n'auraient pas grand-chose à craindre. Sauf avec le trapèze.

Un coup frappé à la porte le fit se redresser d'un bond sur la banquette. Richards était de retour.

Reece ne pouvait pas contrôler Jolie, pas plus qu'il ne pouvait contrôler le destin. Tout ce qu'il pouvait faire, c'était l'orienter dans la bonne direction.

Ce serait plus facile si elle lui faisait un minimum confiance.

Le mercredi matin, Reece se présenta à sa première patiente en lui tendant la main.

— Je suis le docteur Reece Keightly. Le Dr Richards est un peu souffrant aujourd'hui. Etes-vous au courant que je reprends le cabinet médical, madame Nolan ?

La femme — genre maman sportive et dynamique — lui sourit.

— Tout à fait. Contente de vous connaître. Vous faites partie des gens du cirque, n'est-ce pas ?

Voilà qui était nouveau pour lui. A Nashville, où il avait fréquenté l'école de médecine, personne ne savait d'où il venait.

— Oui. Ma famille a dirigé le Keigthly Circus pendant deux cents ans — depuis le début du XIXe siècle.

— C'est donc vous qui l'avez fermé ?

Il ne s'était pas attendu à cela non plus.

— En effet.

Il s'assit sur un tabouret, en face de sa nouvelle patiente.

— Pourquoi venez-vous consulter aujourd'hui ?

— A vrai dire, je suis venue pour vous, dit Mme Nolan.

Ma fille Briona a treize ans et c'est une gymnaste très douée, mais il y a quinze jours, son entraîneur lui a annoncé qu'elle devait renoncer à ses rêves de médaille olympique. Même en s'entraînant très dur, elle n'atteindrait pas un tel niveau de performance. Depuis, ma fille est anéantie. Elle ne veut même plus s'entraîner, alors que c'est sa passion. Je me suis demandé comment l'aider à se remettre de sa déception, et ma sœur m'a dit qu'il y aurait un camp d'activités du cirque cette année, dans la ferme où il y a tous ces chevaux, en dehors de la ville. Je connais beaucoup de gens intéressés et je suppose que le nombre de places est limité, alors je me suis dit, comme désormais vous allez être notre médecin…

Il fallut quelques secondes à Reece pour se remettre de sa surprise.

— En fait, il n'est pas encore certain qu'il y aura un camp, dit-il. Et ce n'est pas la famille Keightly qui s'en occupera — si jamais il voit le jour. Jolie Bohannon, dont la famille fait partie du cirque depuis des générations, est en train d'étudier la viabilité du projet, elle n'est pas encore sûre de le mener à bien. En ce qui vous concerne, vous n'avez donc pas de problèmes de santé ?

— Euh… non. Toute ma famille va bien, à part ma fille qui est très triste d'avoir vu son rêve olympique se briser. Mais pourriez-vous me dire comment contacter Mlle Bohannon ? J'aimerais vraiment lui parler. Je pourrais peut-être l'aider à mettre le camp sur pied, si c'est ce qui la fait hésiter. Mon métier consiste à organiser des fêtes, je pense que mes compétences pourraient lui être utiles. Ce ne sera pas un camp équestre, mais bien un camp de cirque, n'est-ce pas ? Avec des jongleurs, des acrobates, peut-être un trapèze ?

Tout le monde adorait le trapèze. Excepté lui, depuis dix ans.

— Donnez-moi vos coordonnées, et je les lui transmettrai, dit-il pour couper court à l'entretien. A propos, comment en avez-vous entendu parler ?

— Ma sœur dirige un studio de gymnastique. C'est chez elle que ma fille Briona a débuté.

Il lui sourit pour cacher son irritation.

— Elle aimerait sûrement participer à une école du cirque, mais il ne faut pas oublier que c'est dangereux — particulièrement le trapèze. A la place de Jolie, je ne le proposerais même pas la première année. En fait, c'est le principal problème pour l'instant : décider ce qui doit être fait pour assurer la sécurité des enfants qui souhaiteraient participer.

— Oh ! je suis sûre que cela peut être arrangé ! La gymnastique aussi est dangereuse, il faut simplement prendre toutes les précautions possibles pour la pratiquer dans les meilleures conditions de sécurité. J'ai fait des recherches sur Internet. Il y a une école de gymnastique dans le Sud, et une ou deux écoles de cirque, en Nouvelle-Angleterre et sur la côte Ouest. Et elles ont beaucoup de succès.

Il hocha la tête et se leva.

— Le mieux serait que vous disiez à la réceptionniste comment vous contacter, dit-il en lui tendant la main.

Le fantôme du Keightly Circus venait hanter le cabinet médical. Super. En fait, il n'avait pas pensé à vérifier ce que les autres écoles et camps — s'il y en avait — proposaient.

Le jeudi, trois autres patients lui demandèrent des renseignements sur le camp.

Le vendredi, la réceptionniste dut répondre à des appels toute la journée. Tout le monde voulait savoir deux choses : quand le camp commençait, et combien cela coûterait.

Richards tira officiellement sa révérence le vendredi. Il proposa de lui venir en aide la semaine suivante en cas d'urgence mais, à présent, le cabinet médical était à Reece.

Il fallait qu'il parle à Jolie avant que sa réception ne se transforme en standard téléphonique de renseignements sur le camp.

— On va avoir un mal de chien à empêcher les gamins de monter sur le trapèze la nuit, dit la grand-mère Bohannon en bougonnant.

Elle observait plusieurs membres de la famille en train d'installer l'équipement aérien.

— Je croyais que tu les gardais enfermés le soir, répondit Jolie, relevant les pieds pour les appuyer sur le bord de la piste. Elle était entourée de paperasse : formulaires de demande de prêt, licences, assurances, exemples de programmes provenant des autres écoles et camps du pays — et un article qu'elle avait imprimé sur la marche à suivre lorsqu'on démarrait un camp d'été.

Toute cette paperasse allait finir par l'achever…

— Le pire, c'est Anthony, dit grand-mère. C'est un Bohannon à présent, nous l'aimons tous, mais il est un peu difficile depuis que Mack et Ginny sont partis en voyage de noces.

Levant les yeux de ses papiers, Jolie aperçut Reece.

— Que fais-tu ici ? demanda-t-elle, surprise.

— Bonjour, grand-mère.

Il s'approcha de la piste et embrassa la vieille dame sur la joue.

— Je parlerai à Anthony, dit-il. On commence à se connaître, et je serais content d'apporter mon aide.

Il ouvrit de grands yeux en voyant la montagne de papiers étalés devant Jolie.

— Qu'est-ce que c'est ?

— Les papiers pour le camp.

— Bon. Je crois que je vais vous laisser vous disputer, fit grand-mère. Il faut que je m'occupe du repas, il y a tous ces gamins à nourrir.

Pour elle, tout individu de moins de cinquante ans était un gamin.

— Je viendrai t'aider quand j'en aurai fini avec lui, dit Jolie, les yeux fixés sur Reece qui était en train de regarder l'installation. Au cas où tu t'inquiéterais, tout le monde est sécurisé.

— Je ne suis pas inquiet, dit-il comme pour lui-même.

— Nous avons décidé que, puisque personne n'était encore venu emporter le matériel et qu'on ne nous avait pas dit de défaire le grand chapiteau, nous allions tout monter en vue d'une inspection.

— Pour le camp ? demanda-t-il d'une voix qu'elle jugea un peu trop calme, en s'asseyant au bord de la piste.

— Exactement. Tout doit être inspecté avant que les assureurs puissent faire une évaluation.

Etait-ce le calme qui précédait la tempête ? Elle se tordit les mains avec appréhension.

— Je vois, dit-il. Et quand arrivent les inspecteurs ?

— Demain.

— Je crois que je ferais bien d'être là.

Il poussa une pile de papiers pour s'asseoir à côté d'elle. Cet homme irradiait une chaleur incroyable. Elle réprima un frisson en se frictionnant le bras qui était le plus près de lui.

— Je te propose un compromis, dit-il soudain.

— Oh ! Je n'aurais jamais cru que ton vocabulaire de médecin, pourtant si vaste, incluait ce mot.

— Et voilà. Tu doutes encore de mes capacités à maîtriser la langue anglaise, dit-il, moqueur.

Elle ne put se retenir de sourire.

— Etonne-moi, dit-elle.

— Que dirais-tu d'une période d'essai d'un an ?

— Oh ! dit-elle de nouveau, toujours distraite par la proximité de son corps. Continue, je sens que tu vas avoir des réserves à ajouter.

Il hocha la tête et quand il abaissa les yeux vers sa bouche, elle faillit perdre le fil de la conversation. Elle avait tellement envie de l'embrasser ! Elle se rappelait ses lèvres sur elle, le plaisir qu'il lui avait donné, la promesse qu'il avait tenue ce jour-là, et son engagement de ne plus jamais manquer à sa parole. Elle avait tellement envie de le croire.

Elle s'humecta les lèvres, se retenant d'envoyer la paperasse au diable pour l'embrasser à en perdre haleine. Stupide, stupide, stupide.

Il s'éclaircit la voix en détournant le regard.

— Hum ! Voici les réserves : tu feras la plus grosse partie du travail, mais je veux un droit de veto.

— Sur quoi ?

— Sur le programme. Sa durée, le nombre d'enfants que tu prendras ce premier été. Et toutes les visites médicales devront passer par mon cabinet.

Il prit une longue inspiration.

— Je vois que tu installes aussi l'équipement pour le trapèze et le filet, je veux donc déterminer moi-même le niveau d'aptitude des…

— Une minute, dit-elle, reprenant ses esprits. Tu parlais de compromis. Et moi, qu'est-ce que j'obtiens ? Le droit de t'acheter le matériel ? Celui d'utiliser ton nom ?

— Tu as les cheveux emmêlés…

— Je sais, fit-elle, refusant de se laisser distraire de nouveau. J'attends ta réponse.

— Tu auras tout. Les grands chapiteaux. Le matériel. La tente de la cantine. L'équipement de sécurité. Le nom. Les costumes. Le calliope. Tout.

Tout ? Même le calliope ? Elle défit le bandeau qui retenait ses cheveux indisciplinés et passa machinalement les doigts entre ses boucles avant de lui faire face.

— Pourquoi fais-tu ça ?

Il devait lui cacher quelque chose.

— Pour commencer, mon cabinet médical est devenu un bureau de renseignements, nous passons nos journées à répondre aux questions concernant le camp, répondit-il, visiblement distrait par sa main dans ses cheveux. Ensuite, si tu dois le faire, je préfère y participer.

Elle réussit à venir à bout de la mèche récalcitrante.

— Tu avais dit que tu ne le ferais pas. Que tu ne voulais pas prendre cette responsabilité.

Il jeta un coup d'œil circulaire autour de lui.

— Je me sentirai responsable de toute façon. Parce que c'est ma décision de fermer Keightly qui t'a donné l'idée de ce projet. Et si tu utilises mon matériel, tu ne pourras pas faire une crise si j'ai des exigences au niveau de la sécurité.

— Je ne ferai jamais de crise pour ça, Reece. Même si je ne participe plus aux spectacles en tant qu'artiste.

— Tu ne reviendras pas là-dessus ?

— Pourquoi cela te dérange-t-il tant ?

8.

— Pourquoi ne veux-tu plus te produire sur la piste ? demanda Reece.

— Je te l'ai déjà dit, répondit Jolie. Je n'en ai plus envie, c'est tout.

Il secoua la tête d'un air dubitatif et regarda les cousins Bohannon finir de mettre le matériel en place.

— Je ne pensais pas te revoir avant que les acheteurs ne viennent tout enlever, dit-elle. C'est assez dans ton style. Réapparaître après être parti, bouleverser les plans…

— Tu peux me croire, je n'irai nulle part, Jolie, répondit-il d'un air légèrement contrarié. Le cabinet est à moi, à présent.

— Remarque, cette fois, cela n'a duré que quelques jours. Je suppose que tu t'améliores, dit-elle d'un ton railleur.

— J'ai eu du travail…

Pendant le mois qui venait de s'écouler, elle avait pris le temps de s'interroger longuement, y compris sur elle-même. Mais reconnaître les problèmes ne suffisait pas à les régler.

— Est-ce que tu crains de te retrouver trop engagé avec moi ? On n'a pas besoin d'être associés pour le camp. Je te l'ai déjà dit, je peux très bien me débrouiller…

— Non ! dit-il en se levant. Ne me dis plus ça. Ce n'est pas la raison.

Bon. Dans ce cas… Ce qui s'était passé dans sa caravane, c'était pourtant lui qui en avait eu l'idée, non ? Ou bien… ? Il avait l'air embarrassé, à présent.

— Veux-tu que nous fassions un contrat pour le camp ? demanda-t-elle. Je sais que tu aimes bien que les choses soient officielles, et comme tu as renoncé à une vente importante pour nous laisser faire cet essai…

— Pas au sein de la compagnie, dit-il. Nous n'avons pas besoin de contrat au sein de la compagnie.

Il inspira profondément, et lui tendit une main ferme pour sceller leur accord.

Elle regarda sa main, puis ses yeux. Ce n'était qu'un accord commercial. Rien à voir avec le sexe. Elle n'avait qu'à se concentrer sur leur arrangement et sur l'avenir du camp.

— Promets-moi que tu ne chercheras pas à tout faire échouer, dit-elle.

— Je n'ai pas pour habitude de saboter les choses. Et je te promets de ne pas le faire.

Quelle valeur accorder à cette promesse ? Mais était-il sincère en lui disant qu'il ne romprait plus jamais une promesse qu'il lui avait faite ?

Elle eut un pincement au cœur et lui serra rapidement la main pour sceller leur accord, avant de retourner à ses papiers.

— Les inspecteurs viendront demain après-midi, lui dit-elle. S'il te plaît, n'oublie pas de parler à Anthony. Je crois qu'il a une petite amie en ville. Il passe des heures la nuit au téléphone ou sur l'ordinateur. Grand-mère se fait beaucoup de souci.

— N'es-tu pas contente que j'aie changé d'avis ? demanda-t-il.

— Bien sûr que si. On va pouvoir démarrer dans les meilleures conditions, garder le nom, et le chapiteau.

Il ne fallait pas qu'elle le regarde, sinon elle allait dire n'importe quoi. Par exemple, qu'une semaine après les cérémonies du mariage et de la veillée, elle avait songé à jeter par la fenêtre ses règles concernant les hommes. Elle avait été sur le point de lui donner une chance de se racheter, en se lançant avec lui dans un corps-à-corps dans lequel les sex-toys n'avaient pas leur place…

Mais il était reparti, et elle avait décidé qu'il n'était qu'un crétin avec qui elle n'avait rien à faire. Pourtant il était là à présent, et l'envie la reprenait — sauf s'il gardait cet air de vouloir s'enfuir le plus loin possible.

— Je ne te crois pas, dit-il.

— Pas de problèmes. Nous sommes seulement associés en affaires. Tu n'as pas à te préoccuper de mon bonheur.

Il se rapprocha d'elle et lui prit le menton.

— Je ne cherche pas à t'éviter. J'essaie seulement de bien me conduire, et de prendre les bonnes décisions pour les bonnes raisons. Aussi, j'esquive certains sujets parce que cela ne me vient pas facilement avec toi.

Elle repoussa sa main.

— Je ne comprends pas ce que cela veut dire.

Il se pencha, et ils échangèrent un baiser doux et brûlant à la fois, rempli de désir.

— Cela veut dire que j'ai envie de toi, et je sais que c'est une mauvaise idée.

Il était si près qu'elle sentit son souffle sur ses lèvres, et le parfum de son after-shave l'enveloppa.

— Pourquoi est-ce une mauvaise idée ? Parce que tu penses déjà à repartir pour devenir avocat ou je ne sais quoi ?

Il l'embrassa encore, avant de se redresser tout en gardant les bras sur sa taille.

— Ce n'est pas moi qui partirai en premier, chérie.

— En tout cas, ce ne sera certainement pas moi !

Qu'avait-il en tête ?

— Tu n'es pas en train de repenser à cette histoire de me produire en public ?

— Je t'ai vue en train de préparer un numéro, mais tu ne te produis pas. Avec ce camp, tu devras retourner sur la piste. Et quand l'été sera fini, tu te rappelleras à quel point cela t'a plu. Tu auras envie de repartir sur les routes avec un nouveau cirque.

— Voilà donc ton plan pour te débarrasser de moi… Dire oui au camp, pour qu'après une saison d'essai je m'ennuie du cirque. Peu importe que ce soit un succès ou non, tu penses que j'aurai fait tout ce travail pour finalement tout lâcher, parce que j'aurai trop envie de porter des paillettes et de me promener sur un câble sous les projecteurs…

Reece haussa les épaules, mais il ne lâcha pas les hanches de Jolie.

— Je ne mentirai pas en te disant que l'idée me plaît, mais je sais que tu serais trop malheureuse si tu devais faire un travail de bureau.

— Ce que je fais ici n'est pas un travail de bureau, dit-elle en rejetant ses cheveux en arrière.

Il dut se retenir pour ne pas enfoncer les doigts dans ses boucles cuivrées.

— Tu sais, quand quelque chose ne va pas, j'ai toujours tendance à penser que c'est moi le problème, dit-elle, visiblement irritée. Mais si c'est toi qui le penses, cela me rend folle.

— Je ne crois pas que tu sois un problème.

Elle lui tourna le dos pour s'éloigner, et il la rattrapa par la ceinture de son jean.

— Je pense que tu *as* un problème, dit-il. Auquel j'ai contribué en partant, et dont je suis peut-être la cause. Et si tu rates ce que tu veux faire à cause de moi… Bon sang, Jolie… Tu es encore assez jeune pour te produire. Mais dans dix ans…

— Comment puis-je te faire comprendre que je n'ai pas envie de changer ce que je fais ? Et comment peux-tu continuellement m'abaisser à propos de ma peur du monde extérieur, l'utiliser comme une excuse pour refuser le camp, et ensuite m'encourager à continuer avec le mode de vie qui, d'après toi, me permet de me cacher du reste du monde ?

Elle se dégagea d'une secousse, et il la laissa faire.

— Je ne cherche pas à t'abaisser. J'essaie seulement de te faire réfléchir à ton avenir. Mais tu as des œillères, qui t'empêchent de voir les opportunités qui t'attendent dehors.

Elle se mit à ranger ses papiers, avec plus de méthode qu'il ne l'en aurait crue capable.

— Ce camp n'est pas coupé du monde, il est en plein dedans, dit-elle d'une voix ferme. Alors pourquoi voudrais-tu que j'aille ailleurs ?

Elle se raidit, secoua la tête d'un air déterminé et le regarda droit dans les yeux.

— J'ai tout ce qu'il me faut ici. Je n'ai pas besoin d'aller ailleurs, moi.

Cette fois, il en avait assez.

— Il faudra bien qu'un jour tu me pardonnes d'être parti étudier la médecine, Jolie.

Du coin de l'œil, il crut percevoir un mouvement sous le chapiteau, alors qu'il n'y avait plus personne.

— Je n'ai pas besoin de te pardonner d'être allé étudier, répondit-elle. Quand tu es parti, j'ai été bouleversée pour plusieurs raisons. J'avais peur qu'il ne t'arrive quelque chose là-bas, que quelqu'un te fasse du mal. Je craignais que tu te sentes seul et qu'il n'y ait personne pour t'aider. Le fait que tu m'aies manqué et que j'aie eu peur que tu m'oublies était secondaire. J'étais angoissée *pour toi*. Mais je ne t'ai jamais reproché d'avoir voulu t'instruire.

Elle avait les yeux remplis de larmes. Il ne savait plus quoi dire. S'il lui avait avoué à quel point elle lui avait manqué, elle aurait été encore plus en colère. Alors il ne dit rien.

— D'ailleurs, je suis fière de ce que tu as accompli, dit-elle. Tout le monde ici est fier de toi. A tel point d'en oublier que tu nous as rayés de ta vie du jour au lendemain. Tu n'as jamais regardé en arrière — alors, oui, je t'en veux pour ça. Maintenant tu es de retour, et tu prétends te comporter en gentil garçon ? Pardonne-moi, mais je persiste à penser que c'est toi qui partiras. De nouveau. Dès que tu le pourras.

— Tu as raison, dit-il. J'ai fait tout ça. Tout ce que je pourrai dire n'y changera rien…

Elle s'éloigna en s'essuyant les yeux, et il la suivit du regard jusqu'à ce qu'elle disparaisse de sa vue.

A peine quelques secondes plus tard, Reece perçut de nouveau un mouvement dans l'obscurité.

— Anthony ?

— Oui, c'est moi. Alors on est frères maintenant, pas vrai ?

Il hocha la tête.

— On est frères.

Anthony alla s'asseoir près de lui.

— Ça va ? demanda-t-il. Je vous ai entendus vous disputer, tous les deux.

— Je ne sais pas très bien où j'en suis, dit Reece. La seule certitude, c'est que je suis un imbécile.

Ce gamin avait besoin d'un grand frère sur lequel s'appuyer, et non l'inverse.

— Jolie a pleuré…

— Je suis probablement celui qui l'a fait pleurer le plus au monde. Même plus que son vaurien de père.

— A vrai dire, je ne vois pas qui c'était, d'après les photos. C'est difficile de s'y retrouver, ils ont tous les cheveux roux chez les Bohannon.

Reece ne put s'empêcher de sourire.

— Le père de Jolie n'était pas un Bohannon. C'est sa mère qui est la sœur de Mack. Cette génération a compté sept frères et une sœur. Le père de Jolie n'est pas né dans le cirque. Il a essayé de s'adapter, mais ça n'a pas marché. C'est dur de brusquement se mettre à vivre sur les routes.

— Alors il est parti ?

— Il…

Reece hésita un instant. Mais Anthony était de la famille à présent. En épousant un Bohannon, sa mère avait renforcé le lien qui les unissait, créé par des décennies de traditions et de voyages en commun. De toute façon, tout le monde connaissait cette histoire.

— Le père de Jolie est parti quand elle avait cinq ans. Mais pas tout seul. Il l'a emmenée.

— Tu veux dire qu'il l'a kidnappée ?

— Oui. Il a voyagé de la Floride jusqu'à Chicago, avant de décider qu'il ne voulait pas d'elle. Alors il lui a donné un mot sur lequel il avait écrit les coordonnées de la ferme, il l'a déposée devant un poste de police en lui disant d'entrer à l'intérieur, et il est parti pour éviter de se faire arrêter.

Anthony resta un instant songeur. Cela faisait deux ans qu'il voyageait avec la famille, et il devait mieux comprendre certaines particularités de Jolie.

— Qu'est-ce qui lui est arrivé ?

— Je ne connais pas les détails. Je sais que sa mère a dû se battre pour la récupérer. Il y a souvent des a priori négatifs sur la vie que mènent les familles du cirque. Des assistantes sociales, des avocats s'en sont mêlés, ils ne comprenaient pas pourquoi le père de Jolie avait enlevé son enfant à sa mère pour l'abandonner ensuite. Ils trouvaient cela suspect.

Anthony hocha la tête.

— Mais il n'y a pas eu de preuves de mauvais traitements ?

— A cette époque, Jolie n'avait peur de rien. C'était un vrai casse-cou, et je l'ai toujours vue avec des bleus ou des égratignures. Ils l'ont placée dans un foyer pendant quelques jours, le temps que cette question soit éclaircie. Et quand elle est revenue… Elle avait changé.

Reece eut soudain devant les yeux l'image de la petite fille brisée qu'il avait retrouvée. Elle était terrifiée en permanence et ne voulait pas lâcher sa main, même pour aller aux toilettes. Il devait rester debout devant la porte entrouverte avec un bras à l'intérieur, pour lui laisser le plus d'intimité possible. Elle lui donnait sa bonne main, pendant que l'autre reposait dans son attelle rose…

Oh ! mon Dieu ! Cette attelle était pour son épaule, pas pour son bras…

— Et après, tu es parti toi aussi, dit Anthony d'une phrase qui eut pour effet de l'achever.

Il hocha la tête en silence. Et Jolie avait eu peur que quelqu'un lui fasse du mal, à lui. Il était vraiment trop nul.

Anthony lui donna une bourrade à la cuisse.

— Il faut lui dire que tu regrettes, mec.

241

— Ce n'est pas si simple…

Dire que c'était ce gamin qui prenait soin de lui… Il avait réellement un bon fond.

— Bien sûr que si, dit Anthony en souriant. Les raisons que tu avais pour faire ce que tu as fait importent peu. Tu es désolé, c'est tout. Dis-le lui. C'est pour ça qu'elle parle autant.

Il fronça les sourcils.

— Que veux-tu dire ?

— Je ne connais pas très bien Jolie, mais j'observe les gens. Quand elle est perturbée, elle parle beaucoup, et plus vite. Avant ton retour, elle était plus calme, plus tranquille.

— Alors comme ça, tu observes les gens ?

— Je voudrais devenir écrivain, alors je fais attention.

— Et qu'est-ce que tu vas écrire ?

— Des trucs profonds. Tu vas être épaté.

Reece rit et se leva.

— Je n'en doute pas.

Il avança le poing pour rencontrer celui d'Anthony.

— Grand-mère ne te mettra pas ton dîner de côté si tu n'es pas là.

— Elle le fera pour moi. Je suis son préféré.

Et il était aussi celui de Reece. Il prit le gamin par le cou et le poussa vers la sortie.

— Ne reste pas trop tard au téléphone avec ta copine. Tu es peut-être le préféré de grand-mère, mais elle risque de te chauffer les oreilles si tu ne fais pas ce qu'elle dit.

Jolie tressaillit en entendant des coups sonores frappés à la porte de sa caravane.

— Tu as failli faire un trou, dit-elle à Reece en guise de salut.

Il poussa une pile de papiers pour pouvoir s'asseoir sur sa banquette.

— Je suis ici pour m'excuser, dit-il aussitôt.

S'excuser ?

— De quoi ?

— De tout.

Son estomac se noua, et elle alla s'asseoir à côté de lui mais à bonne distance, pour éviter de le toucher.

— Pourrais-tu préciser… ?

— Pour t'avoir fait du mal.

— Tu veux dire pour n'avoir pas appelé ni écrit ? Pour avoir disparu pendant dix ans ?

Ses excuses n'allaient pas jusque-là.

— Il fallait que je coupe les ponts avec toi.

— Pourquoi ?

— Parce que. Il le fallait.

— Laisse-moi deviner… Tu faisais partie d'un programme de protection de témoins ? Tu es resté dans le coma tout ce temps ? Oh non ! je sais : tu étais agent secret ! Ou bien tu as été enlevé par des extraterrestres ?

— Jolie… Rien de ce que je pourrai dire ne t'apportera la paix. Mais cela ne m'empêche pas d'être désolé. Je voudrais arranger les choses entre nous.

— Tu n'y parviendras pas sans une explication. J'y ai droit, même si la vérité fait mal à entendre.

— J'aurais quitté l'école et serais revenu à l'instant où tu me l'aurais demandé, dit-il entre ses dents. Je n'ai pas trouvé d'autre moyen pour pouvoir rester à l'école que de… tenter de t'oublier.

C'était douloureux à entendre, mais cela n'aurait pas dû la surprendre.

— Et ça a marché ? demanda-t-elle sans le regarder.

— Non.

C'était déjà quelque chose. Elle s'appuya sur la banquette, s'efforçant de garder son calme.

— En fait, ce n'était pas ce que j'avais prévu en partant, dit-il. Mais avant même d'arriver au campus, j'ai compris que si je ne restais pas à bonne distance pour étudier, rien ne changerait jamais, il y aurait encore des morts que j'aurais pu éviter si j'avais su me montrer plus convaincant. Parce que je ne savais pas comment faire pour que l'on m'écoute.

Keightly est devenu ma responsabilité à l'instant où mon père est mort. Mais je n'avais que dix-neuf ans. Je ne pouvais protéger personne.

Son ton était sincère, et elle vit de la tristesse dans ses yeux. A la mort de son père, elle l'avait vu changer sans savoir comment l'aider.

— A quoi penses-tu ? demanda-t-il.

— Il m'a fallu beaucoup de temps pour renoncer à toi, dit-elle, se rendant compte qu'elle était encore au bord des larmes. Lorsque j'ai accepté le fait que tu ne reviendrais plus… Je crois que je ne ressentais plus rien. J'étais calme. Et je me suis donné du mal pour conserver ce calme depuis que tu es de retour. J'aimerais beaucoup le retrouver.

Naturellement, sa boîte de mouchoirs se trouvait de l'autre côté de la banquette, à côté de Reece. Elle inspira profondément et se pencha au-dessus de lui pour la récupérer.

— Et maintenant, je n'ai plus de mouchoirs !

Ce qui lui donna encore plus envie de fondre en larmes.

— Reste là, dit-il.

Bientôt elle fut sur ses genoux, ses bras puissants noués autour d'elle.

— Désolée. Je n'arrête pas de pleurer, et je ne sais même pas pourquoi.

— Tu n'as pas à être désolée.

Il s'étendit du mieux qu'il put sur la banquette, si bien qu'elle se retrouva sur lui, le visage enfoui dans son cou.

— Je crois qu'il y a autre chose, murmura-t-il.

Elle allait encore enfreindre la règle n° 2. Vaincue par l'émotion, elle se laissa aller contre lui et pleura longtemps. Il ne bougea pas, attendant tranquillement qu'elle se calme.

— Ta chemise est toute mouillée, dit-elle enfin.

Elle leva les yeux vers lui.

— Tu tiens toujours à être en affaires avec une fille à moitié folle ?

— Ça, ce n'est pas un scoop. J'ai toujours su que tu avais un petit grain, à la minute où j'ai vu ta chevelure.

Il lui caressa la nuque avant de poser ses lèvres sur son front.

— Je te pardonne, même si tu es un idiot, lui dit-elle.

— Merci.

— A vrai dire, j'ai encore un reproche à te faire, mais je suppose que cela suffit pour aujourd'hui.

— Qu'est-ce que c'est ?

Elle se leva et alla prendre un morceau d'essuie-tout dans la kitchenette.

— Tu m'as dégoûtée de M. Satisfaction. Je le trouve terriblement ennuyeux et inefficace, à présent.

Il éclata de rire, et jeta un coup d'œil en direction de la chambre.

— J'aimerais bien dormir ici, si tu n'y vois pas d'inconvénient.

— Pour pouvoir être là pour les inspecteurs ?

— Non. Pour ça, je n'ai qu'à aller dans le camping-car.

Il la regarda et sourit.

— Tu veux que je te fasse un aveu ? J'ai juste envie de rester avec toi.

Elle se contenta de hocher la tête en silence. Parfois, les mots étaient trop forts. Un simple acquiescement n'équivalait pas à une promesse. Car, au matin, tout lui semblerait peut-être différent.

9.

Percevant la chaleur qui l'enveloppait, Jolie bougea dans le lit et en découvrit la source : Reece était allongé dans son dos, son souffle chaud dans ses cheveux.

Avec précaution, elle rejeta la couverture étalée sur eux, ne gardant que le drap. Pendant quelques minutes, elle voulait profiter tranquillement de sa présence, avant que tout ne s'agite de nouveau.

Un soleil matinal traversait les rideaux, leur donnant une jolie couleur dorée. Prise d'une envie irrésistible de regarder Reece, elle se retourna dans ses bras.

Ses cheveux longs, habituellement attachés, atteignaient ses épaules et une mèche de couleur sable lui barrait le front. Elle ne pouvait pas voir ses yeux si bleus qu'elle aimait.

Doucement, elle entrelaça ses doigts aux siens et blottit sa tête dans son cou. Leurs odeurs se mêlèrent. Son lit était devenu un lieu étrange et merveilleux, dans lequel elle se sentait pleinement en sécurité.

Elle avait envie de lui. Peu importait ce que cela durerait. Si elle se préparait pour la fin avant même qu'ils ne commencent, ce ne serait peut-être pas aussi douloureux quand il partirait. Avec un peu de chance, il resterait jusqu'à la fin de l'été pour s'assurer qu'elle allait bien arrêter le camp. Quand il comprendrait qu'il s'était trompé, il voudrait probablement repartir.

Mais ce matin, elle ne voulait pas de ces sombres pensées. Elle se trouvait dans sa petite chambre à coucher chaude et lumineuse, avec un homme magnifique qui la tenait dans ses bras.

Pour l'encourager à se réveiller, elle déposa plusieurs petits baisers dans son cou. Il sourit, et elle se pencha pour mieux le voir.

— Bonjour, dit-il en s'étirant.

Elle sourit à son tour et lui embrassa le menton, puis la joue. L'entourant de ses bras, il roula avec elle sur le côté, et elle se retrouva sur lui. Puis ses mains se posèrent sur ses cheveux et il l'attira vers lui. Leurs lèvres, puis leurs langues se rencontrèrent, et elle sentit son érection entre ses jambes. Il avait gardé son boxer-short, et elle avait revêtu un pyjama short pour la nuit, pour tenter de limiter les risques.

Instinctivement, elle se mit à bouger lentement sur lui, et il gémit. La fois précédente, quand ils s'étaient retrouvés dans son lit, il l'avait menée au sommet du plaisir sans penser à lui. A présent, elle voulait voir le désir s'allumer dans ses yeux, le sentir frémir et trembler. Elle voulait aussi s'assurer qu'elle pouvait lui faire du bien.

Elle se remit à bouger sur lui.

— Jo, grogna-t-il. Je n'ai pas de préservatifs.

— Moi si, répondit-elle. J'en ai acheté le lendemain de ton dernier passage.

Il se dressa aussitôt sur ses genoux pour lui ôter ses vêtements.

Parfait. Le voir rempli de désir lui donnait confiance en elle.

Reece fit glisser le pyjama de Jolie, qui s'attaqua aussitôt à son boxer-short.

— Est-ce que tu veux bien te lever pour que je puisse…

Son boxer-short était déjà par terre, et ses paroles moururent dans sa gorge.

— Bon sang ! Cette fois, je vais jeter M. Satisfaction.

Il rit doucement et lui prit les jambes pour les nouer autour de ses hanches. Puis il réclama sa bouche. Il se redressa, se délectant de ses boucles auburn répandues sur l'oreiller jaune, de sa peau laiteuse, de ses taches de rousseur.

— Je veux être au-dessus, dit-elle, rougissante.

— Tu en es sûre ?

L'homme des cavernes qui sommeillait en lui aurait voulu clamer qu'elle lui appartenait. Son père la lui avait confiée pour qu'il prenne soin d'elle. Elle était à lui, l'avait toujours été et le serait toujours. Jolie, sa Jolie…

Il l'embrassa de nouveau.

— C'était bien, ce que je faisais tout à l'heure, quand on était habillés… Non ? demanda-t-elle contre sa bouche, cherchant manifestement à être rassurée.

— Tu étais parfaite.

Elle l'avait accusé à plusieurs reprises d'être un obsédé du contrôle, mais elle se trompait. Il la saisit de nouveau par les hanches et roula sur lui-même. Elle s'assit sur son ventre, et il sentit sa chaleur humide tout contre lui, se retenant de la basculer pour pénétrer en elle.

Il la protégerait, toujours.

— Où sont les préservatifs ? demanda-t-il.

Elle fouilla dans le tiroir de sa table de nuit, tomba sur son sex-toy et le lança à travers la pièce avant de trouver ce qu'elle cherchait.

Il mit le préservatif en place, puis attira Jolie contre lui, l'embrassa fiévreusement et la caressa longuement avant de la pénétrer.

Après quelques timides essais, elle trouva naturellement le rythme. Il fut aussitôt en sueur. La tenant par les hanches, il s'efforça de garder un semblant de contrôle. S'il n'y parvenait… elle serait déçue.

Il voulut la faire ralentir, mais elle secoua la tête.

— Je veux que tu te laisses aller, que tu aies du plaisir, dit-elle.

— J'en ai. Beaucoup, dit-il, haletant.

Il glissa la langue dans sa bouche, ses doigts plongeant dans ses cheveux. Il fallait qu'*elle* ait du plaisir, c'était pratiquement sa vraie première fois, puisqu'il avait gâché celle d'avant.

Il sentait l'orgasme monter en lui. Encore quelques secondes et ce serait fini. Mais c'était son orgasme à elle qu'il voulait.

Alors il se retira et dut affronter son regard blessé.

— Pourquoi ? Pourquoi fais-tu ça ?

— Jo, je voudrais… Je voudrais te faire jouir.

Jolie sentit Reece trembler et, devant son regard torturé, elle se calma. Ce n'était pas parce qu'il ne voulait pas d'elle. C'était à cause des problèmes qu'il avait avec le contrôle. Le fait qu'il lui ait parlé était un grand pas en avant.

Elle hocha la tête en silence. Il se pencha sur elle et l'embrassa, l'entraînant dans un tourbillon de sensualité qui balaya ses inquiétudes.

Aujourd'hui, il n'y aurait pas de pensées sombres.

Une fois les détails finalisés et le cauchemar de la paperasserie terminé, les bilans médicaux nécessaires pour débuter le camp ne furent qu'une formalité. Il y avait cependant un sujet que Reece et Jolie évitaient dans leurs conversations. Une confrontation aurait lieu, elle était même imminente, au sujet du trapèze.

C'était le premier jour du camp et Reece serait présent, mais il n'était pas resté avec Jolie la nuit précédente. C'était la première fois depuis deux semaines.

Certes, il leur avait fallu du temps pour arriver jusqu'à la chambre à coucher, mais ils avaient désormais du mal à la quitter.

Il était préférable pour tous les deux — et pour leur relation naissante — qu'ils essaient de travailler ensemble progressivement.

Reece avait eu besoin d'une soirée pour lui, et Jolie la lui avait accordée. Quand elle devenait nerveuse — en fait, tous les jours —, il devait la rassurer sur le fait qu'il n'allait pas partir.

Il avait voulu effectuer les bilans médicaux des enfants dans un cadre strict, avec des règles et des limites, et ce n'avait pas été un problème pour elle de l'aider. Deux semaines avant l'ouverture, ils avaient tenu une consultation pour les participants au camp, et il ne les avait pas ménagés : tests de santé et d'endurance, jeux destinés à évaluer leur rapidité et leurs temps de réaction. C'était exigeant, en particulier pour les enfants intéressés surtout par la chorégraphie, les costumes et le design, mais elle avait accepté de s'y tenir.

Jolie avait enfilé un T-shirt d'instructeur, et achevait de se préparer pour son premier cours de corde raide. Elle rassembla différents accessoires pour effectuer des démonstrations avec les autres instructeurs et leurs classes.

Depuis deux semaines, Reece avait commencé à travailler avec Anthony au trapèze, lui apprenant lentement les bases pour devenir porteur — tous les deux espéraient que Reece pourrait un jour transmettre ce poste à son élève.

Reece ne tenait décidément pas à reprendre le trapèze. Avait-il peur au point d'avoir développé un rejet des exercices aériens après la mort de son père ? Jolie ne le croyait pas, mais c'était le sujet qu'ils avaient évité jusqu'à présent.

Quand ils avaient travaillé ensemble à l'adolescence, il avait fallu trois mois à Reece rien que pour apprendre à la tenir avec une certaine assurance. Trois mois de sauts et de chutes avant qu'ils trouvent leur rythme, apprennent à synchroniser leurs balancements. Pour qu'il arrive à l'attraper huit fois sur dix. Et quand ils avaient commencé les figures, ils avaient eu besoin de sept mois supplémentaires pour commencer à progresser.

Anthony ne serait pas prêt à porter avant la fin de la saison. Il pourrait peut-être participer au spectacle final, mais les autres acrobates aériens avaient besoin de quelqu'un pour les réceptionner le reste du temps. Il faudrait qu'elle en parle à Reece. Plus tard.

Si personne n'était mort le premier jour.

Après le petit déjeuner, elle disposait d'une heure avant que les enfants ne commencent à arriver.

Elle trouva Reece sous le grand chapiteau, suspendu au mât, en train d'inspecter la machinerie. C'était la troisième fois qu'elle le surprenait ainsi. Une clé à douille à la main, il examinait tous les rouages de la mécanique.

Elle appréciait son côté minutieux, mais elle ne tenait pas à ce que les parents et les enfants le voient en arrivant.

Elle s'empara d'un des mégaphones et le porta à sa bouche.

— Reece Keightly, il y a eu un inspecteur ici. As-tu vraiment besoin de tout vérifier encore ?

Il se contenta de lui faire signe que tout allait bien.

— Si tu n'es pas en bas dans vingt minutes, je monte te chercher. Tu as promis de ne pas saboter le camp ! Faire peur aux parents est un acte de sabotage.

— J'ai presque fini ! cria-t-il.

Elle poussa un soupir et se dirigea vers la zone de cours. Presque tous les sièges avaient été sortis pour faire de la place aux différentes classes qui allaient travailler ensemble sous le chapiteau.

Retirant ses chaussures, elle enfila ses ballerines en cuir souple. Elle s'échauffa, puis monta sur le câble le plus bas, une ombrelle à la main. Elle venait de courir plusieurs fois sur la longueur, quand Reece la rejoignit d'un pas nonchalant.

— Anthony ne sera pas prêt à porter lorsque les autres commenceront à apprendre à voltiger, dit-elle sans préambule.

— Je sais, répondit-il, laconique.

Il sourit en la voyant effectuer plusieurs petits sauts sur le fil.

— C'est rare de te voir sourire sous le chapiteau, dit-elle.

Lui prenant sa main libre, il l'aida à sauter sur les tapis.

— Es-tu prête ? lui demanda-t-il.

— Je suis tout excitée. Mais nous devons encore parler du trapèze.

— Il n'y a rien à dire. Je sais ce que j'ai à faire. J'ai promis de bien me comporter, et je ferai ce qu'il faut. Mais plus tôt Anthony sera prêt…

Elle glissa un bras autour de son cou.

— Embrasse-moi. Nous ne pourrons plus le faire quand les enfants seront là.

Il ne leur restait plus que quelques minutes avant le début de la grande excitation pour elle — et de la grande frayeur pour lui.

Avoir promis à Jolie de ne jamais plus manquer à sa parole envers elle donnait à celle-ci un redoutable pouvoir sur lui. D'autant plus qu'il avait promis de ne pas saboter le camp. Cela faisait une semaine qu'il s'employait à faire honneur à sa promesse.

Il avait donné son approbation pour l'équipe sélectionnée pour les numéros aériens. A présent arrivait le moment qu'il redoutait : il allait devoir monter sur le trapèze.

Devant lui, il avait l'impression d'avoir une mer de visages : les quarante enfants attendaient impatiemment de voir la démonstration sur le trapèze. Les élèves sélectionnés avaient pratiqué le balancement et le lâcher de la barre toute la semaine, des cordes de sécurité contrôlant leur chute dans le filet.

Reece était censé réceptionner Jolie jusqu'à ce qu'Anthony soit prêt. Ce qui, naturellement, lui faisait porter encore plus de responsabilités.

Pendant que Jolie parlait aux enfants — expliquant ce qu'il faisait à tous ceux qui ne faisaient pas d'acrobatie aérienne et étaient juste venus regarder avec leurs parents —, Reece s'attacha au harnais de sécurité. C'était important de commencer par leur enseigner à prendre le plus de précautions possible.

Il monta rapidement sur la plate-forme. Des balançoires d'entraînement avaient été installées pour pratiquer la suspension, il y avait des matelas et des surveillants.

Après tout, c'était comme se remettre à faire du vélo. Il détacha les cordes de sécurité et la balançoire et, sourd à ce qu'il se passait au-dessous avec le public, quitta la plate-forme.

Suspendu à la barre par les mains, il commença à se

balancer. Cela était plus facile quand il pesait une vingtaine de kilos de moins.

Il n'entendit plus que son sang battre dans ses oreilles et dut faire un effort pour se rappeler tout ce qu'il devait faire.

Projetant les jambes en avant, il les accrocha à la barre. Il était le porteur : il n'avait pas de sauts ni de figures à faire. Et il ne laisserait pas tomber Jolie. Le sang avait-il la même apparence dans le sable et dans la sciure ?

Il réprima un frisson et ferma les yeux, se laissant emporter par le balancement. Cela n'allait pas mieux. Il pouvait le faire, mais l'engouement avait bel et bien disparu.

Il rouvrit les yeux, s'assit sur la balançoire et fit signe à Jolie que tout était O.K. Elle fit les mêmes gestes que lui pour atteindre la plate-forme, mais elle avait un mégaphone accroché à la ceinture.

— Voici donc ce que nous allons faire, dit-elle dans l'appareil.

Elle expliqua le fonctionnement d'un simple transfert d'une balançoire à l'autre. Les deux protagonistes étaient suspendus chacun à leur balançoire par les genoux, puis ils s'attrapaient par les mains et la voltigeuse lâchait la barre.

C'était la première chose que Reece voulait apprendre aux enfants.

Après avoir parlé aux élèves, Jolie posa son mégaphone. Il recommença à se balancer et elle détacha sa balançoire, la tenant d'une main tandis que l'autre était agrippée à la plate-forme.

— Prête, dit-elle.

Son visage pâle indiquait le contraire. Reece fronça les sourcils, mais se tenir par les genoux était pratiquement ce qu'il y avait de plus sûr quand on faisait du trapèze.

Rapidement, il atteignit la bonne hauteur. Quand il fut à bonne distance de sa plate-forme, il cria : « Hep ! » et elle décolla. Lorsqu'ils se rencontrèrent au milieu, elle projeta les jambes pour que ses genoux accrochent la barre. Quand il atteignit la plate-forme, il fit de même.

Au passage suivant, quand ils se retrouvèrent au milieu,

il l'attrapa par les poignets, elle lâcha la barre et ils se balan-cèrent ensemble. Jolie souriait, mais elle ne rayonnait pas comme d'habitude, il n'y avait aucune lumière dans ses yeux.

— O.K. ? demanda-t-il.

— Allons-y, répondit-elle.

Il détestait cette partie. Quand ils se retrouvèrent au milieu, il dut ouvrir les mains, et Jolie tomba dans le filet. Normalement, il y aurait dû y avoir un autre partenaire pour la rattraper, mais ils n'étaient que deux aujourd'hui. Il resta la tête en bas, la regardant rebondir gracieusement par deux fois au centre du filet.

Parfait. Tout s'était bien passé. Il reprit sa position assise, laissant le sang recommencer à circuler normalement dans sa tête.

Jolie quitta le filet comme elle avait enseigné aux enfants à le faire, s'accrocha de nouveau à la corde de sécurité et remonta sur la plate-forme. Lorsqu'elle l'atteignit, ses joues étaient un peu plus roses. Prête à recommencer.

Cette fois, elle s'éternisa au mégaphone avant de reprendre l'exercice. Et quand ils se retrouvèrent au milieu, ils étaient parfaitement synchronisés.

Il tendit les bras et elle lâcha la barre, mais fit le geste d'attraper ses mains quand il était déjà hors d'atteinte. Il les referma sur du vide, et son estomac se serra quand il la regarda s'aplatir dans le filet.

D'en haut, il la vit quitter le filet et s'arrêter pour parler à des enfants avant de répéter le processus et de remonter.

Elle ne le regarda pas, se contentant d'annoncer qu'elle était prête.

De nouveau, elle retomba. Elle préférait le filet plutôt que d'avoir à le rattraper ?

A la troisième tentative ratée, il se laissa tomber à son tour et s'adressa aux enfants.

— Désolé, mais c'est tout pour aujourd'hui, il faut que Jolie se remette de son vertige, dit-il. On reverra tout ça lundi et nous analyserons bien les mouvements avant que les enfants s'exercent à la barre.

Tout le monde réagit très bien, excepté Jolie, qui retira les protections de ses mains en silence.

Il quitta le groupe pour s'approcher d'elle, ayant récupéré de sa nausée depuis qu'il avait les pieds sur le sol.

— Que s'est-il passé ? demanda-t-il.

— Je ne sais pas.

— Tu dis toujours ça quand tu ne veux pas admettre quelque chose.

Il lui tendit la main, et elle la prit.

— Tu peux donc faire un geste vers moi, dit-il. Pourquoi pas quand il y a du danger ? Craignais-tu que je t'envoie hors du filet ?

10.

Jolie secoua lentement la tête.

— Je ne comprends vraiment pas ce qui s'est passé.

— Tout ce que tu avais à faire, c'était me prendre par les poignets, dit Reece.

— Je sais.

Pourquoi ne l'avait-elle pas fait ? Ils étaient ensemble, à présent. Ils avaient une relation, faisaient l'amour de façon grandiose, travaillaient l'un à côté de l'autre… En fait, ils vivaient pratiquement ensemble. Et elle ne pouvait pas tendre les bras vers lui.

— Je suis désolée.

Elle remarqua alors qu'il était pâle.

— Tu es malade ?

— Oui. Enfin quoi, Jo. Par deux fois. Je t'ai presque hurlé dessus pour que tu ouvres tes mains. Ça s'est pourtant bien passé au début, quand on était suspendus par les genoux.

— Je suis désolée, dit-elle une nouvelle fois.

— Il faut que tu arrêtes de faire comme si tes problèmes n'existaient pas. Si nous devons être ensemble, si on veut que cela marche, tu dois arriver à me faire confiance.

— Je te fais confiance.

— Non, chérie. Si c'était vrai, tu ne te serais pas laissée tomber.

Elle poussa un soupir. Elle lui avait dit qu'elle lui avait pardonné — et en effet, c'était le cas. Mais peut-être que maintenant, peu importait qu'il soit fidèle à sa parole : son esprit avait été trop marqué pour qu'elle se fie à quiconque…

— Est-ce à moi que tu ne fais pas confiance, ou à tout le monde ? demanda-t-il justement.

Elle s'avança vers lui et entoura sa taille de ses bras.

— J'ai confiance en toi, je t'assure. Tu ne voulais pas porter, mais tu as essayé. Et je sais que tu travailles dur avec Anthony afin qu'il puisse être porteur pour le spectacle de la fin de la saison. Tu as été super.

Poussant un soupir, il l'enlaça à son tour.

— Demain, on oublie le camp. On sort.

— Mais… On ne peut pas faire les courses, le dimanche, dit-elle.

— Non. On sort dans le monde, juste toi et moi. Pas pour aller à la banque ni acheter à manger. Habille-toi plutôt sport avec le T-shirt du camp, et mets des chaussures de marche.

Il se pencha pour l'embrasser et, comme chaque fois, son anxiété diminua, et elle eut l'impression de se fondre en lui.

— Je passe te prendre à 10 heures, dit-il avant de s'éloigner.

— Tu ne restes pas avec moi ?

— Pas cette nuit.

Aller dans le monde extérieur ? Il voulait vraiment la punir de ne pas l'avoir attrapé.

Au moins, elle n'aurait pas à porter des talons hauts.

— Où allons-nous ? demanda Jolie.

Reece lui lança un regard de côté. C'était la troisième fois qu'elle lui posait la question depuis qu'ils étaient montés en voiture, trois quarts d'heure auparavant.

— Tu prétends que tu me fais confiance, mais tu ne supportes pas que je ne te dise rien. C'est une surprise. Si tu faisais attention aux panneaux sur la route au lieu de regarder dans le vague, tu aurais déjà deviné.

— Je n'aime pas les surprises, répondit-elle en faisant la moue.

Soudain, elle se redressa quand ils passèrent devant un grand panneau.

— On va au zoo ?

Il hocha la tête.

— Il va y avoir beaucoup de monde là-bas, dit-elle avec appréhension.

— C'est pourquoi je voulais que, comme moi, tu portes le T-shirt du Keightly Circus. Pour une sortie d'affaires, en quelque sorte. C'est bon pour le camp. Il y aura beaucoup de parents avec leurs enfants, et Keigthly a été récemment dans l'actualité avec l'annonce de la fermeture du cirque, puis celle de l'ouverture du camp d'été. Es-tu déjà allée au zoo ? lui demanda-t-il pendant qu'il se garait.

— Non, répondit-elle en sortant de la voiture.

Pour le moment, elle n'avait pas de crise de panique, et il en fut rassuré. Son anxiété de se retrouver en contact avec le monde extérieur allait-elle augmenter ou diminuer en sa présence ? Il n'en avait aucune idée.

— Tout va bien se passer.

Il entrelaça ses doigts aux siens pour qu'elle se sente plus en sécurité.

— Tu vas voir, tu vas aimer. On va aller directement à la nursery, où il y a beaucoup d'animaux… et d'enfants. Tu pourras caresser un bébé chameau, si tu veux. Au moins dans cette partie du zoo, les animaux ne sont pas dangereux.

Elle hocha la tête, manifestement moins convaincue que lui. Pendant la première heure de leur visite, elle resta collée à lui comme de la glu. Ils se promenèrent dans la nursery avant de s'aventurer dehors pour voir les singes. Mais quand elle demanda à retourner à l'intérieur, il n'en fit pas toute une histoire.

Malgré les chameaux et les lamas, Jolie préféra les moutons. Pour elle, les animaux domestiques l'emportaient sur les exotiques. On pouvait les dresser facilement, et ils mangeaient rarement leurs propriétaires.

Elle adora observer les enfants avec les animaux. Il lui était facile de s'associer à leur joie.

Lorsque son regard se posa sur un petit garçon d'environ cinq ans qui errait tout seul, des larmes plein les yeux, elle reconnut aussi cette émotion. Lâchant la main de Reece pour la première fois depuis leur arrivée, elle alla jusqu'à lui et lui toucha l'épaule.

— Tu cherches ta maman ?

Il se mit aussitôt à pleurer. Elle s'accroupit pour se trouver à hauteur de ses yeux et se mit à lui parler doucement, ne tardant pas à savoir comment il s'appelait. Elle avait gagné sa confiance.

Elle avait toujours aimé les enfants.

— Ne t'inquiète pas, Drew. Nous allons retrouver ton papa.

Il hocha la tête en s'essuyant les yeux.

— Te rappelles-tu la couleur du vêtement qu'il porte ?

— Blanc.

Cela n'allait pas beaucoup les aider.

Elle sentit Reece s'approcher dans son dos, et le petit garçon se serra contre elle, la prenant par la main.

— Tout va bien, lui dit-elle en renouant avec son regard. C'est Reece, mon ami. Il va nous aider à trouver ton papa.

Reece sourit à l'enfant, qui parut se détendre. Elle jeta un coup d'œil circulaire dans la foule, mais elle ignorait qui elle cherchait, et Reece ne savait pas plus qu'elle à quoi ressemblait le papa de Drew.

Personne n'aurait l'idée de venir abandonner son enfant au zoo, se dit-elle. Qui achèterait un ticket et passerait devant les caméras de surveillance pour faire une chose pareille ? Les parents qui abandonnaient leur enfant préféraient rester anonymes.

— Est-ce que tu vois quelqu'un qui a l'air en train de chercher ? demanda-t-elle à Reece, qui dominait la foule de sa taille.

Il regarda autour de lui et secoua la tête.

Drew ne lâchait pas la main de Jolie.

— Et si tu le mettais sur tes épaules ? suggéra-t-elle.

Il leur fallut quelques secondes pour convaincre l'enfant de se laisser faire, mais il fut bientôt juché sur les larges épaules de Reece.

A partir de là, il s'écoula moins d'une minute avant qu'un homme au regard angoissé ne fende la foule en venant à leur rencontre. Visiblement soulagé, il se confondit en remerciements et repartit avec son petit garçon rayonnant de joie.

Reece emmena ensuite Jolie au stand de barbe à papa et lui offrit une de ces friandises légères et colorées.

Ayant repéré un banc qui venait de se libérer, elle s'y précipita et proposa à Reece une bouchée de barbe à papa.

Puis elle se força à le regarder dans les yeux.

— Tu sais, c'est ce que je ressens quand je suis dans des endroits publics… Ici, par exemple.

— Tu veux dire… Comme Drew ?

— Oui. Je me sens perdue. Ou bien j'ai peur que la personne avec qui je suis me plante là, et que je ne sache pas quoi faire. C'est idiot, non ?

— Jolie… Il t'est arrivé la même chose, et même bien pire, répondit-il. Ce n'est pas idiot du tout. Et pourtant, avec Drew, tu as tout de suite su comment faire pour l'aider. Moi, je l'aurais probablement emmené au bureau de l'entrée pour que les employés du parc se chargent de retrouver son père. Mais ce que tu as fait était beaucoup mieux. Tu as fait participer Drew à la recherche, en oubliant ta propre peur pour t'occuper de lui. Je doute qu'il se souvienne encore de cet incident quand il sera plus grand. Grâce à toi, cela ne laissera pas de trace sur lui.

Elle comprit ce qu'il voulait dire. Contrairement à elle, Drew ne garderait pas de cicatrice.

Cette fois, elle mit directement une pincée rose et sucrée dans la bouche de Reece, et il lui embrassa le bout des doigts avant d'entourer ses épaules de son bras.

— Quelles autres situations seraient susceptibles de te faire peur ? lui demanda-t-il. Si je te laissais là et rentrais seul, par exemple. Qu'est-ce que tu ferais ?

Elle n'hésita pas une seconde.

— Je prendrais un taxi, je retournerais à la ferme et je te mettrais un coup de pied dans…

Il posa la main sur sa bouche pour la faire taire.

— Donc, ce ne serait pas un problème pour toi. Dans quels autres cas te sens-tu inquiète en public ? demanda-t-il en se mettant à jouer avec une boucle de ses cheveux.

— Parfois… J'ai l'impression que je ne vais pas savoir comment agir et que je vais faire quelque chose de travers, ce qui va m'attirer des ennuis, ou bien tout le monde va me détester.

— Ça, je peux le comprendre, dit-il. J'ai ressenti la même chose pendant mes premières années d'école, quand certains garçons se moquaient de moi parce que je venais du cirque. Mais au bout de quelque temps, ça ne m'a plus rien fait. Ce n'est pas parce qu'on est différent qu'on est mauvais. On est différent, c'est tout.

Il se tut quelques secondes, puis la regarda avec douceur.

— Qu'est-ce que tu as fait qui était censé être mal, lorsque tu as été placée pour quelques jours dans ce foyer ?

— Je… Je buvais directement au tuyau d'arrosage du jardin. Je ne connaissais aucun des dessins animés dont les autres enfants parlaient. Je demandais tout le temps où étaient leurs chevaux, et où on irait ensuite… Ce n'est pas bon d'être différent des autres enfants, dit-elle comme si c'était une évidence. Et c'était aussi le cas avec les adultes. Je ne comprenais pas les choses comme les autres, et cela me perturbait beaucoup.

— Comment t'es-tu luxé l'épaule là-bas ? demanda-t-il d'une voix calme.

— Oh ! Tu t'en souviens, dit-elle, étonnée.

— L'attelle rose, dit-il simplement.

— Je suppose que j'ai dû mettre Mme Barch en colère. C'était elle qui dirigeait l'établissement. Mais elle détestait les enfants.

— Et qu'as-tu fait pour l'énerver ? demanda-t-il, sa main caressant ses cheveux.

— Je ne me souviens plus très bien… Je crois que j'étais

montée sur le comptoir pour atteindre le téléphone accroché au mur. Ensuite, je me rappelle seulement qu'elle m'a attrapée violemment par le bras pour me faire descendre. Ça m'a vraiment fait très mal, et j'ai vomi sur elle. Elle m'a envoyée au lit parce que j'étais méchante. Deux jours plus tard… maman et Mack sont arrivés. Je crois que l'assistante sociale leur avait fait des ennuis. Mais elle a compris, quand maman a vu mon bras, que c'était quelqu'un du foyer qui m'avait fait ça. Jamais maman ne m'aurait laissée dans cet état sans me faire soigner, alors que la femme du foyer craignait que ça ne lui retombe dessus. Alors l'assistante sociale m'a aussitôt rendue à maman. Mack et elle étaient tellement contents de me récupérer qu'ils n'ont pas porté plainte.

Il lui avait fallu des années pour reconstituer cette histoire, dont elle n'avait pas tout compris sur le moment. A l'époque, elle était tellement petite…

Reece la serra contre lui en silence pendant un long moment, les lèvres appuyées sur sa tempe.

— A ce moment-là, j'aurais dû te demander ce qui s'était passé, dit-il enfin d'une voix à peine perceptible.

— Tu n'avais que huit ans.

Peut-être n'apprendrait-elle jamais comment s'y prendre dans le monde extérieur. Mais peut-être saurait-elle un jour comment s'y prendre avec cet homme.

— Tu as bien pris soin de moi, dit-elle. Les autres aussi, mais surtout toi, et Gordy.

Il se gratta la gorge avant de se lever, changeant complètement de sujet.

— Je te rappelle que nous représentons le cirque Keightly avec nos T-shirts, dit-il gaiement avant de la soulever devant tout le monde et de la porter comme un sac sur son épaule, tandis qu'elle faisait semblant de protester.

Autour d'eux, les grands comme les petits riaient, et ils se dirigèrent ainsi vers la sortie.

— Alors, Hercule, où allons-nous ? lui demanda-t-elle.

— On rentre à la maison.

Le trapèze ne sentait pas la sciure, mais il avait toujours le même effet sur Reece. Il s'était imaginé que plus il monterait dessus, plus il s'y habituerait, mais il était toujours au bord de la panique.

Chaque soir de la semaine, avant que les enfants ne rentrent chez eux, il travaillait avec eux. En deux semaines, ils avaient tous appris à se suspendre par les genoux et à rattraper la barre en vol.

Il fallut deux autres semaines pour que le « nouveau » corps de Reece, plus grand et plus large que l'ancien, se familiarise avec cette discipline, et que ses muscles s'y adaptent. Alors seulement, il put ajouter le saut simple à leur entraînement.

L'autre heure quotidienne qu'il passait avec Anthony à lui apprendre à porter l'aida aussi à se sentir plus à l'aise. Tout se passait bien.

Grâce aux contrôles rigoureux de Reece concernant la santé et les règles de sécurité, et la stricte observation de ces règles par les élèves surveillés de près par Jolie, ils arrivèrent à la répétition générale du spectacle de fin d'été avec seulement quelques blessures légères.

— Comment te sens-tu ? demanda Jolie en voyant Reece étirer les bras, se préparant à grimper à l'échelle pour atteindre la plate-forme.

— Ça va, répondit-il. As-tu décidé si tu allais faire quelque chose pour le final ?

— Je n'en ai pas envie. Je ne veux pas perturber les enfants. Ils ont travaillé si dur tout l'été…

Elle alla s'asseoir, les yeux fixés sur le groupe au-dessus d'elle, et attendit que Reece démarre la musique qui accompagnerait le numéro aérien. Ils n'avaient pas besoin d'elle, aujourd'hui.

Pour le spectacle, les enfants avaient choisi le thème du cirque hanté, et la musique s'en ressentait.

Anthony était le meilleur pour les suspensions, mais elle savait qu'il voulait vraiment que Reece soit fier de lui. Il avait aussi un peu trop confiance en lui à son goût. Deux jours auparavant, elle l'avait surpris un soir en train de répéter sur le trapèze avec sa petite amie, Tara, alors que le camp était fermé.

Naturellement, elle les avait immédiatement fait descendre, mais elle n'en avait pas parlé à Reece. Le sujet était déjà bien assez sensible avec lui.

Reece régla son balancement à la bonne hauteur, trouva sa marque, et appela : « Hep ! » pour que la première voltigeuse commence à se balancer.

Depuis trois semaines, il se soignait avec des médicaments anti-nausée, mais une urgence à son cabinet les lui avait fait prendre en retard aujourd'hui.

Son problème était psychosomatique, et Jolie aurait compris — elle avait elle-même connu quelques crises de panique —, mais il ne voulait pas qu'elle soit au courant. Il aurait eu l'impression de rompre un engagement s'il n'était pas capable d'assurer son rôle au trapèze.

La première voltigeuse quitta la barre pour atterrir dans ses mains. Comme toujours, celle-ci lui jeta un coup d'œil nerveux, comme si elle craignait qu'il ne la fasse tomber.

Le seul qui attaquait chaque voltige avec une totale confiance, c'était Anthony. Il ne pouvait pas se contenter d'apprendre à porter et n'était d'ailleurs pas encore prêt pour cela. Mais lui et Tara se débrouillaient très bien pour les suspensions par les genoux, qu'ils avaient travaillées pendant les cours. Tous les deux prenaient plaisir aux mêmes choses.

Après les filles, ce fut au tour d'Anthony. Reece régla son balancement et cria : « Hep ! » Mais quand il revint vers son frère d'adoption pour l'attraper, celui-ci se tenait debout sur la barre.

— Anthony ! hurla-t-il.

L'adolescent ne réagit pas au bon moment. Il exécuta un parfait saut périlleux avant, mais si le moment était passé, peu importait la perfection des figures.

Ils échouèrent à un cheveu. Reece ne réussit à attraper qu'une main d'Anthony, cela déséquilibra le balancement qui partit en diagonale.

Alors seulement, Anthony parut se rendre compte à quel point ce qu'il avait fait était dangereux, et il se lâcha pour retomber dans le filet.

Mais tout était décalé. Ce n'était pas le bon endroit ni le bon moment. Impuissant, Reece assista à la chute d'Anthony, priant pour qu'il tombe bien dans le filet. Ils avaient appris à chuter correctement dès le premier jour.

Anthony rebondit sur le bord du filet avant de retomber violemment sur la piste.

Jolie avait déjà pris son téléphone et composé le 911 avant qu'Anthony ne lâche la main de Reece.

Tout se passa très vite. Elle courut, son téléphone à l'oreille, et se laissa tomber par terre près d'Anthony.

— Il respire, cria-t-elle à Reece quand il la rejoignit.

Mais Anthony était inconscient. Elle n'osait pas le bouger et chercha son pouls. Elle fut légèrement soulagée en le sentant battre nettement sous ses doigts.

Reece s'agenouilla près de son frère, cherchant d'éventuelles blessures.

— Il a une fracture simple du tibia gauche…

Elle n'eut pas besoin de le regarder pour deviner ce qu'il ressentait. Il avait un teint couleur gris cendre, mais ses mains ne tremblaient pas. Il devait avoir l'impression de revivre un cauchemar.

L'adolescent commença à revenir à lui.

— Ne bouge pas, Anthony, dit Reece d'une voix forte. Tu as peut-être la nuque ou la colonne vertébrale atteinte. Je sais que tu souffres, mais tu dois rester tranquille. Bloque sa tête avec tes genoux, ajouta-t-il à l'intention de Jolie.

Après avoir examiné ses jambes et ses bras, il palpa l'abdomen d'Anthony.

— Dis-moi si tu as mal.

Lorsque les mains de Reece atteignirent le côté gauche, sous les côtes, et qu'il appuya légèrement, Anthony poussa un cri.

Reece se tourna vers Jolie.

— Surveille son pouls, lui dit-il. J'ai besoin de ton téléphone.

— Dans ma poche.

Elle prit le poignet d'Anthony.

— Reece ? Son pouls s'accélère.

— Qu'est-ce qui s'est passé ? demanda Anthony d'une voix faible, l'air effrayé.

Jolie lui sourit.

— Ne t'inquiète pas. Tu entends l'ambulance ? Elle vient d'arriver pour t'emmener à l'hôpital. Mais il faut que tu restes calme, d'accord ?

Les auxiliaires médicaux étaient déjà là. Avec l'aide de Reece, ils installèrent Anthony sur une grande planche et l'emmenèrent dans l'ambulance.

— Accompagne-le, tu pourras toujours être utile, dit-elle à Reece. Je te rejoins.

Elle aurait dû dire à Reece qu'elle les avait surpris le soir sur le trapèze. Elle avait sermonné Tara qui avait bien compris qu'elle risquait d'être virée du camp et de ne pas être acceptée l'année suivante, mais Anthony avait quelque chose à prouver. Il avait voulu impressionner Reece. Si elle en avait parlé, il aurait pu régler cette affaire.

Tout était sa faute. Elle avait été trop indulgente… Et peut-être pas assez autoritaire.

A présent, Reece allait s'en vouloir.

*
* *

En tant que médecin, Reece fut autorisé à aller voir Anthony en salle de réanimation à sa sortie du bloc opératoire, six heures plus tard.

Il laissa Jolie en salle d'attente, en compagnie de toutes les personnes qui vivaient à la ferme — même grand-mère et les jeunes dont elle s'occupait.

Pour l'instant, il n'avait pas le temps de penser à Jolie, ni à la façon dont elle réagirait quand il lui annoncerait que le camp était terminé. Pour de bon. Pas de spectacle final, ni de saison prochaine.

Anthony aurait pu mourir. Mais cela aurait pu arriver à n'importe lequel d'entre eux, quelles que soient les précautions qui avaient été prises. Lui-même avait voulu croire qu'ils étaient en sécurité. Il aurait dû faire confiance à son intuition et écouter son corps : chaque fois qu'il était monté sur le trapèze, il avait été au bord de la nausée.

Il resta près d'Anthony quand la sonde fut retirée de sa gorge et qu'il put parler.

— Je t'assure que je vais te botter les fesses quand tu iras mieux, dit Reece en le prenant par la main.

Anthony lui sourit faiblement.

— Je pensais que tu me rattraperais.

— Je l'aurais fait si tu m'avais prévenu de ton intention. Tu as eu beaucoup de chance, tu as survécu à un éclatement de la rate. Le chirurgien a pu tout nettoyer. Tu as aussi une jambe cassée, une simple fracture. Grand-mère Bohannon est si bouleversée qu'elle en oublie de jurer.

De son côté, Reece était tellement soulagé qu'il fit quelque chose qui aurait horrifié le gamin s'il n'avait pas été encore sous l'effet des médicaments : il l'embrassa sur la tête.

— Nous te voulons avec nous jusqu'à ce que tu sois assez vieux pour jurer comme grand-mère. Tu n'as pas besoin de chercher à impressionner qui que ce soit, c'est déjà fait. Et si tu ne crois pas qu'on t'aime, quand ils te ramèneront en chariot jusqu'à ta chambre, jette un coup d'œil dans la salle d'attente.

Les yeux d'Anthony se mouillèrent et deux larmes coulèrent sur ses joues.

— Merci, Reece. Si tu racontes à quelqu'un que j'ai pleuré, je dirai à tout le monde que tu m'as embrassé.

Plus tard dans la soirée, lorsque l'administration de l'hôpital eut fait comprendre à toute la troupe que l'heure des visites était passée, Jolie attendit que tous soient sortis pour parler à Anthony.

Par chance, elle le trouva dans une de ses phases de lucidité postopératoire et lui prit la main.

— Nous allons rentrer, mais grand-mère sera là demain matin pour te tenir compagnie. Tout le monde va aller mieux, à présent.

— Mais pas Reece. Il est encore… très secoué, dit Anthony.

— Parce qu'il a déjà été traumatisé.

— Par la mort de son père ? Personne ne veut me raconter ce qui s'est passé.

Il était clair que personne n'aimait en parler. Elle non plus, mais… Si elle avait raconté cette histoire à Anthony quand elle l'avait surpris, il aurait peut-être eu peur, et rien ne serait arrivé.

— C'était un numéro de balançoire russe, avec un voltigeur et un pousseur, dit-elle. Reece était là. Non pas pour faire de la voltige, mais pour activer le balancement, afin d'aller plus vite et plus loin. Le matériel était défectueux.

— Et tout a cédé ? demanda Anthony, l'horreur se peignant sur son visage tuméfié.

— La balançoire s'est détachée avant que le père de Reece n'ait sauté… Au pire moment. Ils sont tombés à toute allure, dans un très mauvais angle. Ils auraient dû rater le filet tous les deux, mais Reece a pu être récupéré indemne. Je pense que son père a dû le pousser dedans au moment de la chute. Quant à lui, il a heurté la machinerie, puis le sol.

Il n'est pas mort sur le coup. Il y avait du sang partout… Et les secours ne sont pas arrivés tout de suite.

C'était pour cette raison qu'elle avait étudié la médecine d'urgence et passé un diplôme. Cela faisait longtemps qu'elle n'avait plus voulu penser à ce drame.

— Voilà pourquoi il vérifie le matériel tous les jours, dit Anthony, visiblement touché.

— Attends-toi à un sermon quand tu iras mieux, lui dit-elle. Mais c'est parce qu'il veut te protéger. Et nous aussi. Grand-mère a l'intention de te faire écrire un millier de fois : « Je n'ajouterai pas des changements inattendus sur le trapèze. »

Anthony hocha la tête en silence. Elle se pencha pour l'embrasser sur la joue, et partit à la recherche de Reece.

Elle le rattrapa avant qu'il ne regagne la voiture.

— Il faut qu'on parle de tout ça, lui dit-elle.

— Quand on sera de retour à la ferme, répondit-il, laconique.

Il savait. Il savait et il pensait qu'elle était nulle comme directrice de camp…

Il lui sembla que le trajet du retour la menait à son exécution. Mais était-ce la fin pour eux deux, ou pour le camp ?

11.

Jolie arrêta la voiture. Reece en sortit et se dirigea vers le grand chapiteau.

— Tu n'as pas besoin d'y retourner maintenant, dit-elle.

— Il le faut, répondit-il sans se retourner. Je vais descendre le trapèze.

Elle le rattrapa en courant et lui prit la main.

— J'ai déjà attaché les échelles, dit-elle.

Il s'arrêta et se retourna.

— Je vais vérifier. Retourne dans ta caravane et attends-moi.

Elle aurait aimé rester avec lui, le temps de s'assurer qu'il allait bien. Mais elle lui lâcha la main et fit ce qu'il demandait.

Finalement, elle espérait presque qu'Anthony lui avait tout avoué. Comme cela, il lui ferait des reproches à elle, et ne se les ferait pas à lui-même.

S'asseyant à la porte de sa caravane, d'où elle pouvait voir le chapiteau, elle attendit son retour.

La bonne nouvelle, c'était qu'elle avait repris le contrôle de ses émotions. Elle avait réussi à rester calme pendant tout le déroulement du drame. Certes, elle était inquiète, mais elle avait réussi à tenir la panique à distance.

Elle croisa les bras sur les genoux et y posa sa tête, décidant de donner à Reece le temps qu'il fallait, alors qu'elle mourait d'envie de courir après lui.

***

Reece ne put qu'admirer l'astuce de Jolie. Elle avait immobilisé les échelles à l'aide de cadenas.

Vérifier son système lui prit une minute. Il passa la demi-heure suivante à vomir.

Quand il approcha de la caravane, elle l'entendit et leva la tête.

— Tu as une mine épouvantable, murmura-t-elle.

— Mmm... J'ai besoin de boire.

Ils entrèrent chez elle pour qu'il prenne un verre d'eau. Il le but d'une traite, puis la regarda.

— Le camp est fini, Jo. Il n'y aura pas de spectacle, ni de camp l'année prochaine. Je vais rappeler l'acheteur intéressé au printemps pour savoir si son offre est toujours valable.

Elle accueillit la nouvelle avec un calme étonnant.

— Est-ce que ça va ? lui demanda-t-elle.

— Non. A vrai dire, je viens de...

— C'est ma faute si Anthony a fait ça, dit-elle, impassible.

Il s'assit sur la banquette.

— Comment cela ?

Elle lui raconta ce qui s'était passé.

— Je ne t'en ai pas parlé parce que je craignais que cela ne te bouleverse. Je pensais pouvoir régler la question... Mais je n'ai pas réussi. Si c'était toi qui lui avais parlé, Anthony aurait écouté.

— Peut-être, dit-il en haussant les épaules. C'est difficile à affirmer. Et, franchement, quelque part, nous avons eu de la chance que ce soit la famille. S'il s'était agi d'un des enfants, on aurait été poursuivis en justice.

Elle vint s'asseoir à côté de lui.

— L'année prochaine...

— Il n'y aura pas d'année prochaine, Jolie.

Il fallait qu'il se lève. Elle était trop proche, et dans ces cas-là il avait envie à la fois de lui faire plaisir et de la protéger, physiquement et émotionnellement. Mieux valait qu'elle ne soit pas à portée de main.

— Cette vie est trop dangereuse, dit-il. D'ailleurs, tu ne participes même plus aux spectacles à cause de ça. Tu enseignes, et tes élèves se débrouillent très bien sur le câble, mais toi, tu ne fais plus que te maintenir en forme. Alors, à quoi bon ? Où tout cela nous mène-t-il ?

Elle resta assise sur la banquette, silencieuse, les sourcils froncés. Cherchait-elle le moyen d'arriver à lui faire faire ce qu'elle voulait ?

— Où tout cela nous mène-t-il ? répéta-t-elle.

Elle n'allait probablement pas aimer la solution qu'il avait à l'esprit.

— Je t'aime, Jo. Nous avons tenté de préserver le cirque avec le camp, mais ça ne peut pas marcher. Alors, dis-moi, quelle est la solution ? Veux-tu venir travailler à mon cabinet ? Prendre des rendez-vous et rester assise toute la journée à un bureau ?

— Une fois de plus, je suis un problème à résoudre, dit-elle.

— Ne dis pas ça.

— On dirait que tu as pris ta décision.

— Je dois te protéger, dit-il doucement.

Elle secoua la tête.

— Je ne suis pas sous ta responsabilité.

— Bien sûr que si.

— Parce que ton père t'a confié cette tâche quand j'avais cinq ans ?

— Oui.

— Est-ce pour ça que tu m'aimes ? Parce que tu dois prendre soin de moi ?

— Non. C'est pour ça que j'ai essayé de ne pas t'aimer. Parce que chaque fois que tu es triste, c'est comme si je recevais un coup de couteau dans la poitrine.

Il se dirigea vers la porte, prêt à s'enfuir.

— J'ai une liste de personnes qui cherchent un numéro de danse sur câble.

— Tu veux dire… que tu m'as déjà cherché un travail ?

Elle ne savait pas si elle devait pleurer ou crier.

— Tu sais quoi ? Je préfère que l'on ne se dise plus rien que l'on risquerait de regretter. Est-ce que tu blâmes quelqu'un en particulier ? ajouta-t-elle

— Je blâme tout le monde. Toi. Moi. Anthony. Les personnes de son passé qui lui ont fait croire que, même s'il faisait partie d'une famille, il fallait qu'il travaille dur pour être aimé d'elle. Et je blâme cet attrait irrésistible pour le chapiteau et l'excitation que procure la voltige.

Il sortit de la caravane.

— Nous reparlerons bientôt de tout ça.

Au moins cette fois ce serait différent, se dit-elle. Il ne voulait pas la faire souffrir, mais il lui dirait clairement les choses avant de la quitter…

Reece dut traverser l'herbe pour mettre sa voiture de l'autre côté du chapiteau, tant il y avait de monde. Il n'y avait plus moyen de se garer nulle part.

Jolie avait appelé dans la matinée, et laissé un message comme quoi le spectacle clôturant la saison du camp du cirque Keightly aurait bien lieu. Puis elle avait refusé de répondre à ses appels.

Sous le chapiteau, tous les sièges avaient été réinstallés, et il n'y avait plus une place libre.

Derrière la piste, dans la zone qui servait traditionnellement de coulisses, il aperçut les élèves-artistes, qui étaient déjà en costume et attendaient de passer.

Mais, si sympathique que cela ait l'air, la représentation ne pouvait pas avoir lieu.

Il trouva Jolie en train de compter le nombre de participants. Sans dire un mot pour ne pas alerter les enfants, il l'entraîna hors du chapiteau.

— Annule.

— Reece, écoute-moi, dit-elle d'une voix suppliante. Il n'y a pas de numéro de trapèze. Ces gamins ont travaillé trop dur pour qu'on leur supprime leur final. Tout le matériel de sécurité a été mis en place. Il faut juste que tu me fasses confiance. Je sais que j'ai commis une erreur avec Anthony, mais n'enlève pas tout aux enfants. Il leur faut ce spectacle ; il leur est dû, et ils le méritent.

Il releva le regard et vit un drôle de petit clown à la peau grise, habillé en vagabond, qui sourit en lui faisant des signes.

Reece répondit au petit garçon, puis se tourna vers Jolie.

— Tu aurais dû me le dire.

— Oui, c'est vrai. Il y a toutes sortes de choses dont j'aurais dû te parler. Et quand tu m'as dit que tu m'aimais, j'aurais dû te croire.

— Parce que tu ne m'as pas cru ?

— Jusqu'à récemment, non, je ne t'ai pas cru.

Elle posa la main sur sa joue, appuya son autre pouce entre ses sourcils et effectua un petit massage circulaire. Il sentit son front se détendre.

— Je t'assure que l'on a pris toutes les précautions nécessaires. Tu ne peux qu'approuver ce que nous avons fait. C'est davantage un camp qu'un cirque, à présent. La seule chose qui pourrait faire que quelqu'un soit blessé, ce serait la chute d'une météorite ! Il n'y a pas de trapèze. Je t'en prie, Reece… Viens juste voir le spectacle. Je t'ai gardé une place à côté de grand-mère.

— Et les acrobates aériens ?

— Ils ont monté un nouveau numéro. La semaine dernière, ils ont travaillé comme des fous pour tout mettre au point. On n'a même pas besoin d'installer un filet. Alors, d'accord ?

Le sort du spectacle était entre ses mains. Il soupira et la suivit. Une fois de plus, il n'avait pas pu dire non à Jolie. Assis à côté de la grand-mère Bohannon, il fit un effort pour se détendre.

Elle lui tapota la cuisse.

— Ne t'en fais pas, tout va bien se passer.

— Je l'espère.

Il ne devait pas avoir l'air brillant, car elle prit son sac et le posa sur ses genoux.

— Si tu as envie de vomir, il y a un sachet exprès là-dedans. Je l'ai fauché à l'hôpital.

Durant les deux heures de spectacle qui suivirent, il assista à la plus ridicule et la plus drôle parodie de clowns zombies depuis la vidéo de *Thriller* et se surprit à éclater de rire. Toujours commencer par les clowns.

Puis il y eut les jongleurs avec de faux os et des crânes peints sur leurs balles, et différents numéros d'acrobatie. Vers la fin, il y eut même un défilé de mode zombie, pendant lequel les aspirants designers parlèrent de leurs créations.

Du coin de l'œil, Reece remarqua que quelque chose se préparait. On installait d'épais tapis, des cerceaux furent attachés au bout de câbles suspendus.

Alors il vit arriver son groupe d'acrobates aériens — moins Anthony. Ils étaient habillés de noir, avec des lambeaux de tissus pour tout costume. Pour le reste du spectacle, la musique avait été pré-enregistrée, mais les premières notes provenant du calliope retentirent pendant que les filles s'installaient sur leurs cerceaux. Mack conduisait tandis que la mère de Reece, installée au clavier, jouait une musique semblant venir tout droit d'un manège hanté.

Les apprenties artistes avaient l'air aussi contentes d'avoir un cerceau tournant sur lui-même qu'un trapèze. Et, à seulement un mètre du sol recouvert d'épais tapis, Jolie avait raison : il aurait été étonnant que les enfants trouvent le moyen de se blesser sérieusement.

Leur performance fut à la fois gracieuse et colorée, avec une note un peu inquiétante apportée par la musique du calliope.

Jolie avait réussi. Les débuts avaient été difficiles, mais l'année prochaine il y aurait une liste d'attente d'un kilomètre de long pour demander à participer au camp.

A la fin du spectacle, elle fit un bref discours pour remercier tous les artistes passés et actuels du Keigthly Circus, et plus particulièrement Reece, qui…

Il compléta la suite pour lui-même. Reece, qu'elle avait dû supplier à maintes reprises pour qu'il accepte de lui donner une chance. Reece, qui l'avait traitée comme une enfant incompétente. Reece, qui était parti pendant des années parce qu'il ne pouvait pas contrôler tout le monde…

Naturellement, elle ne dit rien de tout cela. Il agita la main pour répondre aux applaudissements et passa parmi la foule des parents et des jeunes artistes pour féliciter tout le monde.

Puis il alla attendre Jolie dans sa caravane. Comme à son habitude, elle n'avait pas fermé la porte à clé, et quand elle arriva enfin, elle le trouva assis sur les marches, un verre de thé à la main.

— Tu avais raison, dit Reece. Je n'ai jamais rien vu d'aussi… étonnant. Et les enfants méritaient qu'on les laisse s'exprimer. J'espère que quelqu'un a enregistré la danse des clowns zombies inspirée de *Thriller*.

Jolie sourit en s'arrêtant devant les marches, suffisamment loin pour qu'il ne puisse pas la toucher sans se lever.

— Oh ! ne t'inquiète pas, on a tout enregistré ! répondit-elle. Je crois que ça va devenir un collector.

Il s'éclaircit la voix.

— A propos de l'année prochaine…

— Attends, dit-elle. Je voudrais que l'on parle de nous. Est-ce qu'on peut commencer par là ?

Elle se rapprocha insensiblement, son courage diminuant peu à peu. Elle l'avait vu sourire au cirque. Cela lui avait plu.

— Veux-tu que l'on aille à l'intérieur ? demanda-t-il.

Elle secoua la tête.

— Qu'as-tu à me dire ? Je suis prêt.

— Tu craignais que je ne te fasse pas confiance, et tu avais raison, dit-elle. Je le voulais, j'ai essayé, et je savais que de ton côté tu faisais des efforts. Mais quand je me suis retrouvée sur le trapèze avec toi, j'ai été comme paralysée. Cela s'est bien passé pour la suspension par les genoux, parce que je n'ai pas eu à lâcher la barre avant que tu n'aies assuré ta prise en me tenant. Mais ensuite… Le simple fait de penser qu'il était *possible* que tu me lâches... Ce n'est pas très sensé.

— Tout ça, c'est une histoire de contrôle, dit-il. Je peux comprendre ce besoin, crois-moi.

Mais elle n'avait pas fini.

— Pendant tout l'été, je me suis attendue à ce que cela finisse entre nous. Et après l'hôpital... Là, nous avons rompu, n'est-ce pas ? J'y étais préparée.

Elle sentit les larmes lui monter aux yeux et dut s'arrêter un instant pour reprendre sa respiration.

— Aujourd'hui, je savais que tu serais furieux à cause du spectacle, mais j'étais certaine que tu viendrais. Et tu viendras toujours, Reece. Je le sais. Même si...

Sa voix se brisa.

— Même si tu ne veux plus de moi.

Il se leva et s'approcha d'elle.

— Tu as fini ?

Elle hocha la tête.

L'entourant de ses bras, il la souleva et la porta à l'intérieur, sa bouche trouvant la sienne avant même que la porte ne soit refermée. En quelques secondes, ils furent tous les deux nus sur le lit...

Dix minutes plus tard, Reece roula sur le côté et l'attira contre lui.

— Désolé, murmura-t-il. J'aurais voulu tenir encore et encore...

— Tout de même, ça a duré plus de cinq secondes, dit-elle d'un ton taquin.

— Je crois que je n'aurai jamais fini d'entendre parler de cette première fois, dit-il avec un soupir.

Elle se blottit davantage contre lui.

— Je voudrais juste que l'on ne perde pas la magie... Cette magie que tu avais dans les yeux, ce soir. Il ne s'agit pas de sexe, mais... d'une sensation.

Il approuva de la tête.

— J'ai oublié où j'étais, qui j'étais… et pourquoi j'étais parti. C'est la première fois que cela m'arrive, dit-il en lui caressant les cheveux. Oui, j'ai senti la magie. Si tu veux faire le camp l'année prochaine, je suis d'accord. Si tu le gères comme tu l'as fait cette année…

— Sans le trapèze, dit-elle.

Il sourit, l'air soulagé.

— Sans le trapèze. L'idée des cerceaux était excellente.

— Nous n'avons pas besoin de prendre des décisions maintenant, dit-elle. Je ne tiens pas à voyager, mais je peux passer par un agent pour participer de temps en temps à de grandes fêtes dans le pays. Peut-être que j'aurai même parfois envie de participer au spectacle. Mais, franchement, faire une balade à cheval chaque jour dans les pâturages, acheter une jument miniature et faire de l'élevage… Et un jour, bâtir une maison sur des fondations… J'avoue que l'idée commence à me trotter dans la tête. Je ne crois pas que je pourrais supporter de vivre en banlieue, mais… Je peux très bien ne pas voyager. Je pourrais avoir une vie heureuse, sans le cirque.

— Tu t'occupes de construire une vie en dehors du cirque, et moi, je me charge de te rendre heureuse, dit-il.

Ce n'était pas à proprement parler une demande en mariage, mais presque.

— Je t'aime, dit-elle tout bas, se mettant à onduler lentement contre lui. Voyons si tu peux tenir plus de dix minutes, cette fois.

— Si je n'y arrive pas, je suis sûr que l'on pourra trouver M. Satisfaction quelque part…

Roulant sur lui-même pour se placer au-dessus d'elle, il l'embrassa avec passion.

Elle sourit. Des progrès avaient été faits aujourd'hui, mais il aimait toujours mener.

Ce n'était pas un problème. Elle aurait toute la vie pour lui faire perdre cette habitude.

COLLECTION *Blanche*

Ne manquez pas, dès le 1ᵉʳ décembre

SOUS LE CHARME DU PATRON, de Joanna Neil • N° 1198 #33

L'amour entre collègues, non merci ! Saskia a appris la leçon dans son précédent poste et jure qu'on n'y reprendra plus. Aussi est-ce sans regret qu'elle quitte son travail à l'hôpital de Cornouailles pour s'installer temporairement dans les îles Scilly, où elle pourra veiller sur les enfants de son frère et de sa belle-sœur, alités suite à un terrible accident de la route. Mais dès qu'elle croise le regard de son nouveau patron à l'hôpital local, l'irrésistible Dr Beckett, qui est également le propriétaire – et voisin – de la maison qu'elle loue, Saskia se rend compte qu'elle va peut-être devoir revenir sur sa parole...

AMOUREUSE EN SECRET, de Janice Lynn

Depuis le jour où elle a pris ses fonctions d'infirmière au Cravenwood Hospital, quelques mois plus tôt, Beth n'a d'yeux que pour le beau et brillant Dr Eli Randolph. Hélas, lui ne l'a jamais remarquée... Du moins est-ce ce que Beth pense. Mais, un soir, elle reçoit un message troublant d'un numéro qu'elle ne connaît pas, qui pique sa curiosité. Et quand, au fil de leurs échanges de plus en plus complices, elle comprend que son mystérieux correspondant travaille avec elle à l'hôpital, elle se prend à rêver qu'il s'agit d'Eli...

L'INFIRMIÈRE DE GOLDEN SHORES, de Susan Carlisle • N° 1199 #3 3ᵗ

China Davis a toujours vécu dans la petite station balnéaire de Golden Shores, dans le Mississippi – et elle y mène une vie bien remplie, entre son travail d'infirmière et sa passion pour le jardinage. Mais l'arrivée d'un nouveau collègue dans le centre médical de la ville, le séduisant Dr Payton Jenkins, fraîchement muté de Chicago, provoque en elle un trouble inattendu. Trouble qui ne fait qu'augmenter quand, après une nuit de garde éprouvante, Payton lui vole un baiser...

LE MÉDECIN DE SON CŒUR, de Susan Carlisle

Quand elle apprend que sa candidature a été retenue à l'hôpital d'Atlanta, Kelsey est folle de joie. Car, contrairement à sa sœur China, elle a toujours rêvé de quitter Golden Shores, et elle a bien l'intention de ne pas laisser passer cette occasion en or ! Elle n'a donc plus qu'à patienter quelques semaines. Sauf que, quand son premier amour, le Dr Jordan King, revient à Golden Shores après des années d'absence pour travailler dans le même hôpital qu'elle, Kelsey n'est soudain plus si sûre de son choix...

LE BONHEUR EN PARTAGE, de Lucy Clark • N° 1200 *#35*

Stacey est enfin de retour à Newcastle, après plus de quinze ans d'absence, pour réaliser son rêve d'enfant : reprendre l'ancien cabinet médical de son père. Elle sait que la tâche n'a rien de facile, d'autant qu'elle doit également veiller sur ses trois petits frère et sœurs, dont elle a la garde depuis la disparition de son père et de sa belle-mère, un an plus tôt. Aussi est-ce avec soulagement que Stacey accepte l'aide du Dr Pierce Brolin au cabinet – un soulagement mêlé d'appréhension car, dès leur première rencontre, Pierce a troublé son cœur. Mais Stacey s'est juré de toujours faire passer le bonheur de sa famille avant toute chose. Quitte à mettre de côté ses sentiments…

UNE DANSE AVEC LE DR MACDOWELL, de Caro Carson

Lorsqu'elle reçoit une invitation pour le prestigieux gala de charité du West Central Hospital, Dianna est folle de joie. Elégance, romantisme, passion… L'atmosphère raffinée et envoûtante du bal est le cadre idéal pour vivre les plus belles histoires d'amour ! Aussi, quand elle remarque que le ténébreux Dr Quinn MacDowell, assis seul près de la piste de danse, est l'unique personne qui ne semble pas profiter pleinement de la soirée, Dianna décide de prendre les choses en main et de l'aborder…

POUR LE BONHEUR D'UN PETIT GARÇON, de Marion Lennox • N° 1201 *#36*

Jack est prêt à tout pour redonner la joie de vivre à son neveu Harry, âgé de sept ans, muet depuis le terrible accident de voiture qui a coûté la vie à ses parents – même à partir avec lui quelques semaines à la Baie des dauphins, pour y mener une toute nouvelle thérapie. Mais, à peine arrivé au centre, il est confronté à une surprise de taille : la directrice de l'établissement, le Dr Kate Martin, n'est autre que Cathy, une ancienne camarade de classe à la faculté de médecine. Cathy, qu'il aimait en secret à l'époque et qui, aujourd'hui, est plus belle que jamais. Pas question, toutefois, de se laisser distraire : rien ne doit compter pour lui que le bien-être de Harry…

LE MERVEILLEUX NOËL DE MAGGIE, d'Ami Weaver

Lorsque le Dr Josh Tanner, veuf depuis quelques années, l'engage comme nourrice pour son fils Cody, quatre ans, Maggie ressent une joie intense, mêlée de soulagement. Car, si ce poste est une belle opportunité professionnelle, c'est surtout un moyen de se rapprocher du petit garçon, qui lui est déjà si cher, pour des raisons qu'elle peut difficilement avouer à Josh… Raisons qui l'empêchent également de céder à l'attirance qui, au fil des jours, la pousse de plus en plus vers le beau médecin…